HARLAN COBEN

Né en 1962, Harlan Coben vit dans le New Jersey avec sa femme et leurs quatre enfants. Diplômé en sciences politiques du Amherst College, il a rencontré un succès immédiat dès ses premiers romans, tant auprès de la critique que du public. Il est le premier auteur à avoir reçu le Edgar Award, le Shamus Award et le Anthony Award, les trois prix majeurs de la littérature à suspense aux États-Unis. Il est l'auteur de *Ne le dis à personne...* (2002) – Grand Prix des lectrices de ELLE 2003 –, *Disparu à jamais* (2003), *Une chance de trop* (2004), *Juste un regard* (2005), *Innocent* (2006) et *Dans les bois* (2008), tous parus chez Belfond. Il a également publié la série des aventures du désormais célèbre agent sportif Myron Bolitar : *Rupture de contrat* (Fleuve Noir, 2003), *Balle de match* (Fleuve Noir, 2004), *Faux rebond* (Fleuve Noir, 2005), *Du sang sur le green* (Fleuve Noir, 2006), *Temps mort* (Fleuve Noir, 2007) et *Promets-moi* (Belfond, 2007).

Retrouvez l'actualité d'Harlan Coben sur :
www.harlan-coben.fr

DU SANG SUR LE GREEN

DU MÊME AUTEUR
CHEZ POCKET

NE LE DIS À PERSONNE... (GRAND PRIX DES LECTRICES DE *ELLE*)
DISPARU À JAMAIS
UNE CHANCE DE TROP
JUSTE UN REGARD
INNOCENT

Dans la série Myron Bolitar :

RUPTURE DE CONTRAT
BALLE DE MATCH
FAUX REBOND
DU SANG SUR LE GREEN
TEMPS MORT (À PARAÎTRE)
PROMETS-MOI (MARS 2008)

HARLAN COBEN

DU SANG SUR LE GREEN

Traduit de l'anglais par Thierry Arson

FLEUVE NOIR

Titre original :
BACK SPIN

Publié par Dell Publishing, a division of
Bantam Doubleday Dell Publishing Group, Inc.

ISBN : 978-2-266-16668-3

REMERCIEMENTS

Quand un auteur écrit sur une activité qu'il apprécie autant que se mettre la langue dans un ventilateur, il a besoin d'aide, et même de beaucoup d'aide. Parce qu'il en est très conscient, l'auteur tient donc à remercier les personnes suivantes : James Bradbeer Jr, Peter Roisman, Maggie Griffin, Craig Coben, Larry Coben, Jacob Hoye, Lisa Erbach Vance, Frank Snyder, le rec. sports. golf board, Knitwit, Sparkle Hayter, Anita Meyer, les nombreux golfeurs qui m'ont régalé d'anecdotes lumineuses (bâillement) et Dave Bolt. Si l'U.S. Open est un tournoi de golf réel, tout comme le Merion Club existe bel et bien, ce roman est une œuvre de pure fiction. J'ai pris certaines libertés, peut-être un peu mélangé les lieux et les tournois. Comme toujours, les erreurs – factuelles ou autres – incombent totalement aux personnes précitées. L'auteur n'a évidemment rien à se reprocher.

Myron et moi, nous avons essayé. Mais nous ne sommes toujours pas certains d'avoir chopé le coup.

1

A l'aide d'un périscope en carton, Myron Bolitar survolait la foule compressée des spectateurs à l'accoutrement ridicule. Il essayait de se remémorer en quelle occasion il avait recouru à ce genre de jouet. Ah oui : c'était à l'âge de sept ou huit ans, après avoir collectionné un tas de vignettes découpées sur les paquets de céréales.

Grâce au jeu de miroirs, Myron voyait un homme portant un pantalon court et mal coupé – un truc franchement impossible – qui dominait de toute sa taille une pauvre petite sphère blanche alvéolée. Les spectateurs échangeaient des murmures excités. Myron réprima un bâillement. L'homme en culotte courte s'accroupit. Un frisson horriblement collectif agita le public, et un silence inquiétant suivit. Une immobilité totale s'instaura, comme si les arbres, les buissons et jusqu'aux brins d'herbe bien coiffés retenaient leur respiration.

Le type en culotte courte donna un grand coup dans la sphère blanche avec une sorte de canne.

La foule se mit à marmonner sur le ton qu'on emploie pour dire du mal de quelqu'un dans son dos. Le volume des murmures s'éleva en même temps que la balle. Enfin on put saisir quelques mots. Et même des phrases :

« Joli coup ! Ça, c'est du golf », « Très beau swing ! Ça, c'est du golf », « Magnifique ! Quelle démonstration de golf ! » Curieux, ce besoin systématique de préciser qu'il s'agissait *de golf*, comme si quelqu'un aurait pu confondre avec un coup *de pagaie* ou – ce que Myron commençait à redouter par cette chaleur – un coup *de soleil*.

— M. Bolitar ?

Il décolla ses yeux de l'embout du périscope. Il fut tenté de crier « Navire ennemi à tribord ! » mais craignit que les prétentieux du Merion Golf Club n'y voient une preuve d'immaturité. Surtout pendant l'U.S. Open. Il baissa les yeux sur un homme au visage rubicond, de soixante-dix ans peut-être.

— Votre pantalon, dit Myron.

— Je vous demande pardon ?

— Vous avez peur de vous faire renverser par un caddie, c'est ça ?

Le vêtement était orange et jaune, dans une nuance à peine moins lumineuse qu'une supernova en plein orgasme cosmique. Pour être juste, la mise de ce type n'avait rien de très remarquable ici. La plupart des spectateurs donnaient l'impression de s'être réveillés en se demandant laquelle de leur tenue pourrait offenser l'œil d'un individu normalement constitué. On voyait des orange et des verts qu'on ne retrouvait que dans les enseignes au néon les plus laides. Des jaunes criards et certaines variantes de pourpre aux vertus vomitives évidentes avaient également la cote – ensemble, la plupart du temps – et évoquaient vaguement un mariage de couleurs que des pom-pom-girls daltoniennes auraient refusé de porter. Comme si le fait de se trouver au beau milieu de cet endroit d'une beauté quasi bucolique leur avait donné envie de saccager cette harmonie. A moins qu'un autre phénomène ne fût à l'œuvre ici. Peut-être que ces fringues atroces avaient une origine plus fonctionnelle. Et si, à l'époque où les animaux sauvages existaient encore, les ancêtres velus des golfeurs s'étaient habillés de la sorte pour effrayer les prédateurs ?

Une théorie qui en valait bien une autre.

— Il faut que je vous parle, murmura le vieux bigarré. C'est urgent.

Son regard implorant démentait l'arrondi plutôt jovial de ses joues. Il agrippa l'avant-bras de Myron.

— Je vous en prie, ajouta-t-il.

— C'est à quel sujet ?

L'homme tendit le cou, comme si son col était trop serré.

— Vous êtes agent sportif, n'est-ce pas ?

— Oui.

— Et vous êtes ici pour trouver des clients ?

Myron plissa les yeux.

— Comment savez-vous que je ne suis pas venu contempler le spectacle, à nul autre pareil, d'un groupe d'individus adultes déambulant sur une pelouse ?

L'autre ne sourit pas, mais les golfeurs n'ont jamais été réputés pour leur sens de l'humour. Il effectua un autre étirement des cervicales et se rapprocha. Dans un chuchotement rauque, il demanda :

— Le nom de Jack Coldren vous dit quelque chose ?

— Bien sûr, affirma Myron avec un aplomb redoutablement bien simulé.

Si on lui avait posé la même question la veille, il n'aurait pas su quoi répondre. Il ne suivait pas le golf d'aussi près (ni même de loin, d'ailleurs), et Jack Coldren n'avait été qu'un joueur quelconque durant ces vingt dernières années. Mais l'homme venait de créer la surprise en prenant la tête du classement dès le premier jour de l'U.S. Open, et maintenant, avec seulement quelques trous restant dans la seconde manche, il menait de huit coups.

— Et qu'est-ce qu'il a ?

— Et Linda Coldren ? enchaîna l'homme. Vous savez qui c'est ?

La réponse était plus facile. Linda était la femme du même Jack Coldren, et de loin la meilleure golfeuse de ces dix dernières années.

— Oui, je sais qui c'est, dit Myron.

L'homme se pencha vers lui et réitéra son mouvement de cou. Ce qui était sérieusement irritant – et peut-être contagieux. Myron se surprit à lutter contre l'envie de l'imiter.

— Ils ont de gros ennuis, murmura le vieil empourpré. Si vous acceptez de les aider, vous gagnerez sans doute deux nouveaux clients.

— Quel genre d'ennuis ?

L'autre jeta un regard de bête traquée autour de lui.

— S'il vous plaît, il y a trop de gens ici. Venez avec moi.

Myron s'y résigna. Aucune raison de refuser. Cet inconnu était le seul contact qu'il avait fait depuis que son ami et associé Windsor Horne Lockwood, troisième du nom, l'avait envoyé traîner ici ses pauvres fesses plébéiennes. Du fait que l'U.S. Open se déroulait au Merion – parcours de prédilection de la famille Lockwood depuis quelque chose comme un million d'années –, Win avait estimé que ce serait là une occasion en or d'accrocher quelques clients de choix. Myron n'en était pas si sûr. De ce qu'il avait constaté, la divergence majeure entre lui et les autres agents qui grouillaient sur les vertes étendues du Merion Golf Club résidait dans son aversion très nette pour le golf. Probablement pas un atout décisif pour approcher les fidèles de ce sport.

Myron dirigeait MB Sports, une agence sportive située sur Park Avenue, à New York. Il louait les locaux à Win, vieux copain de fac dont il avait partagé la chambre quand ils étaient tous deux étudiants. Win était un homme très élégant, très richement né et une figure incontournable de Wall Street. Sa famille possédait Lock-Horne, sur la même Park Avenue. Myron s'occupait des négociations tandis que Win gérait le volet investissements et finances. Le troisième membre de MB Sports, Esperanza Diaz, se chargeait de tout le reste. Trois domaines de compétence pour un parfait équilibre des pouvoirs. Exactement comme le gouvernement américain. Patriotique en diable. Et toutes les autres agences n'étaient que des nids de communistes !

Le vieil homme poussa Myron à travers la foule, et plusieurs hommes en blazer vert – un autre accessoire vestimentaire très prisé ici, peut-être comme camouflage – le saluèrent en murmurant des « Comment va, Bucky ? », « Tu as bonne mine, Buckster » et autres « Magnifique journée pour le golf, hein, Buckaroo ? ». Ils avaient tous les intonations pédantes de la haute, le genre à prononcer « Mâman » comme le mot s'écrit, et à oser les liaisons les plus improbables. Myron aurait bien plaisanté sur ces diminutifs ridicules pour un homme de cet âge, mais quand votre prénom est « Myron », mieux vaut ne pas donner des verges pour se faire battre.

Comme pour tous les événements sportifs hypermédiatisés se produisant dans le monde libre, l'aire de jeu ressemblait plus à un panneau publicitaire géant qu'à un lieu de compétition. Le tableau des scores était sponsorisé par IBM. Canon fournissait les périscopes en carton. Des employés d'American Airlines servaient aux buvettes (une compagnie aérienne pour préparer de la bouffe ! Quelle réunion de génies avait accouché de cette idée ?). Un tas de sociétés cotées en Bourse avaient loué à prix d'or un stand, pour seulement quelques jours. La finalité réelle de cet investissement ? La possibilité d'offrir une petite récréation à des cadres supérieurs. Dans le lot, un nombre conséquent de sociétés d'assurance (pas folles, les guêpes, le golf est un sport de vieux). Mais aussi Canon. Et Heublein… Heublein ? Qu'est-ce que c'était, un Heublein ? Le logo était plutôt réussi. Myron se serait probablement acheté un Heublein, s'il avait su ce que c'était.

Le plus drôle, c'est que l'U.S. Open était en fait un des tournois les moins gangrenés par la frénésie commerciale. Au moins ils n'avaient pas encore vendu le nom. D'autres tournois étaient baptisés d'après leurs sponsors, et tout ça était devenu assez risible. Qui avait envie de brandir un trophée portant le nom d'une célèbre marque de saucisses ou de bière ?

Le vieil homme l'emmena sur une aire de stationnement réservée à la crème des visiteurs. Mercedes, Cadillac, limousines en tout genre. Myron repéra la Jaguar de Win. L'U.S.G.A. avait récemment installé une pancarte qui précisait RÉSERVÉ AUX MEMBRES.

— Vous êtes membre du Merion, dit Myron avec à-propos.

M. Déduction.

L'homme tordit son mouvement de cou pour le transformer en hochement de tête.

— Ma famille a participé aux débuts du Merion, dit-il, d'un ton hautain maintenant plus prononcé. Tout comme votre ami Win.

Myron s'arrêta et le dévisagea.

— Vous connaissez Win ?

L'autre sourit et eut une moue qui se voulait nonchalante. Pas d'excès de confidences.

— Vous ne m'avez pas encore dit votre nom, lui rappela Myron.

— Stone Buckwell, répondit le septuagénaire. Mais tout le monde m'appelle Bucky.

Myron serra la main qu'il lui tendait.

— Je suis aussi le père de Linda Coldren.

Bucky déverrouilla les portières d'une Cadillac bleu ciel et ils se glissèrent à l'intérieur. Il mit le contact. La radio jouait de la soupe. Pire, la version potagère de *Raindrops Keep Falling on My Head*. Myron s'empressa d'abaisser sa vitre. Pour avoir de l'air. Et moins de bruit.

Seuls les membres étant autorisés à se garer dans l'enceinte du Merion, en sortir n'était pas trop difficile. Ils tournèrent à droite au bout de l'allée, puis encore à droite. Touché par un accès de miséricorde, Bucky éteignit la radio. Myron rentra la tête dans la voiture.

— Que savez-vous sur le compte de ma fille et de son mari ? demanda Bucky.

— Pas grand-chose.

— Vous n'êtes pas fan de golf, je me trompe, monsieur Bolitar ?

— Pas vraiment, non.

— C'est un sport vraiment magnifique, dit-il, avant d'ajouter : Quoique le terme « sport » soit loin de lui rendre justice.

— Ah, lâcha Myron.

— C'est par excellence le jeu des princes, dit Buckwell à voix basse, d'un ton pénétré, et son visage rougeaud le devint un peu plus, tandis que ses yeux s'agrandissaient, dans une sorte d'extase quasi religieuse. Il n'existe rien de comparable, voyez-vous. Vous êtes seul contre le parcours. Aucune excuse. Pas de coéquipier à accuser. Pas de mauvaise tactique de groupe. C'est la plus pure, la plus noble des activités.

— Ah, fit Myron de nouveau. Ecoutez, je ne voudrais pas vous paraître trop brusque, monsieur Buckwell, mais si vous me disiez de quoi il retourne ?

— Je vous en prie, appelez-moi Bucky.

— D'accord, Bucky.

Ce dernier approuva de la tête.

— J'ai cru comprendre que Windsor Lockwood et vous étiez plus que simplement associés en affaires, dit-il.

— C'est-à-dire ?

— Vous vous connaissez de longue date, si je ne me trompe. Copains de fac, non ?

— Pourquoi parlez-vous tout le temps de Win ?

— En fait, j'étais venu au club dans l'espoir de le voir, répondit Bucky. Mais je pense que c'est mieux comme cela.

— *Cela* ?

— Oui, je préférais vous parler d'abord. Peut-être qu'ensuite… Mais nous verrons. Il ne faut pas trop en demander.

Myron acquiesça poliment.

— Je n'ai pas la moindre idée de ce à quoi vous faites allusion.

Bucky bifurqua sur une route longeant le green baptisée Golf House Road. Les golfeurs ont beaucoup d'imagination.

Le parcours s'étendait sur leur droite, tandis que des résidences imposantes défilaient sur leur gauche. Au bout d'une minute, Bucky engagea la Cadillac dans une allée circulaire. Sa maison était de belle taille, et bâtie avec ce qu'on surnommait ici la « pierre de rivière ». Ce matériau avait les faveurs des riches propriétaires du coin, même si Win l'appelait toujours « pierre de taille », tout bonnement. Portail blanc, profusion de tulipes et deux érables flanquant l'allée menant à la façade. Un grand perron fermé sur la droite. La voiture s'arrêta, et pendant un moment aucun des deux hommes ne bougea.

— De quoi s'agit-il, monsieur Buckwell ?

— D'une situation délicate.

— Quel genre de situation ?

— Je préférerais que ma fille vous l'explique, dit-il en retirant les clefs de contact et en se tournant à demi pour sortir.

— Pourquoi vous être adressé à moi ? voulut savoir Myron.

— On nous a dit que vous seriez peut-être en mesure de nous aider.

— Qui vous a dit ça ?

Buckwell se lança dans une série frénétique de mouvements du cou, comme un poulet qui aurait avalé de travers un grain de maïs. Quand il eut enfin recouvré son calme, il réussit l'exploit de regarder son passager droit dans les yeux.

— La mère de Win, dit-il.

Myron se raidit. Son cœur dégringola soudain dans un puits de mine ténébreux. Il ouvrit la bouche, la referma, attendit. Buckwell descendit de voiture et marcha vers la porte d'entrée. Dix secondes plus tard, Myron l'imita.

— Win ne vous sera d'aucune aide, dit-il.

— Je sais, dit Buckwell. C'est bien pourquoi je vous ai contacté, vous.

Ils remontèrent une allée en briques jusqu'à la porte qui était entrebâillée. Buckwell l'ouvrit largement.

— Linda ?

Linda Coldren se tenait debout devant le téléviseur, dans le salon. Son short blanc et son chemisier jaune sans manches révélaient les membres souples et toniques d'une athlète. Elle était grande, avec des cheveux noirs coupés court et méchés, et un hâle qui accentuait le dessin d'une musculature longiligne. D'après les ridules au coin de ses yeux et de sa bouche, elle devait approcher le cap de la quarantaine, et Myron comprit instantanément pourquoi elle était autant courtisée par les publicitaires. Il émanait de cette femme une splendeur sauvage, une beauté qui venait plus d'une sensation de force que de délicatesse.

Elle suivait la retransmission du tournoi. Sur le téléviseur étaient disposées des photos de famille encadrées. Deux grands canapés parsemés de coussins formaient un L dans un coin. Ameublement révélant un certain goût, pour une golfeuse. Pas de moquette verte. Aucun de ces objets supposés d'art, en rapport avec le golf, qui semblaient un ou deux crans au-dessous de l'esthétique des peintures représentant des chiens en train de faire un poker. Au mur, pas la moindre casquette avec un tee et une balle sur la visière.

Tel un robot, Linda Coldren fit soudain glisser sa ligne de vision vers eux, et fusilla Myron du regard avant de se concentrer sur son père.

— Je croyais que tu allais chercher Jack, dit-elle d'un ton sec.

— Il n'a pas encore fini son tour.

Elle désigna le téléviseur.

— Il est au dix-huit en ce moment même. Je pensais que tu l'attendrais.

— A la place, j'ai ramené M. Bolitar.

— Qui ?

Myron s'avança d'un pas et sourit.

— Myron Bolitar.

Le regard de Linda Coldren passa sur lui sans s'arrêter et revint au père.

— Qui est-ce ?

— L'homme dont Cissy m'a parlé, répondit Buckwell.

— Et qui est Cissy ? demanda Myron.

— La mère de Win.

— Ah, je vois.

— Je ne veux pas de lui ici, déclara Linda Coldren. Débarrasse-toi de ce monsieur.

— Linda, écoute-moi. Nous avons besoin d'aide.

— Pas de *son* aide.

— Win et lui ont une certaine expérience de ce genre de situations.

— Win, fit-elle d'une voix sourde, est un malade mental.

— Ah, dit Myron, vous le connaissez donc assez bien ?

La jeune femme finit par se tourner vers lui. Ses yeux sombres aimantèrent les siens.

— Je n'ai pas parlé à Win depuis qu'il avait huit ans, fit-elle, mais il n'est pas nécessaire de sauter dans le feu pour savoir que ça brûle.

— Jolie analogie, commenta Myron.

Elle pinça les lèvres et s'adressa de nouveau à son père.

— Je te l'ai déjà dit : pas de police. Nous faisons ce qu'ils disent.

— Mais il n'est pas de la police, protesta mollement Buckwell.

— Et tu ne devais en parler à personne.

— Je n'en ai parlé qu'à ma sœur, protesta le vieil homme. Jamais elle n'ébruiterait l'affaire.

Myron sentit une certaine tension l'envahir.

— Attendez une seconde, dit-il à Bucky. Votre sœur est la mère de Win ?

— Oui.

— Vous êtes donc l'oncle de Win…, fit-il avant de regarder Linda Coldren. Et vous, sa cousine en ligne directe.

La jeune femme le toisa avec autant de mansuétude que s'il venait de pisser sur la moquette.

— Avec un cerveau de cet acabit, je suis heureuse que vous soyez de notre côté…

Décidément, l'ambiance n'y était pas.

— Si ce n'est toujours pas assez clair pour vous, monsieur Bolitar, ajouta-t-elle, je vous dessinerai l'arbre généalogique de la famille.

— Vous pourriez le faire en couleurs ? C'est toujours plus joli, en couleurs.

Avec une grimace de déplaisir, elle se détourna. Sur l'écran, Jack Coldren allait tenter un putt à quatre mètres. Linda s'immobilisa et l'observa. Il frappa la balle, qui roula droit jusqu'au trou. Le public applaudit avec un enthousiasme bienséant. Jack alla récupérer la balle entre deux doigts et effleura la visière de sa casquette. Le tableau d'affichage apparut à l'image. Il menait de neuf coups.

Linda Coldren secoua la tête.

— Pauvre connard.

Myron resta silencieux. Bucky aussi.

— Il a attendu vingt-trois ans cet instant, continua-t-elle. Et il faut qu'il le fasse *maintenant*…

Myron lança un regard interloqué à Bucky, qui le lui rendit.

Linda Coldren surveilla l'écran jusqu'à ce que son mari n'y apparaisse plus. Alors elle inspira profondément et fit face à Myron.

— Voyez-vous, monsieur Bolitar, Jack n'a jamais remporté un tournoi du circuit professionnel. La seule fois où il a été proche de cet exploit, c'était à ses débuts, il y a de cela vingt-trois ans. Il en avait dix-neuf. C'est la dernière fois que l'U.S. Open se déroulait à Merion. Vous vous souvenez peut-être des articles dans la presse…

Il en gardait un vague souvenir, renforcé par la lecture des journaux du matin.

— Il a mené, avant de perdre, non ?

Linda Coldren eut une moue méprisante.

— C'est une façon édulcorée de présenter les choses, mais oui, c'est bien cela. Depuis, sa carrière a été spectaculairement terne. Certaines années, il n'a même pas pu obtenir sa carte pour le circuit professionnel.

— Il a mis un sacré bout de temps à avoir son heure, dit Myron. L'U.S. Open…

Elle lui décocha un regard curieux et croisa les bras.

— Votre nom ne m'est pas inconnu. Vous jouiez au basket, n'est-ce pas ?

— Exact.

— L'université de Caroline du Nord ?

— Duke, corrigea-t-il.

— Ah oui, Duke. Ça me revient, maintenant. Et vous vous êtes blessé juste après les sélections nationales. Le genou, c'est bien ça ?

Myron acquiesça au ralenti.

— Ce qui a signé la fin de votre carrière, évidemment.

Il hocha de nouveau la tête.

— Ça a dû être très dur…

Myron ne répondit rien.

Elle fit un geste vague de la main.

— Ce qui vous est arrivé n'est rien en comparaison du drame qu'a vécu Jack.

— Pourquoi dites-vous ça ?

— Vous avez été blessé. Ça a peut-être été dur, mais au moins ce n'était pas votre faute. Jack avait une avance de six coups à l'U.S. Open, et il ne restait plus que huit trous. Vous savez ce que cela veut dire ? C'est comme mener de dix points dans la dernière minute de la finale NBA. Ou rater un panier très facile dans les dernières secondes et perdre le championnat. Par la suite, Jack n'a plus jamais été le même. Il ne s'en est jamais remis. Et depuis, il passe son temps à guetter une chance de se racheter.

Elle se retourna vers le téléviseur. Le tableau des scores indiquait pour Jack une avance inchangée de neuf coups.

— S'il perd de nouveau…

Elle ne prit pas la peine de terminer sa pensée. Tous trois restèrent plantés là, en silence. Linda gardait le regard rivé à l'écran, Bucky étirait son cou, les yeux humides, le visage crispé, au bord des larmes.

— Alors qu'est-ce qui ne va pas, Linda ? demanda Myron.

— Notre fils, répondit-elle. Quelqu'un a kidnappé notre fils.

2

— Je ne devrais pas vous le dire, déclara Linda Coldren. Il a menacé de le tuer si j'en parlais à quelqu'un.

— Qui a dit ça ?

Elle prit plusieurs inspirations, à fond, comme une gamine au bord du plongeoir le plus élevé. Myron attendit. Il fallut un peu de temps, mais elle finit par se jeter à l'eau.

— J'ai reçu un appel ce matin, dit-elle.

Ses grands yeux bleus allaient d'un point à un autre, au hasard, sans jamais s'arrêter.

— Un inconnu m'a annoncé qu'il détenait mon fils. Il a ajouté que si je prévenais la police il le tuerait.

— Il a dit autre chose ?

— Qu'il rappellerait pour nous donner ses instructions.

— C'est tout ?

Elle acquiesça.

— Quelle heure était-il ?

— Neuf heures, neuf heures et demie.

Myron alla jusqu'au téléviseur et prit une des photographies encadrées.

— C'est un portrait récent de votre fils ?

— Oui.

— Quel âge a-t-il ?

— Seize ans. Il s'appelle Chad.

Myron étudia la photo. L'adolescent souriant avait les traits charnus de son père. Il était coiffé d'une casquette de baseball à la visière recourbée comme les gamins aiment l'avoir de nos jours. Un fer de golf balancé fièrement sur l'épaule, tel un soldat avec son fusil d'assaut. Il plissait les yeux, comme s'il regardait le soleil. Myron chercha derrière Chad, au cas où l'arrière-plan pourrait lui fournir un indice ou éveiller en lui une intuition géniale. Raté.

— Quand avez-vous constaté la disparition de votre fils ?

Linda Coldren glissa un regard presque furtif à son père, puis se redressa de toute sa taille, comme si elle se préparait à prendre un coup. Elle parla d'une voix lente.

— Chad nous a été enlevé depuis deux jours.

— Enlevé ?

Myron, le roi de la question percutante.

— Oui.

— Quand vous dites « nous a été enlevé »...

— C'est exactement ce que je veux dire, le coupa-t-elle. Je ne l'ai pas revu depuis mercredi.

— Mais le kidnappeur n'a appelé qu'aujourd'hui ?

— Oui.

Il faillit poser aussitôt une autre question, se ravisa et adoucit un peu sa voix. « Vas-y mollo, gentil Myron. Tout en finesse. »

— Avez-vous la moindre idée de l'endroit où il se trouvait ?

— J'ai cru qu'il séjournait chez son ami Matthew, répondit Linda Coldren.

Myron acquiesça, comme si cette réponse démontrait

un bon sens colossal. Puis il ajouta un hochement de tête au premier, pour faire bonne mesure.

— C'est ce que Chad vous a dit ?

— Non.

— Donc, récapitula-t-il, depuis deux jours vous ne savez pas où se trouve votre fils.

— Je viens de vous le dire : j'ai cru qu'il était chez Matthew.

— Et vous n'avez pas appelé la police, bien sûr.

— Bien sûr que non.

Myron allait enchaîner mais la froideur de Linda Coldren l'en dissuada. Elle tira avantage de ce moment d'indécision et se dirigea vers la cuisine d'une démarche à la fois gracieuse et hautaine. Elle s'arrêta devant le réfrigérateur. Myron la suivit. Bucky parut émerger de son coma et les rejoignit.

— Permettez que je vérifie si je vous comprends bien, dit Myron en choisissant un nouvel angle d'approche. Chad a disparu avant le tournoi ?

— Exact, répondit-elle. L'Open a débuté jeudi.

Elle tira sur la poignée, et la porte du frigo s'ouvrit avec un bruit de succion presque inconvenant.

— Pourquoi ? C'est important ?

— En tout cas, ça élimine un mobile, dit Myron.

— Quel mobile ?

— Une tentative pour fausser le tournoi, par exemple. Si Chad avait disparu aujourd'hui, alors que votre mari mène largement, j'aurais pu penser que quelqu'un cherchait à saboter ses chances de remporter l'Open. Mais il y a deux jours, avant le début du tournoi…

— Personne n'aurait parié un kopeck sur les chances de Jack, termina-t-elle pour lui. Les bookmakers l'auraient placé à cinq mille contre un. Au mieux. (Elle semblait totalement convaincue du bien-fondé de ce raisonnement.) Désirez-vous un peu de limonade ?

— Non, merci.

— Père ?

Bucky secoua la tête. Linda Coldren se pencha vers l'antre glacé du frigo.

L'ambiance était à l'avenant. Autant la détendre un peu. Myron frappa dans ses mains et s'efforça de paraître désinvolte.

— Bien. Nous avons éliminé une possibilité. Etudions-en une autre.

Le pichet de limonade à la main, Linda Coldren s'immobilisa et le dévisagea. Myron lui adressa un sourire gêné, tout en se demandant comment aborder la chose. Aucune solution satisfaisante ne lui vint à l'esprit.

— Est-ce que votre fils pourrait être derrière tout ça ?

— Quoi ?

— La question peut vous paraître saugrenue, mais étant donné les circonstances, elle s'impose.

Elle posa le pichet sur le plan de travail en chêne massif.

— Mais de quoi parlez-vous ? Vous croyez que Chad a simulé son propre enlèvement ?

— Je n'ai pas dit ça. J'ai dit que je devais envisager toutes les possibilités.

— Sortez !

— Il a disparu depuis deux jours, et vous n'avez pas alerté la police, insista Myron. Une hypothèse plausible est qu'il existe une certaine tension entre vous. Chad a peut-être déjà fugué, auparavant ?

— Vous pourriez aussi en déduire que nous faisons confiance à notre fils, rétorqua Linda Coldren. Que nous lui accordons un niveau de liberté en rapport avec son degré de maturité et son sens des responsabilités.

Myron jeta un coup d'œil à Bucky. Lequel avait la tête baissée.

— Si c'est le cas…

— C'est le cas.

— Mais est-ce que les enfants responsables ne disent pas à leurs parents où ils vont quand ils découchent ? Juste pour qu'ils ne s'inquiètent pas ?

Linda Coldren sortit un verre d'un placard, le déposa sur le plan de travail et l'emplit lentement de limonade.

— Chad a appris très tôt à se débrouiller seul, dit-elle en observant le niveau monter dans le verre. Son père et moi sommes tous deux golfeurs professionnels. Ce qui signifie, pour être tout à fait honnête, que nous sommes rarement à la maison.

— Et vos absences répétées, dit Myron, ça n'a pas créé une tension ?

— Ridicule !

— J'essaie seulement…

— Ecoutez, monsieur Bolitar, Chad n'a pas simulé son propre enlèvement. Oui, ce n'est qu'un adolescent. Non, il n'est pas parfait, pas plus que son père ou sa mère, d'ailleurs. Mais il n'a pas simulé son propre kidnapping. Et s'il l'avait fait – je sais qu'il n'en est rien, mais imaginons un instant le contraire –, alors il ne courrait aucun danger, et nous n'aurions pas besoin de vos services. Si tout ça n'est qu'un mensonge, ce qui serait très cruel de sa part, nous l'apprendrons bien assez vite. Mais si mon fils est en danger, cette hypothèse est une perte de temps que je peux difficilement me permettre.

Myron dut admettre qu'elle marquait un point.

— Je comprends, dit-il, un rien piteux.

— Bien.

— Avez-vous appelé son copain depuis le coup de fil du kidnappeur ? Celui chez qui vous pensiez que Chad se trouvait ?

— Matthew Squires ? Oui.

— Et Matthew a-t-il une idée de l'endroit où pourrait se trouver Chad ?

— Aucune.

— Ils sont bons amis, n'est-ce pas ?
— Oui.
— Très bons amis ?
Elle fronça les sourcils.
— Oui, très.
— Matthew téléphone souvent ici ?
— Oui. Et ils correspondent aussi par e-mails.
— J'aurai besoin du numéro de téléphone de Matthew.
— Mais je viens de vous dire que je lui avais déjà parlé.
— Faites-moi plaisir, dit Myron. Bon, reprenons. Quand avez-vous vu Chad pour la dernière fois ?
— Le jour où il a disparu.
— Que s'est-il passé ?
Nouveau froncement de sourcils.
— Que voulez-vous dire ? Il est parti pour l'université d'été. Et depuis, je ne l'ai plus revu.
Myron la surveillait de près. Elle se tut et lui rendit son regard avec un peu trop d'aplomb. Il eut l'impression qu'à cet instant précis quelque chose clochait.
— Avez-vous contacté l'école pour savoir s'il est bien allé en cours ce jour-là ?
— Je n'y ai pas pensé.
Myron consulta sa montre. Vendredi, cinq heures de l'après-midi.
— Je doute qu'il y ait encore quelqu'un là-bas, mais ça ne coûte rien d'essayer. Vous avez plusieurs lignes ?
— Oui.
— Alors n'utilisez pas celle sur laquelle le kidnappeur vous a contactée. Il ne faudrait pas qu'elle soit occupée, s'il rappelle.
— D'accord.
— Votre fils a-t-il une ou plusieurs cartes bancaires ?
— Oui, plusieurs.
— Il me faudra la liste. Et leurs numéros, si vous les avez.

Elle acquiesça de nouveau.

— Je vais contacter un ami pour essayer de mettre cette ligne sur système de recherche automatique des appelants. Au cas où notre homme vous contacterait à nouveau. Je suppose que Chad a un ordinateur ?

— Oui.

— Où est-il ?

— A l'étage, dans sa chambre.

— Je vais transférer tout ce qu'il contient à mon bureau, par l'intermédiaire de son modem. J'ai une assistante nommée Esperanza. Elle passera le tout au peigne fin, et on verra ce qu'elle peut trouver.

— A quoi pensez-vous ?

— Très franchement, je n'en ai aucune idée. Les e-mails, envoyés et reçus, les bulletins d'information auxquels il collabore peut-être, les lettres envoyées par les sites qu'il visite. Tout ce qui pourrait nous donner un indice quelconque. Ce n'est pas très scientifique, j'en conviens, mais parfois, en vérifiant assez de données, on finit par tomber sur quelque chose.

Linda réfléchit un instant avant d'approuver.

— D'accord.

— Et vous, madame Coldren ? Vous avez des ennemis ?

Elle eut un demi-sourire.

— Je suis classée première golfeuse mondiale. Ce qui suscite la jalousie de pas mal de gens.

— Quelqu'un que vous pensez capable de manigancer l'enlèvement de votre fils ?

— Non, dit-elle instantanément. Personne.

— Et votre mari ? Quelqu'un le déteste suffisamment pour lui faire ce genre de coup ?

— Jack ? fit-elle avec un petit rire acide. Tout le monde aime Jack.

— Que dois-je comprendre ?

Elle se contenta de secouer la tête avec un soupir.

Myron posa encore quelques questions, mais il savait ne plus avoir grand-chose à glaner de cette façon. Il demanda à se rendre dans la chambre de Chad et elle le précéda dans l'escalier.

La première chose qu'il vit quand il ouvrit la porte, ce furent les trophées. Une véritable collection, et uniquement de golf. La figurine de bronze surmontant la récompense était toujours un golfeur après le swing, le corps tordu et le club continuant l'arc des bras par-dessus l'épaule. Parfois le petit homme portait une casquette, d'autres fois il avait les cheveux courts et ondulés comme Paul Hornung dans les vieilles bandes d'actualités sur le football américain. Deux sacs de golf en cuir occupaient le coin droit, pleins à craquer de clubs. Des photos de Jack Nicklaus, Arnold Palmer, Sam Snead, Tom Watson tapissaient les murs. Des numéros de *Golf Digest* étaient éparpillés sur le sol.

— Chad joue au golf ? s'enquit Myron.

Linda Coldren le regarda fixement.

— Mes pouvoirs de déduction, expliqua-t-il. Ils intimident certaines personnes.

Elle faillit sourire.

— Je vais essayer de m'accoutumer à votre humour, promit-elle.

Myron s'approcha des trophées.

— Il est bon ?

— Très bon.

Elle fit subitement demi-tour, dos à la pièce.

— Vous avez besoin d'autre chose ?

— Pas dans l'immédiat.

— Je serai au rez-de-chaussée.

Elle n'attendit pas sa bénédiction.

Myron s'intéressa d'abord au répondeur téléphonique. Trois messages, dont deux d'une fille prénommée Becky. D'après le contenu, elle et Chad étaient très proches. Elle appelait juste pour dire « Euh, salut » au cas où il serait OK pour faire un truc ce week-end, par exemple. Avec Millie et Sue, elle allait sûrement traîner à l'Heritage, hein, si ça lui disait de venir, enfin bon, c'était à lui de voir… Myron sourit. Les temps avaient peut-être changé, mais ce que disait cette fille aurait pu être ce que disait une fille avec qui Myron était sorti à la fac, ou une copine de son père avant lui, ou de son grand-père avant eux. Les générations suivent le même chemin. La musique, les films, l'argot, la mode, tout ça passe. Mais ce n'est qu'un ensemble de stimuli externes. Sous les pantalons baggy ou les crânes rasés, les mêmes peurs, envies et mal-être adolescents demeurent d'une constance assez effrayante, quand on y regarde de près.

Le dernier message émanait d'un garçon, Glen. Il voulait savoir si Chad était d'accord pour venir jouer au golf au Pine ce week-end, puisque le Merion était pris par l'Open.

— Mon père peut nous avoir un parcours, pas de blème, affirmait la voix déjà très BCBG du jeune Glen.

Aucun message de Matthew Squires, le très bon pote de Chad.

Myron alluma l'ordinateur. Windows 95. Cool. Myron avait la même version. Chad Coldren était abonné à American Online pour ses e-mails. Impeccable. Myron appuya sur SESSION FLASH. Le modem se mit à mouliner et crachota pendant quelques secondes. Puis une voix déclara : « Bienvenue. Vous avez des messages. » Des dizaines de mails furent aussitôt transférés. « Au revoir », dit la même voix. Myron passa en revue le répertoire de Chad et trouva l'adresse Internet de Matthew Squires. Il jeta un œil rapide sur le contenu de la BAL. Rien de la part de Matthew.

Intéressant.

Il était bien sûr parfaitement possible que Matthew et Chad ne soient pas aussi proches que Linda Coldren le pensait. Comme il était tout à fait envisageable que, même s'ils étaient les meilleurs amis du monde, Matthew n'ait pas contacté son pote depuis mercredi – même si ce dernier était censé avoir disparu sans prévenir. Ce sont des choses qui arrivent.

N'empêche, c'était intéressant.

Myron ramassa le téléphone de Chad et appuya sur le bouton de rappel. Après quatre sonneries, une voix enregistrée déclara : « Vous êtes en communication avec le répondeur de Matthew. Laissez un message ou pas. A vous de voir. »

Myron raccrocha sans laisser de message (après tout, c'était à lui « de voir »). Hmm… Le dernier appel de Chad avait été destiné à Matthew. C'était peut-être un détail significatif. Et ça n'avait peut-être aucune espèce d'importance. Dans les deux cas, Myron était dans l'impasse.

Il reprit le téléphone et composa le numéro de son bureau. Esperanza répondit à la deuxième sonnerie.

— MB Sports, bonjour.

— C'est moi.

Il la mit au courant. Elle écouta sans l'interrompre.

Esperanza Diaz travaillait pour MB Sports depuis le début de la boîte. Une décennie plus tôt, alors qu'elle n'avait que dix-huit ans, elle avait été la reine des programmes matinaux du câble. Non, elle ne figurait dans aucun infommercial, même si elle passait en même temps qu'un tas de ces pubs interminables sur d'autres chaînes, et en particulier celle pour un appareil à forger des abdos en acier, qui ressemblait beaucoup à un engin de torture médiéval. Esperanza était alors lutteuse professionnelle, sous le nom évocateur de Petite Pocahontas, la sensuelle princesse indienne. Avec sa mince silhouette musclée à peine dissimulée par un bikini en daim, elle avait été élue lutteuse la plus populaire des retransmissions télévisées trois années de suite. En dépit de quoi, elle avait su rester humble.

Quand il eut terminé son résumé du kidnapping, les premiers mots d'Esperanza traduisirent son incrédulité :

— Win aurait donc une mère ?

— Ouais.

Un silence.

— Autant pour ma théorie sur l'immaculée conception satanique.

— Ah-ah.

— Ou celle sur l'expérience du savant fou qui tourne très mal.

— Vous ne m'aidez pas, là.

— Vous aider à quoi ? répliqua-t-elle. J'aime bien Win, vous le savez. Mais il est… Quelle est l'expression officielle utilisée par les psys ? Ce n'est pas « barjot » ?

— Ce barjot vous a déjà sauvé la vie, lui rappela Myron.

— Ouais, mais vous vous souvenez de quelle manière.

Myron n'était pas près de l'oublier. Les balles spéciales de Win. De la cervelle éparpillée partout, dans le plus pur style confettis après le défilé. Efficace, mais un peu excessif. Comme d'écraser un cancrelat avec une enclume.

Esperanza mit fin au silence qui s'éternisait.

— Comme je l'ai dit, répéta-t-elle d'une voix douce. Barjot.

Myron préféra changer de sujet.

— Des messages ?

— Un petit million. Mais rien qui ne puisse attendre… Dites, vous l'avez déjà rencontrée ?

— Qui donc ?

— Madonna, qui d'autre ? Mais non, la mère de Win, bien sûr.

— Une fois.

Myron se remémorait très bien l'événement. Ça remontait à plus de dix ans. Ce soir-là, Win et lui dînaient au

Merion, d'ailleurs. Win n'avait pas adressé la parole à sa mère de tout le repas. Mais elle avait parlé pour deux. Ce seul souvenir fit grimacer Myron.

— Vous en avez parlé à Win ? demanda Esperanza.

— Nan. Un conseil ?

Son assistante réfléchit une poignée de secondes avant de répondre :

— Faites-le à bonne distance. Par téléphone, de préférence.

3

Ils eurent très vite des résultats.

Quand Esperanza rappela, Myron était toujours assis dans le salon des Coldren avec Linda. Bucky était retourné au Merion pour ramener Jack.

— On s'est servi de la carte bancaire du gamin hier à dix-huit heures dix-huit, annonça Esperanza. Un retrait de cent quatre-vingts dollars. Un distributeur de la First Philadelphia, sur Porter Street, dans le sud de Philadelphie.

— Merci.

Les informations de ce genre n'étaient pas difficiles à obtenir. Il suffisait de connaître un numéro de compte et de téléphoner en se faisant passer pour le détenteur dudit compte. Par ailleurs, n'importe quel bipède doté d'un cerveau en état de fonctionnement et ayant travaillé dans la police possédait les contacts, les coordonnées ou au moins les moyens de soudoyer la personne adéquate. Il ne faut pas grand-chose de plus, en cette ère merveilleuse où les fondus de nouvelles technologies sont légion. La technologie fait plus que dépersonnaliser : elle expose votre vie à tous les vents et tous les regards indiscrets, elle vous étripe en place publique, et après ça n'allez pas rêver à une vie privée.

Quelques touches d'ordinateur suffisaient à vous mettre à nu.

— Qu'est-ce que c'est ? demanda Linda Coldren.

Il le lui expliqua.

— Ça ne veut rien dire, fit-elle aussitôt. Le kidnappeur peut très bien lui avoir extorqué son code confidentiel.

— Possible, en effet, admit Myron.

— Mais vous n'y croyez pas, c'est ça ?

Il haussa les épaules.

— Disons simplement que je penche pour un scepticisme raisonné.

— Pourquoi ?

— Le montant, tout d'abord. Les retraits de votre fils sont plafonnés à combien ?

— Cinq cents dollars par jour.

— Alors pourquoi un kidnappeur n'en prendrait que cent quatre-vingts ?

Linda Coldren réfléchit un instant.

— S'il avait pris trop d'un coup, quelqu'un aurait pu avoir des soupçons.

Myron fronça les sourcils.

— A un distributeur ? Admettons. Si le kidnappeur était aussi prudent, pourquoi risquer autant pour cent quatre-vingts malheureux dollars ? Tout le monde sait que les distributeurs sont équipés de caméras de surveillance. Et tout le monde sait aussi que la moindre vérification par ordinateur permet de localiser le lieu du retrait.

Elle le considéra froidement.

— Vous ne pensez pas que mon fils soit en danger.

— Je n'ai pas dit ça. Vous aviez raison, tout à l'heure. Mieux vaut partir de l'hypothèse qu'il s'agit réellement d'un enlèvement.

— Alors, qu'allez-vous faire, maintenant ?

— J'hésite. Le distributeur se trouve dans Porter

Street, dans le sud de Philadelphie. C'est un coin où Chad a ses habitudes ?

— Non, dit Linda Coldren, presque à contrecœur. A dire vrai, c'est même un endroit où je n'imagine pas qu'il puisse aller.

— Pourquoi ?

— C'est la zone. Un quartier pourri.

Myron se leva.

— Vous avez un plan de Philadelphie ?

— Dans la boîte à gants.

— Parfait. Je vais devoir emprunter votre voiture pour quelque temps.

— Où comptez-vous aller ?

— Je vais traîner dans les parages de ce distributeur.

Elle se rembrunit.

— Pour quoi faire ?

— Je ne sais pas, reconnut Myron. Comme je l'ai peut-être déjà dit, enquêter n'est pas une science exacte. Il faut se rendre sur le terrain, fouiner un peu, pousser des gens à la confidence et espérer que ça soit rentable.

Linda Coldren plongea la main dans sa poche pour y prendre ses clefs.

— Peut-être que les kidnappeurs le détiennent là-bas, dit-elle. Peut-être que vous apercevrez sa voiture…

Myron faillit se donner une grande claque sur le front. *Une voiture*. Il n'y avait même pas pensé. Pour lui, un adolescent disparaissant sur le chemin de l'école éveillait aussitôt l'image d'un bus de ramassage jaune ou celle d'un gamin marchant le long de la route avec ses bouquins serrés dans une sangle. Comment avait-il pu omettre un élément aussi basique ?

Il lui demanda la marque et le modèle. Une Honda Accord grise. Pas vraiment le genre de carrosse qu'on remarque dans un embouteillage. Immatriculation : 567-AHJ. Il transmit ces infos à Esperanza, puis il donna son numéro de portable à Linda Coldren.

— Appelez-moi s'il y a du nouveau. N'importe quoi.
— Entendu.
— Je n'en ai pas pour très longtemps.

Le trajet fut assez court, en effet. Il passa de la luxuriance verdoyante à la déprime bétonnée presque instantanément – comme dans *Star Trek*, quand M. Spock et ses amis s'adonnent aux joies de la téléportation.

Le distributeur était du type accessible depuis son véhicule, dans un quartier qu'avec générosité on pouvait labelliser « d'affaires ». Pas de caissier humain. Un kidnappeur aurait-il réellement couru un tel risque ? C'était très douteux. Myron se demanda où il pourrait dénicher une copie de la bande vidéo de surveillance sans que les flics le sachent. Win connaissait sûrement la personne qu'il fallait pour ça. Les institutions financières étaient en général très désireuses de collaborer avec la famille Lockwood. La question était : Win accepterait-il de coopérer avec son associé sur ce coup ?

Des entrepôts désaffectés bordaient la route. Des dix-huit-roues y circulaient à vive allure, un peu comme un convoi de chariots dans un vieux western. Ils rappelèrent à Myron la folie de la C.B. qui avait marqué son enfance. Comme tout le monde, son père en avait acheté une. Né dans le quartier de Flatbush, à Brooklyn, il avait fini par posséder une fabrique de sous-vêtements à Newark, et il adorait aboyer « Ici votre pote Un-Neuf » avec un accent qu'il avait chopé en regardant *Délivrance*. Il faisait le trajet entre leur maison et le centre commercial de Livingston par Hobart Gap Road – deux kilomètres à tout casser – sans cesser de demander à ses « vieux potes » s'il y avait le moindre signe de motards de la police. Ah, la C.B… Myron aurait parié que son paternel conservait la sienne quelque part, bien au chaud. Probablement à côté du vieux huit pistes, dans le placard aux souvenirs.

D'un côté du distributeur se trouvait une station-service tellement anodine qu'on n'avait même pas pris la peine de lui trouver un nom. Des véhicules rouillés trônaient sur des blocs de béton effrités. En face, un motel crasseux et anonyme, malgré son nom de Court Manor Inn, qui accueillait les clients avec un panneau proclamant en lettres vertes : $16.99 DE L'HEURE.

Le Guide du Bolitar, conseil nº 83 : quand on vous donne les prix horaires en façade, il est possible que vous ne soyez pas devant un cinq étoiles…

Sous le prix, en lettrage noir plus discret : PLAFOND-MIROIR ET CHAMBRES A THEME – PETIT SUPPLEMENT. Des chambres à thème. Myron ne voulait même pas les connaître, ces thèmes. La dernière ligne, de nouveau en grosses majuscules verdâtres : RENSEIGNEZ-VOUS SUR NOTRE CLUB D'HABITUES.

Myron se demanda si ça valait le coup d'essayer. Pourquoi pas ? se dit-il. Ça ne mènerait probablement à rien, ou plutôt à n'importe quoi, mais si Chad se planquait – ou même s'il avait été kidnappé –, un endroit aussi glauque en valait un autre pour disparaître.

Il se gara dans le parking. Court Manor était une baraque quelconque, sur deux étages. Le bois des escaliers extérieurs et des mezzanines pourrissait avec entrain. Les murs lépreux paraissaient tout à fait capables de vous lacérer la paume si vous commettiez l'erreur de vous appuyer contre eux. De petits fragments de ciment jonchaient le sol. Un distributeur Pepsi non branché était planté devant la porte, comme un des gardes de la reine. Myron le contourna et entra.

Il s'était attendu à trouver le hall standard pour ce genre d'établissement, c'est-à-dire un homme de Neandertal en chemise à manches courtes occupé à roter sa bière derrière une cloison vitrée à l'épreuve des balles. Ou quelque chose dans ce genre. Mais il eut droit à une surprise. Court Manor Inn était équipé d'un haut comptoir en bois massif avec une plaque en bronze proclamant fièrement RECEPTION. Myron réussit à ne pas ricaner. Derrière le comptoir, un type d'une trentaine d'années, visage poupin et cheveux bien coiffés, se tenait debout, aussi raide que la morale d'une bigote. Il portait une queue-de-pie, une chemise repassée, un col amidonné et une cravate sombre au nœud parfait. Et il souriait à ce visiteur ahuri.

— Bonjour, monsieur ! s'exclama-t-il, à fond dans son rôle de servile guindé. Soyez le bienvenu à Court Manor Inn.

— Euh, ouais, fit Myron. Salut.

— Puis-je vous être utile, monsieur ?

— J'espère bien.

— Vous m'en voyez ravi ! Je m'appelle Stuart Lipwitz, et je suis le nouveau directeur de Court Manor Inn.

Sur quoi il couva Myron d'un regard affable.

— Félicitations, dit Myron.

— Eh bien, merci beaucoup, monsieur, c'est fort aimable de votre part. S'il y a le moindre problème, si quoi que ce soit à Court Manor Inn ne comble pas vos attentes, n'hésitez pas à me le faire savoir dans l'instant. J'y remédierai personnellement. (Grand sourire, torse gonflé.) A Court Manor, nous garantissons votre entière satisfaction.

Myron le dévisagea une pleine minute, dans l'espoir que le sourire éblouissant de l'autre baisserait de quelques watts. Il n'en fut rien. Résigné, il sortit la photo de Chad Coldren.

— Avez-vous déjà vu ce jeune homme ?

Stuart Lipwitz ne baissa même pas les yeux sur le cliché. Sans cesser de sourire, il déclara :

— Je suis désolé, monsieur. Mais seriez-vous de la police ?

— Non.

— Alors je crains de ne pouvoir vous aider. Vous m'en voyez fort marri.

— Pardon ?

— Je suis désolé, monsieur, mais à Court Manor Inn nous nous enorgueillissons de la plus grande discrétion à l'endroit de notre clientèle.

— Aucun problème, répliqua Myron. Et je ne suis pas un privé qui tenterait de surprendre au saut du lit un mari infidèle, ni rien de ce genre.

Le sourire de Lipwitz demeura d'une irritante constance.

— Je suis vraiment désolé, monsieur, mais ici, c'est Court Manor Inn. Notre clientèle fait appel à nos services pour diverses activités et exige souvent l'anonymat le plus complet. Et Court Manor Inn se doit de respecter ses engagements.

Myron scruta le visage du mannequin amidonné, à la recherche d'un indice qui aurait prouvé que son discours bien rodé n'était que du flan. Rien. Toute sa personne resplendissait du bien-fondé de sa position. Myron s'accouda au comptoir et vérifia les chaussures du Lipwitz en face de lui. Cirées et luisantes comme des miroirs de bordel jumeaux. La chevelure était soigneusement lissée en arrière. L'éclat dans le regard paraissait réel.

Il fallut un temps à Myron pour comprendre où menait leur conversation. Il sortit son portefeuille et y pêcha une coupure de vingt dollars. Il la fit glisser sur le comptoir. Stuart Lipwitz daigna abaisser les yeux sur le billet, mais ce fut sa seule réaction.

— Qu'est-ce à dire, monsieur ?

— C'est un cadeau.

Stuart ne toucha pas à son cadeau.

— C'est pour un petit renseignement, poursuivit Myron, en exhibant un clone du premier billet. J'en ai un autre, si ça vous dit.

— Monsieur, Court Manor Inn répond à un credo : la satisfaction du client d'abord.

— Ce n'est pas un credo de prostituée, ça ?

— Je vous demande pardon, monsieur ?
— Non. Laissez tomber.
— Je suis le nouveau directeur de Court Manor Inn, Monsieur, crut bon d'insister le gominé.
— C'est ce que j'ai cru comprendre.
— Je possède également dix pour cent de l'établissement.
— Votre maman doit être enviée de toutes ses copines dans les réunions Tupperware.
Toujours le même sourire indéboulonnable.
— Autrement dit, monsieur, je m'implique à long terme dans cette affaire. C'est ma façon de voir les choses. A long terme. Pas seulement aujourd'hui. Pas seulement demain. Mais dans le futur. A long terme.
— Oh, souffla Myron d'une voix contrite. Vous faites allusion au long terme, non ?
Stuart Lipwitz claqua des doigts.
— Exactement. Et notre devise est : « Les endroits où dépenser votre argent pour satisfaire à des activités d'adultes ne manquent pas. Et nous voulons que ce soit ici. »
Myron laissa s'égrener quelques secondes avant de lâcher :
— Très noble de votre part.
— Ici, à Court Manor Inn, nous travaillons dur pour mériter la confiance de notre clientèle, car la confiance n'a pas de prix. Quand je me lève le matin, je dois pouvoir me regarder dans le miroir.
— Un miroir accroché au plafond, peut-être ?
Sourire en béton armé.
— Laissez-moi vous l'expliquer différemment, dit Lipwitz. Si le client sait que Court Manor Inn est un endroit sûr où commettre une petite incartade, il sera plus tenté de revenir nous voir.
Il se pencha en avant, et l'excitation mouilla ses yeux.

— Vous saisissez ?

Myron acquiesça.

— Fidélisation de la clientèle.

— Exactement.

— Et référence, aussi, ajouta Myron. Du genre : « Eh, Bob, je connais un endroit super pour se taper une gonzesse discrétos. »

Un hochement de tête s'ajouta au sourire.

— Je vois que vous comprenez.

— Mouais. Tout ça, c'est mignon tout plein, Stuart, mais ce gosse a quinze ans. Quinze.

En réalité, Chad en avait seize, mais quelle importance, hein ?

— Et ça, c'est illégal.

Le sourire ne disparut pas, mais c'était maintenant celui, un peu déçu, du professeur envers son élève préféré.

— Je m'en veux de vous contredire, monsieur, mais dans cet Etat le détournement de mineurs ne concerne que les enfants en dessous de quatorze ans. Par ailleurs, aucune loi n'interdit à un individu âgé de quinze ans de louer une chambre de motel.

Ce type commençait à sérieusement l'agacer. Aucune raison de continuer cette comédie si le gamin n'était pas passé ici. De plus, il fallait voir les choses en face. Stuart Lipwitz lui donnait l'impression de se délecter de leur petite conversation. Quasiment urticant, mais il avait du répondant, il fallait le lui reconnaître. Il était donc temps de passer à la vitesse supérieure.

— Mais ça tombe sous le coup de la loi quand le jeune homme en question est sexuellement agressé dans votre motel. Et surtout s'il prétend que quelqu'un d'autre s'est procuré un double de la clef à la réception, double avec lequel il s'est introduit dans la chambre de sa victime.

Bolitar, *alias* Mister Bluff, fait son show à Philadelphie.

— Nous n'avons aucun double de nos clefs, répondit Lipwitz.

— Bah, le violeur a quand même réussi à entrer.

Même sourire. Même ton poli.

— Si c'était le cas, monsieur, la police serait déjà là.

— C'est mon prochain arrêt, si vous ne coopérez pas, dit Myron.

— Et vous voulez savoir si ce jeune homme – Lipwitz désigna la photographie de Chad – a séjourné ici ?

— Oui.

Aussi incroyable que cela puisse paraître, le sourire se fit un cran plus éclatant. Myron se retint de ne pas s'abriter les yeux derrière une main.

— Mais, monsieur, si vous dites vrai, alors ce jeune homme sera en mesure de vous révéler s'il est venu ici. Vous n'avez pas besoin de moi pour le savoir. Je me trompe ?

Myron conserva une expression neutre. Mister Bluff venait de se faire battre à plates coutures par le nouveau directeur de Court Manor Inn.

— C'est exact, dit-il en changeant aussitôt de tactique. Je sais déjà qu'il est venu ici. Ce n'était qu'une question purement rhétorique, pour entamer la conversation. Comme lorsque les policiers vous demandent de donner votre nom alors qu'ils le connaissent déjà. Histoire de se mettre en train.

Mister Improvisation prend la relève de Mister Bluff.

Stuart Lipwitz arracha prestement une feuille de papier d'un bloc et se mit à griffonner.

— Voici le nom et le numéro de téléphone de l'avocat de Court Manor Inn. Il sera certainement en mesure de vous aider.

— Je croyais que le client était roi !

Lipwitz s'inclina un peu plus sur le comptoir, sans

détourner les yeux. Nulle trace d'impatience dans sa voix ou son expression.

— Monsieur, puis-je me permettre d'être franc ?

— Mais faites donc, mon brave.

— Je ne crois pas un mot de ce que vous m'avez raconté.

— Merci pour la franchise, dit Myron.

— Non, c'est moi qui vous remercie, monsieur. Et n'hésitez pas à revenir.

— Un autre credo de la prostitution.

— Je vous demande pardon ?

— Rien, soupira Myron. Puis-je me permettre d'être franc, à mon tour ?

— Bien sûr, monsieur.

— Il est très possible que je vous balance un grand pain dans les gencives si vous ne répondez pas à cette unique question : avez-vous déjà vu ce gamin ?

Mister Impro perdait son calme.

La porte s'ouvrit brusquement. Un couple enlacé entra en titubant. La femme caressait avec beaucoup d'enthousiasme l'entrejambe également enthousiaste de l'homme.

— On a besoin d'une chambre, pronto, dit ce dernier.

Myron se tourna vers eux.

— Vous avez votre carte de membre assidu ?

— Hein ?

— Au revoir, monsieur, dit Stuart Lipwitz à Myron, toutes dents dehors. Je vous souhaite une bonne journée.

Puis il accentua son rictus Colgate à l'adresse des différents membres qui s'impatientaient devant lui.

— Soyez les bienvenus à Court Manor Inn. Je m'appelle Stuart Lipwitz, et je suis le nouveau directeur de cet établissement.

Myron sortit et se dirigea vers sa voiture. Dans le

parking, il inspira à fond et jeta un coup d'œil en arrière. Cette visite lui paraissait déjà irréelle, comme une de ces descriptions d'enlèvement par des extraterrestres. Il s'assit derrière le volant et composa le numéro de Win. Il comptait lui laisser un message mais, à sa grande surprise, Win répondit.

— Articule, grommela-t-il.

Une seconde, Myron fut pris au dépourvu.

— C'est moi, fit-il.

Silence. Win détestait les évidences. « C'est moi » était une formule discutable du point de vue grammatical (au mieux) et une entrée en matière parfaitement inutile. Win aurait reconnu son interlocuteur par sa voix. Et s'il ne pouvait l'identifier, entendre « C'est moi » ne l'aurait évidemment aidé en rien.

— Je croyais que tu ne répondais jamais au téléphone sur le green, dit Myron.

— Je suis en chemin pour aller me changer chez moi, répondit Win. Ensuite je vais dîner au Merion. Ça te dirait de te joindre à moi ?

— C'est tentant, dit Myron.

— Attends une seconde.

— Quoi ?

— Es-tu présentable ?

— Je dirais politiquement correct. Je crois qu'ils me laisseront entrer.

— Mon Dieu, quel humour, Myron ! Il faut que je note. Cependant mon hilarité est telle que je risque de me payer un platane. Au moins je périrai le cœur empli d'allégresse.

C'était tout Win.

— On a un job, annonça Myron.

Silence. Win rendait tout trop facile.

— Je t'expliquerai pendant le dîner.

— En attendant ces moments d'intense félicité, dit

Win, je refrénerai mon excitation et mon impatience avec un cognac.

Clic. On ne pouvait qu'aimer Win.

Myron avait parcouru moins de deux kilomètres quand son portable sonna. C'était Bucky.

— Le ravisseur a rappelé.

4

— Qu'a-t-il dit ? demanda Myron.

— Ils veulent de l'argent, répondit Bucky.

— Combien ?

— Je ne sais pas.

Déconcertant.

— Comment ça, vous ne savez pas ? Ils ne l'ont pas précisé ?

— Je ne pense pas, dit le vieil homme.

Myron perçut un bruit en arrière-fond.

— Où êtes-vous ? fit-il.

— Au Merion. Ecoutez, c'est Jack qui a répondu au téléphone. Il est toujours sous le choc.

— Jack a répondu ?

— Oui.

De plus en plus déconcertant.

— Le ravisseur a appelé Jack au Merion ?

— Oui. Je vous en prie, Myron, pourriez-vous revenir ici ? Ce sera plus facile pour tout vous expliquer.

— J'arrive.

Il emprunta la voie rapide et entra rapidement dans une zone verdoyante. Des arbres partout. Les banlieues de Philadelphie se résumaient à des pelouses denses, de hauts buissons taillés et des arbres à l'ombre accueillante.

Incroyable comment tout ceci était proche – au moins dans le sens géographique – des rues les plus sordides de la ville. Comme dans la plupart des agglomérations de cette taille, une ségrégation féroce s'appliquait à Philadelphie. Myron se souvenait être allé en voiture au Veterans Stadium pour assister à un match des Eagles avec Win, deux ans plus tôt. Ils avaient traversé le quartier italien, le quartier polonais, le quartier afro-américain. Comme si un champ de force invisible et surpuissant – une fois encore, du genre *Star Trek* – isolait chaque communauté. La Cité de l'amour fraternel, pour reprendre le vieux surnom de la ville, aurait presque pu s'appeler la Petite Yougoslavie.

Myron descendit Ardmore Avenue. Le Merion Club se trouvait à moins de deux kilomètres de là. Ses pensées revinrent à Win. Comment son vieil ami réagirait-il à l'implication maternelle dans cette affaire ?

Mal, probablement.

C'était pendant leur troisième année, à Duke. Ils étaient camarades de chambre et sortaient tout juste d'une soirée assez débridée donnée par une fraternité. La bière avait coulé à flots. Myron n'était pas ce qu'on pouvait appeler un bon buveur. Avec deux verres dans le nez, il n'était pas rare qu'il se mette en tête de rouler une pelle à un grille-pain. Pour lui, tout était une question de gènes. Sa famille n'avait jamais très bien tenu l'alcool.

Win, en revanche, donnait l'impression d'avoir tété du schnaps dès sa naissance. Les alcools forts ne l'affectaient jamais vraiment beaucoup. Mais ce soir-là, le punch mêlé à de l'alcool de grain avait fini par le faire tituber, lui aussi. Il dut s'y reprendre à trois fois avant de parvenir à déverrouiller la porte du dortoir.

Myron alla s'écrouler sur son lit. Le plafond lui sembla tournoyer dans le sens inverse des aiguilles d'une montre à une vitesse impossible. Il ferma les yeux. Ses mains se crispèrent sur les bords du lit et il resta immobile, tétanisé de terreur. Il était livide, et la nausée lui tordait douloureusement le ventre. Il réfléchit au meilleur endroit pour vomir, et pria pour que ce soit bientôt.

Ah, le glamour des cuites estudiantines…

Pendant quelque temps, ils n'échangèrent pas un mot. Myron finit par croire que Win s'était endormi, ou qu'il était ressorti et avait disparu dans la nuit. Peut-être qu'il ne s'était pas accroché assez vigoureusement à son propre lit, et avait été arraché par la force centrifuge et projeté par la fenêtre dans le grand rien du tout, dehors.

C'est alors que la voix de Win trancha dans le silence de la nuit :

— Regarde un peu ça.

Quelque chose tomba sur la poitrine de Myron, qui prit le risque de lâcher le lit d'une main. Jusque-là, tout allait à peu près. Il tâtonna, trouva l'objet et l'éleva devant ses yeux. Par chance, le campus était illuminé comme un arbre de Noël, et un réverbère à l'extérieur donnait assez de lumière pour qu'il distingue une photographie. Les couleurs étaient passées, mais il put discerner ce qui ressemblait à une voiture de luxe.

— C'est une Rolls ? demanda-t-il un peu au hasard, car il n'y connaissait rien en bagnoles.

— Une Bentley S-3 Continental Flying Spur, corrigea Win. 1962. Une grande classique.

— Elle est à toi ?

— Oui.

Le lit continuait de tourner en silence.

— Comment tu l'as eue ? demanda Myron.

— Un type qui baisait ma mère me l'a offerte.

Fin de l'histoire. Win n'avait plus décoincé une syllabe par la suite. Le mur qu'il dressait n'était pas infranchissable, seulement impossible à approcher, garni de mines antipersonnel après les fossés piégés, et surmonté de barbelés électrifiés. Pendant les dix ans et demi qui avaient suivi, il n'avait jamais mentionné sa mère. Ni quand les colis arrivaient au dortoir chaque semestre, ni quand ils arrivaient à son bureau pour son anniversaire, jusqu'à maintenant. Pas même lorsqu'ils la virent en personne, voici dix ans.

Le panneau en bois sombre massif annonçait MERION GOLF CLUB. Rien d'autre. Pas de « Réservé aux membres », ou « Nous sommes elitistes et nous ne voulons pas de vous », ni même de « Entrée du personnel de couleur ». Inutile. C'était une évidence.

Les trois derniers concurrents de l'U.S. Open avaient terminé depuis quelque temps déjà et le plus gros de la foule était reparti. Merion ne pouvait accueillir que dix-sept mille personnes pour un tournoi – à peine la moitié de la capacité de nombreux autres clubs – mais trouver une place où se garer tenait toujours de la galère sans rame ni voile. La plupart des spectateurs étaient obligés d'abandonner leur véhicule dans l'enceinte du Haverford College voisin. Des navettes faisaient constamment l'aller-retour.

En haut de l'allée, un garde lui fit signe de stopper.

— J'ai rendez-vous avec Windsor Lockwood, dit Myron.

Identification instantanée. Entrée instantanément accordée.

Bucky courut vers lui avant qu'il n'ait rangé sa voiture sur l'aire de stationnement. Les bajoues de son visage rondouillard semblaient avoir doublé de volume, comme s'il avait engrangé du sable humide dans sa bouche.

— Où est Jack ? s'enquit Myron.

— Le parcours Ouest.

— Le quoi ?

— Le Merion propose deux parcours, expliqua le vieil homme avec son rituel petit étirement des cervicales, le parcours Est, le plus renommé, et celui de l'Ouest.

Pendant l'Open, le parcours Ouest est utilisé pour s'exercer aux drives.

— Et votre beau-fils est là-bas ?

— Oui.

— Il joue avec ses petites balles ?

— Bien sûr, répondit Bucky, l'air surpris. On fait toujours ça après un tour. Tous les golfeurs du circuit savent ça. Vous avez joué au basket. Vous ne faisiez pas quelques paniers d'entraînement après une partie ?

— Non.

— Eh bien, comme je vous l'ai dit plus tôt, le golf est un sport très particulier. Les joueurs ont besoin de revoir leurs mouvements immédiatement après un parcours. Même s'ils ont été très bons. Ils se concentrent sur leurs meilleurs coups et se demandent ce qui a cloché pour les mauvais. Ils récapitulent la journée, en quelque sorte.

— Ah, grogna Myron. Bon, si vous me parliez de l'appel du ravisseur ?

— Je vais vous conduire auprès de Jack. Par ici.

Ils traversèrent le fairway du dix-huit trous, puis celui du seize. L'air embaumait le gazon fraîchement coupé et le pollen. Sacrée année pour le pollen sur la côte Est. Les allergologues du coin et leurs banquiers se frottaient les mains.

Bucky secoua la tête.

— Regardez ces roughs, fit-il. Impossible.

Il lui montra de longues herbes. Myron n'avait aucune idée de ce qu'il entendait par là, mais il acquiesça poliment.

— Ces cinglés de l'U.S.G.A. veulent que ce parcours mette les golfeurs sur les rotules, continua de maugréer Bucky. Alors ils font pousser le rough trop loin. C'est comme jouer dans une rizière, bon sang ! Et en plus ils taillent les greens tellement ras que les golfeurs pourraient aussi bien putter sur une patinoire de hockey.

Myron préféra garder le silence.

— Et voilà un des célèbres trous de la carrière de pierre, dit Bucky d'un ton un peu plus calme.

— Ah.

Le pauvre vieux radotait. Certaines personnes ont cette réaction, quand elles sont tendues.

— Quand les concepteurs sont arrivés au seizième trou, puis au dix-sept et au dix-huit, poursuivit Bucky d'un ton qui n'était pas sans rappeler celui d'un guide dans la chapelle Sixtine, ils sont tombés sur une carrière. Plutôt que d'abandonner, ils ont continué, et ça n'a pas été de la tarte, c'est moi qui vous le dis. Résultat : ils ont incorporé la carrière dans le parcours.

— Bigre, dit Myron. Ils étaient courageux, en ce temps-là.

Certains radotent quand ils sont nerveux. D'autres versent dans le sarcasme à peine camouflé.

Ils atteignirent le tertre de départ et obliquèrent à droite, en longeant Golf House Road. Même si les derniers joueurs avaient déserté les lieux depuis plus d'une heure, il restait encore une bonne douzaine de golfeurs qui tâtaient de la balle. Exercice de drive. Ouais, des golfeurs professionnels pratiquaient ici, avec un éventail impressionnant de bois et de fers, qu'ils appelaient Bertha ou Cathy, des noms dignes d'ogives nucléaires, mais ce n'était qu'une partie de ce qui se déroulait ici. La plupart des pros se servaient du lieu pour travailler leurs stratégies avec leurs caddies, vérifier l'utilisation de l'équipement avec leurs sponsors, les chaînes de télé, échanger quelques mots avec d'autres pratiquants, s'en griller une (un nombre surprenant de golfeurs pros fumaient à la chaîne), et même tailler le bout de gras avec des agents.

Dans le milieu, le terrain d'entraînement était surnommé le « bureau ».

Myron reconnut Greg Norman et Nick Faldo. Il aperçut aussi Tad Crispin, le nouveau prodige, le futur Jack

Nicklaus – en un mot, le client rêvé. Vingt-trois ans, tranquille, belle gueule, à la colle avec une jeune femme du même tonneau : comme il faut et heureuse d'être là. Cerise sur le gâteau, Crispin n'avait pas encore d'agent attitré. Myron fit de son mieux pour ne pas saliver. Mais, bon, il était aussi humain que n'importe qui. Après tout, il était agent sportif. Circonstance atténuante.

— Où est Jack ? demanda-t-il.

— Par là, fit Bucky. Il voulait taper la balle seul.

— Comment le kidnappeur a-t-il réussi à le contacter ?

— Il a appelé le standard et a prétendu que c'était un cas d'urgence.

— Et un truc aussi nul a marché ?

— Oui, dit Bucky avec une grimace désapprobatrice. En fait, c'est Chad qui l'a appelé. Il s'est présenté comme le fils de Jack.

Bizarre.

— A quelle heure, cet appel ?

— Peut-être dix minutes avant que je vous contacte, dit Bucky qui se démena frénétiquement au niveau des cervicales pendant trois secondes et demie. Là.

Jack Coldren avait un petit pneu autour de la taille, mais des avant-bras dignes de ceux de Popeye. Ses cheveux plutôt rebelles tenaient leur rôle dans le vent doux qui soufflait, et révélaient une calvitie galopante qu'il cherchait à dissimuler, sans succès. Il frappa la balle avec un club en bois et une vigueur démesurée. Pour certains, la scène aurait pu paraître étrange. Ce type vient d'apprendre que son fils a disparu, et tout ce qu'il trouve à faire, c'est aller taper dans de petites baballes blanches alvéolées. Mais Myron pouvait comprendre. Frapper dans des balles de golf lui permettait de dissiper une partie de la tension. Plus Myron était stressé et plus il avait envie d'aller devant chez lui pour faire quelques paniers. Chacun sa méthode pour passer les épreuves de la vie. Certains picolent. D'autres se réfugient dans les drogues, dures ou douces. D'autres encore privilégient une grande balade au hasard, en voiture, ou une nuit devant un jeu vidéo. Lorsque Win voulait se détendre, il visionnait souvent des vidéos de ses propres exploits sexuels. Mais c'était Win.

— Et cette fille, vous la connaissez ? demanda Myron.

— Diane Hoffman, répondit Bucky. Le caddie de Jack.

Myron savait que les femmes servant de caddies n'étaient pas rares dans les circuits pros. Certains joueurs choisissaient même leur femme. Economique, non ?

— Elle est au courant ?

— Oui. Diane était présente lors du premier appel téléphonique. Ils sont très proches.

— Vous avez parlé à Linda ?

Bucky hocha la tête.

— Je l'ai contactée immédiatement. Vous ne voyez pas d'inconvénient à vous présenter vous-même ? J'aimerais rentrer pour voir comment va ma fille.

— Pas de problème.

— Euh... Comment pourrai-je vous joindre s'il se passe quelque chose ?

— Appelez-moi sur mon portable.

Bucky faillit s'évanouir.

— Mais les portables sont formellement interdits dans l'enceinte du Merion.

On aurait dit un cardinal s'offusquant de la proposition d'une partouze dans l'enceinte du Vatican.

— J'aime bien enfreindre les règles, répliqua Myron. Si besoin est, appelez-moi.

Il s'approcha d'eux. Diane Hoffman se tenait pieds largement écartés, bras croisés, son visage concentré sur la préparation du swing de Coldren. Une cigarette pendait de sa bouche selon un angle étrange, presque verticalement. Elle n'accorda pas un regard à Myron.

Jack Coldren se cambra puis lança la balle qui partit telle une fusée.

Jack Coldren se retourna, regarda Myron, eut un sourire crispé et hocha la tête en guise de salut.

— Vous êtes Myron Bolitar, n'est-ce pas ?

— Exact.

Il lui serra la main. Diane Hoffman continuait d'étudier le moindre mouvement de son joueur, et elle se rembrunit comme si elle venait de relever un défaut dans sa technique de poignée de main.

— J'apprécie beaucoup que vous nous aidiez, dit-il.

Face à face – à quelques dizaines de centimètres seulement –, Myron pouvait maintenant constater les ravages inscrits sur le visage de cet homme. L'éclat de jubilation après le putt réussi au dix-huitième trou avait été soufflé par un teint terreux, presque. Dans ses yeux on lisait l'incompréhension et l'hébétude d'un homme qui vient de se prendre par surprise un coup de poing dans le ventre.

— Vous avez tenté un come-back il y a peu, dit Jack. Avec les Dragons du New Jersey.

— C'est exact.

— J'ai vu ça aux infos. Courageux, après toutes ces années.

Il patinait, ne sachant comment aborder le sujet. Myron décida de lui venir en aide.

— Parlez-moi de ce coup de fil.

Le regard de Jack Coldren survola l'étendue verdoyante.

— Vous êtes sûr qu'il n'y a pas de risque ? demanda-t-il. Au téléphone, le type m'a dit de ne pas prévenir la police. De me comporter normalement.

— Je suis agent sportif et je cherche des clients, répondit Myron. Rien de plus normal que de bavarder ensemble.

Coldren réfléchit une poignée de secondes à l'argument,

puis hocha la tête. Il n'avait toujours pas présenté Diane Hoffman, qui ne semblait d'ailleurs pas s'en soucier. Elle restait à une dizaine de pas d'eux, aussi immobile qu'une statue. Regard soupçonneux, visage fermé. La cendre au bout de sa cigarette atteignait maintenant une longueur incroyable qui semblait défier les lois de la gravité.

— Le président du club est venu me voir et m'a glissé à l'oreille qu'il y avait un appel urgent de mon fils. Alors je suis entré dans le club-house et j'ai pris la communication.

Il se tut subitement et cligna plusieurs fois des yeux, très vite. Son souffle se fit plus lourd. Il était vêtu d'un polo de golf jaune un poil trop étroit, avec un col en V. On voyait son torse se dilater sous le coton à chaque inspiration. Myron attendit.

— C'était Chad, lâcha-t-il enfin. Tout ce qu'il a eu le temps de dire, c'est « Papa », et aussitôt quelqu'un lui a arraché le téléphone. Ensuite j'ai entendu une autre voix, plus grave. Celle d'un homme.

— Plus grave comment ? demanda Myron.

— Pardon ?

— La voix, plus grave comment ?

— Très grave.

— Est-ce qu'elle vous a semblé bizarre ? Un peu mécanique ?

— Maintenant que vous le dites, oui, c'est vrai.

Altération électronique, supposa Myron. Avec ce genre de dispositif, la voix de Barry White pouvait ressembler à celle d'une gamine de quatre ans. Ou le contraire. Rien de plus facile que de se procurer un modulateur vocal, de nos jours. On en trouvait un peu partout dans le commerce. Le ou les kidnappeurs pouvaient donc être un homme, une femme, ou n'importe quoi entre les deux. La description faite par Linda et

Jack Coldren d'une « voix masculine » n'avait donc aucune valeur.

— Qu'a-t-il dit ?

— Qu'il détenait mon fils. Et que si je prévenais la police, le FBI ou quelque chose dans ce genre, Chad le payerait très cher. Il a ajouté que quelqu'un m'observait en permanence.

Il ponctua ce dernier propos d'un regard alentour. Personne de suspect dans les environs. Greg Norman leur fit un petit signe en souriant. Salut, mon pote.

— Quoi d'autre ? insista Myron.

— Il a dit qu'il voulait de l'argent.

— Combien ?

— Il a simplement dit : « Beaucoup d'argent. » Il n'avait pas encore fixé la somme, mais il voulait que je me prépare. Il a dit qu'il me recontacterait.

Myron grimaça.

— Mais il ne vous a pas indiqué une somme précise ?

— Non. Il a seulement parlé de beaucoup d'argent.

— Et que vous deviez avoir ce « beaucoup d'argent » prêt ?

— C'est ça, oui.

Et « ça » n'avait aucun sens. Un kidnappeur qui n'a pas fixé le montant de la rançon après l'enlèvement ?

— Je peux vous poser une question très directe, Jack ?

Coldren se redressa un peu. Il émanait de lui un charme que d'aucuns auraient volontiers qualifié d'adolescent et de désarmant. Son large visage n'était que douceur, avec des traits en courbes et un modelé qui semblait malléable.

— Ne prenez pas de gants avec moi, dit-il. Je veux la vérité.

— Pourrait-il s'agir d'une supercherie ?

Jack lança un regard à Diane Hoffman. Elle eut un

petit mouvement de tête. Peut-être un hochement. Il reporta son attention sur Myron.

— Que voulez-vous dire ?

— Est-il possible que Chad soit derrière tout ça ?

Une petite brise de travers souleva ses mèches rebelles et les rabattit sur son visage. Il les repoussa d'un geste. Quelque chose passa sur ses traits. Le doute, peut-être ? Contrairement à Linda Coldren, l'idée ne l'avait pas mis instantanément sur la défensive. Il réfléchissait à cette possibilité, à moins qu'il ne se raccrochât plus simplement à une explication qui signifiait l'absence de danger pour son fils.

— Il y avait deux voix différentes, dit-il enfin. Au téléphone.

— Il pourrait s'agir d'un modulateur vocal, dit Myron avant de lui expliquer le principe de l'appareil.

Coldren rumina ces nouvelles données et son visage se fripa un peu.

— Je ne sais pas, vraiment.

— Est-ce que vous pensez Chad capable d'avoir monté tout ça ?

— Non, répondit Coldren. Mais quel père peut imaginer que son fils invente un truc pareil ? Je m'efforce de rester objectif, vous savez, mais ce n'est pas facile. Est-ce que je pense que mon fils a pu mettre au point ce genre de chose ? Non, bien sûr. Mais une fois encore, je ne serais pas le premier père à me tromper complètement sur le compte de mon enfant. N'est-ce pas ?

Bien vu, songea Myron.

— Chad a-t-il déjà fugué ?

— Non.

— Des problèmes au sein de la famille ? Quoi que ce soit qui pourrait lui donner envie de monter ce type de mauvaise blague ?

— Au point de simuler son propre kidnapping ?

— Pas besoin que ce soit aussi grave, tempéra Myron.

Peut-être quelque chose que votre femme ou vous avez fait qui l'a vraiment énervé.

— Non, répondit Jack d'une voix soudainement lointaine. Je ne vois vraiment rien.

Il leva les yeux. Le soleil était bas et son éclat faiblissait, mais Jack continuait de plisser les yeux en regardant Myron, la main en visière dans une sorte de demi-salut militaire. Cette attitude rappela à Myron la photo de Chad qu'il avait vue au domicile des Coldren.

— Vous pensez à quelque chose, Myron, n'est-ce pas ?

— Rarement.

— N'empêche, j'aimerais savoir ce qui vous trotte dans la tête, dit Jack.

— Pour vous, remporter ce tournoi est essentiel, n'est-ce pas ?

Coldren lui adressa un demi-sourire.

— Vous avez connu la compétition de haut niveau, Myron. Vous savez l'importance d'une victoire.

— Oui, je sais.

— Alors où voulez-vous en venir ?

— Votre fils est lui aussi un sportif. Il veut gagner.

— Certainement, admit Coldren. Mais j'aimerais toujours savoir où vous voulez en venir.

— Si quelqu'un cherchait à vous atteindre, quelle meilleure opportunité que de ruiner vos chances de remporter l'Open ?

Dans les yeux de Coldren passa cette lueur à la fois surprise et blessée du type qui vient de prendre un coup de poing à l'improviste. Il recula d'un pas.

— Ce n'est qu'une hypothèse parmi d'autres, s'empressa d'ajouter Myron. Je ne dis pas que votre fils cherche à…

— Mais vous vous devez d'envisager toutes les possibilités, termina Jack pour lui.

— Oui.

Coldren hésita quelques secondes.

— Même si votre hypothèse était la bonne, Chad ne serait pas nécessairement derrière tout ça. Quelqu'un d'autre peut avoir monté ce kidnapping pour m'atteindre.

Nouveau coup d'œil à son caddie puis, sans regarder Myron :

— Et ce ne serait pas la première fois.

— C'est-à-dire ?

Jack Coldren ne répondit pas immédiatement. Il se détourna d'eux et scruta la zone où il avait frappé les balles. Il n'y avait rien à voir. Dos toujours tourné, il dit à Myron :

— Vous savez sans doute que j'ai perdu cet Open, il y a longtemps de cela.

— Oui.

Coldren n'ajouta rien.

— Il s'est passé quelque chose, à l'époque ? demanda Myron.

— Peut-être bien, fit Jack lentement. Je ne sais plus. Le fait est que quelqu'un pourrait chercher à me nuire, sans qu'il s'agisse obligatoirement de mon fils.

— Possible, approuva Myron.

Il omit de dire qu'il avait écarté presque définitivement la piste de Chad puisque celui-ci avait disparu bien avant que son père ne prenne la tête à l'Open. Aucune raison d'en parler maintenant.

Coldren se retourna enfin.

— Bucky a mentionné quelque chose à propos d'une carte bancaire, dit-il.

— Celle de votre fils. Elle a été utilisée pour un retrait la nuit dernière. A un distributeur sur Porter Street.

Quelque chose passa sur son visage, une expression fugitive qui ne dura qu'une fraction de seconde.

— Sur Porter Street ?

— Oui. Un distributeur de la First Philadelphia, sur Porter Street, dans la partie sud de Philadelphie.

Silence.

— Vous connaissez bien ce quartier ?

— Non, répondit Coldren.

Il regarda une fois encore son caddie. Diane Hoffman jouait toujours à la statue. Bras croisés, toujours solidement campée sur ses jambes écartées. La cendre de sa cigarette enfin tombée.

— Vous en êtes bien certain ?

— Bien sûr.

— Je suis allé y faire un tour hier, annonça Myron.

Aucune réaction de Coldren.

— Vous avez appris quelque chose ?

— Non.

Silence.

Jack Coldren fit un geste englobant l'étendue derrière lui.

— Ça ne vous dérange pas si je travaille un peu mon swing pendant que nous parlons ?

— Pas du tout.

Il enfila son gant.

— Vous pensez que je devrais jouer, demain ?

— La décision vous appartient, fit Myron. Le ravisseur vous a dit de vous comporter normalement. Si vous ne venez pas jouer, ça éveillera certainement la curiosité, voire les soupçons.

Coldren se courba pour déposer une balle sur le tee.

— Je peux vous demander quelque chose, Myron ?

— Allez-y.

— Quand vous jouiez au basket, quelle importance avait la victoire pour vous ?

Curieuse question, non ?

— Une très grande importance.

Jack acquiesça comme s'il s'était attendu à cette réponse.

— Vous avez remporté le championnat NCAA une année, n'est-ce pas ?

— Oui.

Coldren secoua la tête.

— Ça a dû être quelque chose.

Myron ne répondit rien.

Jack Coldren choisit un club et enroula ses doigts autour de la poignée. Il se plaça parallèlement à la trajectoire désirée de la balle. De nouveau ce mouvement coulé de torsion-détente. Myron suivit du regard la petite sphère blanche qui filait dans l'air. Pendant un moment, personne ne parla. Ils se contentèrent de contempler le paysage au loin, avec le soleil qui jetait ses derniers feux dans le ciel pourpre.

Quand enfin Coldren rompit le silence, ce fut d'un ton voilé.

— Vous voulez entendre quelque chose d'horrible ?

Myron se rapprocha de lui. Les yeux de Coldren étaient embués.

— Ce foutu tournoi est presque aussi important que mon fils.

Il regarda Myron. La douleur peinte sur son visage était si crue que Myron se retint de ne pas le serrer dans ses bras pour le consoler. Il imagina qu'il voyait le reflet du passé dans les prunelles de cet homme, les années de tourment, de regrets pour ce qui aurait pu être, et puis cette chance de rédemption, enfin, qui soudain lui était arrachée.

— Quel genre d'homme pense toujours à gagner une compétition dans pareilles circonstances ?

Myron ne dit rien. Il n'avait pas la réponse à cette question. Ou peut-être redoutait-il de la connaître.

5

Le club-house du Merion était une ancienne ferme blanche agrandie et aménagée, avec des volets noirs. La seule tache de couleur était offerte par les marquises vertes ombrageant la célèbre entrée arrière, et même ce vert était assourdi par celui du parcours voisin. On s'attendait à quelque chose d'un peu plus intimidant dans l'un des country clubs les plus sélects du pays, mais la simplicité même des lieux semblait proclamer : « Nous sommes le Merion. Nous n'avons pas besoin de plus. »

Myron passa devant la boutique des professionnels. Des sacs de golf étaient alignés sur un long présentoir métallique. La porte des vestiaires pour hommes se trouvait sur sa droite. Une plaque en bronze rappelait aux béotiens égarés que le Merion avait été classé parmi les sites historiques. Un tableau d'affichage répertoriait le handicap de chaque membre. Myron chercha le nom de Win. Trois de handicap. Il n'y connaissait pas grand-chose en golf, mais il savait que c'était sacrément bon.

Sur le sol dallé de la terrasse étaient soigneusement disposées une douzaine de tables. La légendaire salle à manger surplombait le début du parcours. De là, les membres observaient les golfeurs avec le regard impitoyable de sénateurs romains au Colisée. Des hommes d'affaires puissants et de grands pontes de la ville se ratatinaient souvent devant cet examen séculaire. Les pros eux-mêmes n'étaient pas à l'abri de ce genre d'émoi car on servait en terrasse pendant toute la durée de l'Open. Jack Nicklaus, Arnold Palmer, Ben Hogan, Bobby Jones et Sam Snead avaient dû endurer le brouhaha vaguement méprisant du restaurant, le tintement des verres et des couverts en argent n'étant guère en harmonie avec la discrétion habituelle du public, toute en murmures et acclamations feutrées.

L'endroit était assailli par les clients. En majorité des hommes d'un certain âge, rougeauds et bien nourris. Ils portaient des blazers bleus ou verts ornés d'armoiries qui variaient de l'un à l'autre. Leurs cravates généralement rayées étaient de couleurs criardes. Nombre d'entre eux étaient coiffés de chapeaux blancs ou jaunes, à bords flottants. Question bon goût, il y avait de quoi se poser des questions. Et Win qui s'était inquiété de la « tenue » de Myron…

Il repéra son associé à une table pour six, dans un angle. L'expression de Win était à la fois glaciale et sereine, son attitude parfaitement détendue. Un lion des montagnes attendant patiemment sa proie. On pourrait penser que des cheveux blonds et des traits patriciens constituent des atouts dans la vie. Dans bien des domaines, c'était vrai. Mais très souvent, ils lui collaient à la peau comme une étiquette. Tout son être transpirait l'arrogance, une famille fortunée depuis des générations, en un mot l'élitisme dans tout ce qu'il peut avoir de plus irritant. Et de fait, une hostilité à peine voilée s'emparait des gens quand ils regardaient Win. Mais les gens qui ne jugent que sur l'apparence l'indifféraient. Et ses juges étaient très souvent surpris quand ils découvraient la complexité du personnage.

Myron salua son vieux pote et s'assit.

— Tu veux boire quelque chose ? proposa Win.

— Avec plaisir.

— Si tu commandes un Yoo-Hoo, menaça Win, je te tire une balle dans l'œil droit.

— L'œil droit, hein ? répéta Myron avec un rictus sarcastique. C'est ce que j'appelle une menace d'une précision quasi chirurgicale.

Un serveur qui devait être centenaire se matérialisa à côté de leur table. Il portait une veste et un pantalon verts – uniforme destiné à fondre le personnel dans l'environnement, supputa Myron. Mais ça ne marchait pas. Le loufiat cacochyme ressemblait à une caricature de vieux tueur de la Mafia.

— Pour moi, ce sera un thé glacé, Henri, dit Win.

Myron fut tenté de commander une « corde à piano, comme Luca Brasi », mais se retint.

— Même chose.

— Très bien, monsieur Lockwood.

Henry s'éclipsa. Win se tourna vers Myron.

— Vas-y, raconte.

— Une affaire de kidnapping, lâcha Myron.

Win leva un sourcil.

— Le fils d'un des joueurs a disparu. Les parents ont reçu deux coups de fil.

Myron résuma rapidement la situation. Win l'écouta en silence, avant de dire :

— Tu as oublié un détail.

— Lequel ?

— Le nom du joueur.

Myron mesura son effet :

— Jack Coldren.

Le visage de Win demeura impassible, mais Myron sentit un froid soudain l'envahir.

— Et tu as rencontré Linda, dit Win.

— Oui.

— Et tu sais qu'elle a un rapport avec moi.

— Oui.

— Alors tu as dû te rendre compte que je ne pourrai pas t'aider.

— Non.

Win se laissa aller contre le dossier de son siège et joignit la pointe des doigts de ses deux mains en cône.

— Alors tu t'en rends compte, maintenant.

— Un adolescent court peut-être un danger très réel, plaida Myron. Il faut que nous les aidions.

— Non. Pas moi.

— Tu veux que je laisse tomber ?

— Ce que tu fais te regarde, répliqua Win.

On leur servit les thés glacés. Win but une petite gorgée, puis son regard se perdit au loin et il se tapota le menton de l'index. Le signal qu'il valait mieux abandonner le sujet. Myron saisit le message cinq sur cinq.

— Et les autres convives à cette table ? demanda-t-il.

— Je travaille sur un projet majeur.

— Un nouveau client ?

— Pour moi, c'est presque sûr. Pour toi, ce n'est qu'une possibilité très aléatoire.

— Qui ?

— Tad Crispin.

Myron en resta bouche bée.

— Nous allons dîner avec Tad Crispin ? réussit-il enfin à articuler.

— Ainsi qu'avec ton vieil ami Norman Zuckerman et sa dernière jeune conquête, d'ailleurs assez plaisante à l'œil.

Norm Zuckerman était le propriétaire de Zoom, un des fournisseurs de chaussures et matériel sportif les plus importants de tout le pays. C'était aussi une vieille connaissance de Myron.

— Comment as-tu harponné Crispin ? On dit qu'il est son propre agent.

— Il l'est, répondit Win, mais il a quand même besoin d'un conseiller financier.

S'il n'avait pas passé le cap des trente-cinq ans, Win était déjà une sorte de légende à Wall Street. S'adresser à lui était assez logique.

— Crispin est un jeune type très malin, poursuivit-il. Malheureusement, pour lui tous les agents sont des escrocs. Il pense qu'ils ont autant de moralité qu'une prostituée qui ferait de la politique.

— Il a dit ça ? Une prostituée qui ferait de la politique ?

— Non, j'ai trouvé ça tout seul, dit Win en souriant. Plutôt pas mal, hein ?

— Mouais…

— Bref. Les gars de chez Zoom sont comme des petits chiens derrière lui. Ils présentent une toute nouvelle ligne de clubs et de vêtements avec pour top-modèle notre jeune M. Crispin.

A l'U.S. Open, Tad Crispin était en deuxième place, à bonne distance de Jack Coldren. Myron se demanda si Zoom serait très content que Coldren leur vole la vedette dans ce gros coup de pub. Sans doute pas.

— Et qu'est-ce que tu penses de la performance de Jack Coldren ? demanda Myron. Etonné ?

Win haussa les épaules.

— Gagner a toujours beaucoup importé à Jack.

— Tu le connais depuis longtemps ?

Regard minéral.

— Oui.

— Et tu le connaissais déjà quand il a débuté ici et perdu en beauté ?

— Oui.

Myron effectua un rapide calcul. A l'époque, Win devait être encore à l'école primaire.

— Jack Coldren a laissé entendre que peut-être quelqu'un avait tenté de fusiller ses chances, à l'époque.

Win émit un petit bruit de succion.

— Guff, laissa-t-il tomber.

— Guff ?

— Tu ne te souviens pas de ce qui s'est passé ?

— Non.

— Coldren a affirmé que son caddie lui avait donné le mauvais club au seize, expliqua Win. Il avait demandé un fer six et son caddie lui a passé un huit. Son coup a été trop court. Pour être plus précis, la balle a fini dans un des bunkers de la carrière. Il ne s'en est jamais remis.

— Et le caddie a reconnu son erreur ?

— A ma connaissance, il ne l'a jamais commentée.

— Qu'a fait Jack ?

— Il l'a viré.

Myron nota ce détail avec soin et le remisa dans sa banque de données personnelle.

— Où est ce caddie, aujourd'hui ?

— Pas la moindre idée. Ce n'était déjà pas un jeune homme lors de ce tournoi, lequel remonte à plus de vingt ans.

— Tu te souviens de son nom ?

— Non. Et cette conversation arrive à son terme officiel.

Avant que Myron puisse en demander la raison, deux mains lui recouvrirent les yeux.

— Devine qui c'est ? chantonna une voix qui lui était familière. Je vais te donner quelques indices : je suis intelligent, irrésistiblement séduisant et tellement pourri de talent que c'en est indécent.

— Mince, souffla Myron. Avant d'entendre tes indices, j'aurais pu croire que tu étais Norm Zuckerman.

— Et avec les indices ?

— Bah, si tu ajoutes « adulé des femmes de tous âges », je dirais : moi-même.

Norman Zuckerman rit de bon cœur. Il se pencha et gratifia Myron d'un énorme bisou sonore sur la joue.

— Comment vas-tu, mon petit maboul adoré ?

— Bien, Norm. Et toi ?

— Plus cool qu'un glaçon invité à une partouze dans une chambre froide.

Zuckerman salua Win d'une poignée de main vigoureuse et d'un grand « Bonsoir ! ». Les autres convives le toisèrent avec des mines offusquées. Mais cela ne calma en rien Norman Zuckerman. Un fusil anesthésiant pour éléphants n'aurait pas calmé Norman Zuckerman. Myron l'aimait bien. Certes, une bonne part de ce côté démonstratif tenait au personnage, mais c'était quelqu'un de fondamentalement sincère. L'énergie de Norm était contagieuse. C'était une véritable pile électrique continuellement chargée, le genre de type dont la proximité vous pousse à vous demander si vous ne seriez pas en train de vous ramollir sérieusement.

Norm fit avancer une jeune femme qui jusqu'alors s'était tenue en retrait.

— Laissez-moi vous présenter Esme Fong, dit-il. Une de mes vice-présidentes pour le marketing. Elle s'occupe de la nouvelle ligne d'accessoires pour le golf. Brillante. Cette femme est absolument brillante.

La séduisante ingénue en personne. Entre vingt et vingt-cinq ans, jugea Myron. Esme Fong était d'origine asiatique, avec peut-être un peu de sang européen dans les veines. Elle était menue, avec des yeux en amande ravissants, de longs cheveux soyeux, une frange noire éclairée de touches auburn. Elle portait un ensemble beige et des bas blancs. Avec un petit signe de tête poli, elle s'approcha de la table. Elle arborait l'expression sérieuse d'une jeune femme charmante qui craint de ne pas être prise au sérieux parce qu'elle est charmante.

Elle tendit la main.

— C'est un plaisir de vous rencontrer, monsieur Bolitar, dit-elle d'un ton un peu crispé. Monsieur Lockwood.

— Alors, elle n'a pas une poignée de main ferme à

souhait ? s'enthousiasma Zuckerman avant de s'adresser à elle : Qu'est-ce que c'est que tous ces « Monsieur » ? Voici Myron, et Win. Ils sont quasiment de la famille, bon sang de bois. Bon, d'accord, Win est peut-être un peu trop goy pour appartenir à ma famille. Je veux dire, ses ancêtres sont arrivés ici à bord du *Mayflower*, alors que la plupart des miens ont fui les pogroms du tsar dans les soutes d'un cargo. Mais nous sommes pareils, pas vrai, Win ?

— Comme deux gouttes d'eau, répondit Win.

— Allez, assieds-toi, Esme. Tu me rends nerveux à force d'être aussi sérieuse. Essaie de sourire, d'accord ?

Zuckerman lui démontra comment faire et désigna de l'index ses dents découvertes. Puis il se tourna vers Myron, mains ouvertes et visage candide.

— La vérité, Myron. J'ai l'air de quoi ?

Norman avait dépassé la soixantaine. Son goût pour les accoutrements un poil voyants, en accord avec sa personnalité, n'avait rien de très extraordinaire après ce que Myron avait vu aujourd'hui. Il avait la peau sombre et tannée par le grand air, des traits sémites classiques, et ses yeux se noyaient dans des cernes noirs. Sa barbe comme ses cheveux étaient trop longs et peu soignés.

— Tu ressembles à Jerry Rubin lors de son septième procès à Chicago, dit Myron.

— Exactement le look que je recherchais, répliqua Norman. Rétro. Hip. Tout dans l'attitude. C'est la mode, aujourd'hui.

— Pas vraiment le look de Tad Crispin, remarqua Myron.

— Je parle du monde réel, pas du monde du golf. Ces gars-là ne savent rien de ce qui est hip, et ils sont zéro pour l'attitude. Les juifs Hassidim sont plus ouverts au changement qu'eux, tu vois ce que je veux dire ? Ils ont encensé Palmer, et puis Nicklaus, et ensuite Watson. Rien que des bons petits gars à l'ancienne.

Du pouce il désigna Esme Fong.
— C'est elle qui a signé Crispin. C'est son protégé.
Myron se tourna vers la jeune femme.
— Joli coup.
— Merci, fit-elle.
— Nous verrons si c'est vraiment un *gros* coup, intervint Zuckerman. Zoom a décidé d'investir dans le golf. On met le paquet. C'est du lourd.
— Enorme, dit Myron.
— Colossal, ajouta Win.
— Pachydermique.
— Baobabesque.
— Titanesque.
Win sourit.
— Multidégravitant.
— Oooh, souffla Myron. Excellent.
Zuckerman prit l'air effondré.
— Vous savez que vous êtes plus marrants que Laurel et Hardy sans Stan et Oliver, vous deux ? Bon, donc c'est une campagne grand format. Esme la dirige pour moi. Lignes masculine et féminine. Non seulement nous avons Crispin, mais Esme a accroché la numéro *uno del mundo, muchachos !*
— Linda Coldren ? fit Myron.
— Ça alors ! s'exclama Norm en battant des mains. Le basketteur hébreu connaît son ABC du golf sur le bout des doigts ! Au fait, Myron, c'est quoi, ce nom, *Bolitar*, pour un membre de la famille ?
— C'est une longue histoire, éluda Myron.
— Parfait, elle ne m'intéressait pas, de toute façon. Je m'efforçais seulement d'être poli. Où j'en étais, déjà ?
Zuckerman balança une jambe sur l'autre, se renversa dans son siège, sourit, regarda autour de lui. A une table voisine, un homme au visage hâlé braquait sur lui le laser destructeur de ses petits yeux mauvais.

— Salut, ma loute, lui lança Norm avec un petit signe de la main. T'as bonne mine, tu sais ça ? Cuit à point.

L'autre grogna un mot incompréhensible mais assurément assassin et se détourna.

Norm haussa les épaules.

— A croire qu'il n'a jamais vu un juif avant aujourd'hui.

— Ce qui est probablement le cas, dit Win.

Norm tourna la tête vers le type bronzé.

— Eh, regarde ! s'écria-t-il en pointant l'index sur son propre crâne. Pas de cornes !

Win lui-même sourit.

Zuckerman revint à Myron.

— Bon, alors, avoue : tu essaies de signer Crispin ?

— Je ne l'ai même pas encore rencontré, dit Myron.

Plaquant une main sur sa poitrine, Zuckerman feignit la surprise.

— Mais alors, dis donc, c'est une coïncidence des plus étranges, Myron ! Ta présence à cette table alors que nous nous apprêtons à rompre le pain avec lui ? Quelles sont les probabilités ? Attends…

Il s'interrompit, mit la main en conque autour de son oreille, simula une concentration intense.

— Je crois que j'entends le générique de *La Quatrième Dimension.*

— Ah-ah, fit Myron.

— Relax, Myronax ! Je te chambre, rien de plus. Détends-toi, bon sang de fer. Mais bon, il faut que je sois honnête une seconde, d'accord ? Je ne pense pas que Crispin ait besoin de toi, Myron. Rien de personnel dans ce que je te dis là, hein, mais ce bon petit gars a signé le contrat avec moi de sa propre main, et personne ne la lui tenait. Ni agent ni avocat. Il s'est décidé tout seul, comme un grand.

— Et il s'est fait avoir, ajouta Win.

Zuckerman refit le sketch de la main sur la poitrine.

— Là, vous me blessez, Win.

— Crispin m'a communiqué les pourcentages, dit Win. Myron lui aurait proposé beaucoup mieux.

— Avec tout le respect que je dois à vous et votre lignée, vous ne connaissez foutre rien au sujet. Le gamin a laissé un peu de menue monnaie pour moi dans le tiroir-caisse, c'est tout. Depuis quand c'est un crime si un homme réalise un peu de profit dans une opération commerciale ? Myron est un requin, nom d'un club ! Que nous discutions affaires et il me met en lambeaux. Il sort de mon bureau, je n'ai même plus un seul de mes sous-vêtements intacts. Je n'ai plus un meuble dans la pièce. Je n'ai même plus de bureau, tiens. Je dirige une petite boîte sympa, Myron se pointe et un mois plus tard, je suis en guenilles, à faire la queue à la soupe populaire.

Myron regarda Win.

— Emouvant, non ?

— Il me brise le cœur, approuva Win.

Myron se tourna vers Esme Fong.

— Vous êtes satisfaite du jeu de Crispin ?

— Bien sûr, dit-elle un peu trop vite. C'est son premier tournoi majeur, et il est en deuxième position.

Norm Zuckerman posa la main sur le bras de la jeune femme.

— Garde le baratin pour ces abrutis des médias. Ces deux gars-là font partie de la famille.

Esme Fong se trémoussa discrètement sur son siège. Puis elle s'éclaircit la voix.

— Linda Coldren a remporté l'U.S. Open il y a quelques semaines, commença-t-elle. Nous avons des pubs sur deux chaînes TV, à la radio et dans les journaux. La campagne est partout. C'est une nouvelle ligne, complètement inédite pour les amateurs de golf. Naturellement, si nous pouvions présenter la nouvelle collection de Zoom par l'intermédiaire de deux vainqueurs de l'U.S. Open, ce serait un gros plus.

Norm dressa son propre pouce à nouveau.

— Elle n'est pas extra ? Un gros plus. Chouette expression, non ? Et ça reste vague comme il faut. Myron, tu lis la rubrique Sports des journaux, je me trompe ?

— Autant qu'un éléphant.

— Ah-ah. Combien d'articles as-tu lus sur Crispin avant le début du tournoi ?

— Un paquet.

— Et combien sur lui dans les deux derniers jours ?

— Pas beaucoup.

— Tu pourrais aussi bien dire aucun. Tout le monde ne parle plus que de Jack Coldren. En deux jours, ce satané fils de pute est devenu candidat au rôle d'homme providentiel dans des proportions messianiques, ou à celui de perdant le plus pitoyable de toute l'histoire de ce monde. Réfléchis à ça une seconde. Toute la vie d'un homme – son passé comme son avenir – va se trouver transformée par quelques swings. C'est débile, quand on y pense. Et tu sais le pire ?

Myron secoua la tête.

— J'espère de tout mon cœur qu'il va merder grandissimo ! Je prends le rôle d'empereur des enfoirés, mais j'assume : c'est la vérité. Mon poulain arrive et gagne, attends de voir ce qu'en fera Esme. « Le jeu magnifique de la révélation Tad Crispin pousse un vétéran du circuit à la faute ». « Le nouveau prodige maîtrise la pression mieux que Palmer et Nicklaus réunis ». Tu sais ce que ça signifiera pour le lancement de la nouvelle ligne ?

Zuckerman dévisagea Win un instant, avant de pointer l'index sur lui.

— Foi de Norman, j'aimerais avoir son look. Regarde-le, nom d'un putt ! Il est majestueux.

Malgré lui, Win s'esclaffa. Plusieurs types au hâle rigoureusement identique se tournèrent vers eux et les regardèrent fixement. Norman les salua d'un petit mouvement de main copain-copain.

— La prochaine fois que je me pointe ici, dit-il à Win, je mettrai une kippa.

L'hilarité de Win redoubla. Myron essaya de se remémorer la dernière occasion où son ami avait ri autant. Ça faisait un bon bout de temps. Norm avait cet effet sur les gens.

Esme Fang consulta sa montre et se leva.

— Je ne suis passée que pour vous saluer, dit-elle. Il faut vraiment que j'y aille.

Les trois hommes se mirent debout. Norm l'embrassa sur la joue.

— Prends soin de toi, Esme, d'accord ? On se revoit demain matin.

— Oui, Norm.

Elle gratifia Win et Myron d'un sourire poli accompagné d'une modeste inclinaison du chef.

— C'était un plaisir de vous rencontrer. Myron. Win.

Elle prit congé. Les trois hommes se rassirent. Win colla ensemble l'extrémité des doigts de ses deux mains.

— Quel âge a-t-elle ? demanda-t-il.

— Vingt-cinq ans. Phi Bêta Kappa, à Yale.

— Impressionnant.

— N'y pense même pas, dit Norm.

Win secoua doucement la tête. Il ne ferait rien. Elle était dans les affaires, et une liaison dans ce milieu était toujours source potentielle d'ennuis. A l'égard du sexe dit faible, Win aimait maîtriser totalement la situation. Qui en général ne s'éternisait pas.

— Je l'ai piquée aux vautours de chez Nike, dit Norm. C'était devenue une huile dans leur département basket-ball. Elle leur faisait déjà gagner un max de pognon, et depuis elle s'est améliorée. Eh, c'est comme je lui ai dit : « La vie est plus importante que l'argent. Vous voyez ce que je veux dire ? »

Myron se retint pour ne pas rouler des yeux.

— Quoi qu'il en soit, c'est une sacrée bosseuse. Elle vérifie toujours tout, et ensuite elle revérifie. En fait, elle est déjà en route pour aller voir Linda Coldren. Elles vont se faire une petite soirée thé au coin du feu, ou ce genre de truc entre filles.

Myron et Win échangèrent un regard.

— Elle se rend chez Linda Coldren ?

— Ouais, pourquoi ?

— Quand l'a-t-elle appelée ?

— Qu'est-ce que tu veux dire ?

— Ce rendez-vous a été fixé il y a longtemps ?

— Eh, oh, j'ai une tête de réceptionniste, moi ?

— Oublie ça.

— C'est oublié.

— Excusez-moi une seconde, tous les deux, intervint Myron. Norm, ça ne te dérange pas que je passe un coup de fil ?

— Tu me prends pour ta mère ? grogna Zuckerman avant de se fendre d'un geste large et théâtral. Va, petit. Tu devrais déjà être parti.

Myron songea à se servir de son portable, mais il décida de ne pas irriter les dieux du Merion. Il trouva la cabine téléphonique dans l'entrée du vestiaire pour hommes et composa le numéro du domicile des Coldren. Il appela la ligne de Chad. C'est Linda qui répondit.

— Allô ?

— Simple vérification, dit Myron. Du neuf ?

— Non.

— Vous êtes au courant de la venue imminente d'Esme Fong ?

— Je n'ai pas voulu annuler, expliqua-t-elle. Je tenais à ne rien faire qui puisse attirer l'attention.

— Tout ira bien pour vous, alors ?

— Oui.

Myron suivit des yeux Tad Crispin qui se dirigeait vers la table de Win.

— Vous avez réussi à appeler l'école ?

— Non, il n'y avait personne là-bas, dit-elle. Qu'est-ce que nous faisons, maintenant ?

— Je ne sais pas, dit Myron. J'ai la détection d'appelant sur votre ligne. Si le kidnappeur vous contacte à nouveau, nous devrions obtenir automatiquement son numéro.

— Quoi d'autre ?

— Je vais essayer de parler à Matthew Squires. Voir ce qu'il peut me dire.

— J'ai déjà parlé à Matthew, rétorqua Linda sans dissimuler son impatience. Il ne sait rien. Quoi d'autre ?

— Je pourrais mettre la police dans le coup. Discrète ment. De mon côté, je ne peux pas faire grand-chose d'autre.

— Non, trancha-t-elle d'un ton ferme. Pas la police. Jack et moi sommes catégoriques sur ce point.

— Sinon, j'ai des amis au FBI...

— Non.

Il se remémora sa conversation avec Win.

— Quand Jack a perdu au Merion, qui était son caddie ?

Elle marqua un temps d'hésitation.

— Pourquoi voulez-vous le savoir ?

— J'ai cru comprendre que Jack a accusé son caddie de l'avoir fait perdre.

— En partie, oui.

— Et qu'ensuite il l'a viré.

— Et alors ?

— Alors je m'intéresse aux ennemis potentiels de votre mari. Comment a réagi le caddie ?

— Vous faites référence à des événements qui se sont produits il y a plus de vingt ans, dit Linda Coldren. Même si cet individu conservait une haine profonde envers Jack, pourquoi aurait-il attendu aussi longtemps ?

— C'est la première fois que l'Open se déroule de

nouveau au Merion depuis cette année-là. Peut-être que la coïncidence a réveillé un vieux désir de vengeance chez lui. Je ne sais pas. Il est probable que tout ça n'ait rien à voir, mais ça vaut quand même le coup de vérifier.

A l'autre bout de la ligne, il l'entendit qui conversait avec quelqu'un. Jack. Elle demanda à Myron de patienter un instant.

Après quelques secondes, Jack Coldren prit la communication. Sans préambule, il dit :

— Vous pensez qu'il existe un lien entre ce qui m'est arrivé il y a vingt-trois ans et la disparition de Chad ?

— Je l'ignore, avoua Myron.

Jack insista :

— Mais vous pensez…

— Je ne sais pas ce que je dois penser, interrompit Myron. J'explore toutes les pistes, c'est tout.

Un silence de mort suivit. Puis :

— Il s'appelle Lloyd Rennart.

— Vous savez où il habite ?

— Non. Je ne l'ai pas revu depuis le jour où l'Open s'est terminé.

— Le jour où vous l'avez sacqué.

— Oui.

— Vous ne l'avez jamais rencontré depuis, par hasard ? Au club, lors d'un autre tournoi ou même en une autre occasion ?

— Non, dit Jack Coldren après un temps. Jamais.

— Où habitait Rennart, à l'époque ?

— A Wayne. C'est la ville voisine.

— Quel âge aurait-il, aujourd'hui ?

— Soixante-huit ans.

La réponse avait été instantanée.

— Avant votre problème à l'Open, vous étiez proches, tous les deux ?

Quand il répondit, Jack le fit d'une voix très douce.

— Je le pensais. Pas sur un plan personnel. Nous ne

nous fréquentions pas en dehors du green. Je n'ai jamais rencontré sa famille, pas plus que je ne lui ai rendu visite à son domicile, ni rien de la sorte. Mais sur le parcours… Oui, je croyais que nous étions très proches.

— Pourquoi aurait-il fait une chose pareille ? Pourquoi aurait-il sciemment ruiné vos chances de l'emporter ?

— Cela fait vingt-trois ans que j'aimerais avoir la réponse à cette question.

6

Myron transmit le nom de Lloyd Rennart à Esperanza. *A priori*, la recherche ne demanderait pas beaucoup d'efforts. La technologie moderne simplifierait la chose. Pour quiconque possédant un modem, il suffisait de se connecter à un de ces sites Web faisant quasiment office d'annuaire pour le pays entier. Il ne faudrait sans doute pas longtemps pour obtenir les coordonnées de Lloyd Rennart. Et s'il avait passé l'arme à gauche, eh bien, il existait d'autres sites pour ce cas de figure aussi.

— Vous en avez parlé à Win ? demanda Esperanza.

— Oui.

— Comment a-t-il réagi ?

— Il refuse de s'impliquer dans cette affaire.

— Pas surprenant, lâcha-t-elle.

— En effet.

— Vous travaillez moins bien seul, Myron, remarqua son assistante.

— Tout ira bien pour moi, lui affirma-t-il. Alors, impatiente de se voir décernée son diplôme ?

Esperanza suivait les cours du soir en droit de la New York University depuis six ans maintenant. Lundi, elle devait recevoir officiellement son diplôme.

— Je n'irai sans doute pas.

— Pourquoi donc ?

— Je n'aime pas trop les cérémonies, dit-elle.

La seule parente d'Esperanza, sa mère, était décédée quelques mois plus tôt, et Myron soupçonnait cet événement d'influer davantage sur la décision d'Esperanza que le fait de ne pas goûter les chichis des cérémonies.

— Eh bien moi, j'y serai, dit-il. Premier rang, au centre. Je ne veux pas en rater une miette.

Un silence, qu'Esperanza finit par briser :

— C'est là que je dois ravaler mes larmes parce que quelqu'un se soucie de moi ?

Myron soupira de façon très audible.

— D'accord, oubliez ce que je viens de dire.

— Non, vraiment, j'aimerais bien savoir. Est-ce que je dois éclater en sanglots, ou juste renifler un peu ? Oh, j'ai mieux : je pourrais avoir seulement les yeux embués, genre Michael Landon dans *La Petite Maison dans la prairie*. Mais au téléphone, l'effet n'est pas terrible.

— C'est ça, payez-vous ma tête.

— Seulement quand on veut me la jouer paternaliste.

— Je ne la joue pas paternaliste. Je me soucie de vous, oui. Si ça ne vous convient pas, poursuivez-moi en justice.

— C'est une idée, fit-elle.

— Des messages ?

— Un petit million, mais rien que je ne puisse gérer d'ici à lundi, dit-elle. Ah si, il y a un truc.

— Quoi ?

— La garce m'a invitée à déjeuner.

« La garce » n'était autre que Jessica, l'amour de sa vie pour Myron. Esperanza n'aimait pas Jessica, et c'était là un euphémisme monumental. Pas mal de gens pensaient que cette détestation avait un rapport direct avec la jalousie, ce qui sous-entendait une sorte d'attirance latente entre Esperanza et Myron, mais il n'en était rien. D'abord, Esperanza était très attachée à la

« flexibilité » dans ses rapports amoureux. Pendant un temps elle était sortie avec un type du nom de Max, puis avec une fille prénommée Lucy, et c'était maintenant au tour d'une autre femme, Hester.

— Combien de fois vous ai-je dit de ne pas l'appeler comme ça ? dit Myron.

— Un petit million.

— Vous allez accepter ?

— C'est probable, répondit-elle. Je veux dire, c'est elle qui paie. Avec la paie de misère que vous m'octroyez, un repas à l'œil ne se refuse pas. Même si je dois l'avoir en face de moi tout le temps du repas.

Ils raccrochèrent ensemble. Myron sourit. Il était un peu surpris. Quoique Jessica n'eût pas la même animosité pour Esperanza que celle-ci à son encontre, une invitation à déjeuner pour enterrer leur hache de guerre froide était une manœuvre que Myron n'aurait pas imaginée. Depuis qu'ils vivaient ensemble, Jess avait peut-être estimé qu'il était temps de tendre le rameau d'olivier. Comment savoir ? Il composa le numéro de sa bien-aimée.

Le répondeur se déclencha. Il entendit sa voix enregistrée. Après le bip, il dit :

— Jess ? Décroche.

Ce qu'elle fit.

— Seigneur, j'aimerais tant que tu sois ici maintenant.

Jessica avait le chic pour des amorces de conversation originales.

Il la visualisa, étendue sur le lit, entortillant le fil du téléphone autour de son index.

— Oh ? Pourquoi donc ?

— Je vais prendre une pause de dix minutes.

— Dix minutes entières ?

— Oui-oui.

— Alors tu voudrais des préliminaires rallongés ?

Elle rit de son merveilleux rire de gorge.

— Tu te sens d'attaque, mon grand ?

— Je le serai bientôt si tu n'arrêtes pas de parler de ça.

— Peut-être devrions-nous changer de sujet, alors, minauda-t-elle.

Myron s'était installé dans le loft de Jessica, en plein SoHo, quelques mois plus tôt. Pour la plupart des gens, ç'eût été un bouleversement majeur – passer d'une ville banlieusarde du New Jersey à un quartier coté de New York, pour vivre avec la femme que vous aimez, tout ça… – mais pour Myron, c'était un changement aussi important que tous ceux de la puberté pris en bloc. Il avait passé toute son existence chez ses parents, dans la petite ville très quelconque de Livingstone, Etat du New Jersey. De sa naissance à son sixième anniversaire dans la chambre de droite, à l'étage. De six à treize ans, dans celle de gauche. Et de treize à trente et quelques, dans le sous-sol aménagé.

Après aussi longtemps, les jupes de la mère paraissaient aussi difficiles à quitter que l'enceinte d'Alcatraz à la grande époque.

— J'ai appris que tu invitais Esperanza à déjeuner, dit-il.

— Exact.

— Comment se fait-ce ?

— Aucune raison particulière.

— Sans blague ?

— Je pense que c'est quelqu'un de bien. J'ai envie de déjeuner. Arrête de toujours chercher la petite bête.

— Tu sais qu'elle te déteste avec un certain entrain, quand même ?

— Je saurai gérer, affirma Jessica. Alors, comment se passe ton tournoi de golf ?

— Très bizarrement.

— Comment ça ?

— Trop long à expliquer, chérie. Je peux te rappeler plus tard ?

— Evidemment… Tu viens bien de dire : « Chérie » ?

Quand ils raccrochèrent, Myron était perplexe. Jessica et lui n'avaient jamais été aussi intimes, leur relation aussi forte. Se mettre ensemble leur avait paru être la bonne décision au bon moment, et bien des démons de leur passé commun avaient été exorcisés ces derniers temps. Ils se montraient très amoureux, très attentionnés l'un envers l'autre, respectueux de leurs sentiments et besoins mutuels, et ils ne s'engueulaient presque jamais.

Alors pourquoi Myron avait-il l'impression qu'ils se tenaient en équilibre instable au bord d'un gouffre béant, comme tout gouffre digne de ce nom ?

Il chassa ces noires pensées. Tout ça n'était que le résultat annexe d'une imagination surexcitée. Ce n'est pas parce que le navire vogue sur une mer d'huile qu'il se dirige droit sur un iceberg, se dit-il.

Mince, il fallait qu'il la note, celle-là.

Sauf si le navire s'appelle le *Titanic*, évidemment…

Peut-être pas nécessaire de la noter, tout compte fait.

Quand il revint à leur table, Tad Crispin sirotait lui aussi un thé glacé. Win se chargea des présentations. Crispin était habillé en jaune, un tas de nuances de jaunes toutes très jaunes. De sa casquette à ses chaussures de golf. Myron parvint à ne pas faire la grimace.

Comme s'il lisait dans ses pensées, Norman Zuckerman intervint avec son tact coutumier :

— Ça ne fait pas partie de notre collection.

— Heureux de l'entendre, glissa Myron.

Tad Crispin se leva de son siège.

— Enchanté de faire votre connaissance, monsieur.

Myron le gratifia de son plus grand sourire.

— C'est un véritable honneur de vous rencontrer, Tad.

Sa voix débordait de la sincérité d'un vendeur du rayon électroménager dans une grande surface. Les deux hommes échangèrent une poignée de main. Myron ne se départit pas de son sourire d'idiot béat. Très vite, Crispin donna des signes de méfiance.

— Il est toujours aussi onctueux ? fit Zuckerman à l'oreille de Win en désignant Myron du pouce.

— Et encore, vous ne l'avez pas vu avec ces dames !

Tout le monde s'assit.

— Je ne peux pas rester très longtemps, annonça Crispin d'entrée.

— Nous comprenons, Tad, affirma Zuckerman avec ce geste, mains ouvertes et écartées, qui devait signifier « tolérance totale » dans le langage des sourds-muets Hassidim. Vous êtes fatigué, et vous avez besoin de vous concentrer pour la journée de demain. Allez-y, si vous voulez, allez vous reposer.

Crispin réussit un simulacre de sourire et se tourna vers Win.

— Je veux que vous preniez mes comptes, dit-il.

— Je ne « prends » pas les comptes, corrigea Win. Je conseille leur gestion.

— Il y a une différence ?

— Une différence primordiale. Vous conservez le contrôle de votre argent à tout instant. Je vous fais parvenir mes recommandations. Je vous les transmets directement, et à personne d'autre. Nous les discutons. Ensuite vous prenez la décision de les appliquer, ou non. Il est hors de question que j'achète, que je vende ou que je négocie sans que vous soyez pleinement conscient de tous les paramètres et implications de l'opération.

Crispin avait l'air d'apprécier.

— Ça m'a l'air correct.

— Je le pense aussi, dit Win. Apparemment, vous surveillez vos avoirs de près.

— En effet.

— Le bon sens même, approuva Win. Vous avez lu des articles sur tous ces sportifs qui ont pris leur retraite sans un sou vaillant. Ou qui ont été dépouillés par des gestionnaires ou d'autres gens sans scrupule.

— Oui.

— Ma tâche consistera uniquement à maximaliser vos rentrées. Cela vous semble correct ?

Crispin se pencha légèrement en avant.

— Oui.

— Très bien. Je me chargerai de maximaliser vos opportunités d'investissement *après* que vous aurez gagné votre argent. Mais je ne servirais pas au mieux vos intérêts si je ne vous disais pas également comment gagner plus.

Une lueur passa dans les yeux de Crispin.

— Je ne suis pas sûr de vous comprendre.

— Win..., intervint Zuckerman.

Win l'ignora superbement.

— En ma qualité de conseiller financier, je ferais preuve de négligence si je ne vous donnais pas le tuyau suivant : vous avez besoin d'un bon agent.

Le regard de Crispin glissa insensiblement jusqu'à Myron. Celui-ci conserva une immobilité de statue, et lui fit face sans rien trahir de sa nervosité. Le golfeur se tourna de nouveau vers Win.

— Je sais que vous travaillez en partenariat avec M. Bolitar, dit-il.

— Oui et non, répondit Win. Si vous décidez de le prendre comme agent, je ne gagnerai pas un dollar de plus. Enfin, ce n'est pas exactement vrai. Si vous choisissez d'opter pour les services de Myron, vous gagnerez plus d'argent et, conséquemment, vous disposerez de plus d'argent pour d'éventuels investissements. Donc, indirectement, je gagnerai plus, moi aussi.

— Merci, dit Crispin, mais je ne suis pas intéressé.

— A vous de voir, dit Win, mais laissez-moi vous

expliquer un peu mieux ce que j'entends quand je dis « oui et non ». Je gère un portefeuille global qui atteint les quatre cents millions de dollars environ. Les clients de Myron représentent moins de trois pour cent de ce total. Je ne suis pas employé par son entreprise, MB Sports. Myron Bolitar n'est pas employé par Lock-Horne Securities. Nous n'avons aucune espèce de partenariat. Je n'ai pas investi dans son entreprise et il n'a pas investi dans la mienne. Il n'a jamais posé la moindre question concernant la situation financière de mes clients. Il ne s'y est même jamais intéressé, de près ou de loin. Nos activités sont totalement autonomes. A part dans un domaine.

Tous les regards étaient aimantés par Win. Réputé pour ne savoir quand la fermer, Myron comprenait très bien que c'était maintenant.

— Je suis le conseiller financier de chacun de ses clients, dit Win. Et vous savez pourquoi ?

— Non. Pourquoi ?

— Parce que Myron insiste sur ce point.

Crispin parut dérouté par cette explication.

— Je ne comprends pas. S'il n'en retire rien…

— Je n'ai pas dit cela. Il en retire beaucoup.

— Mais vous venez de dire…

— Lui aussi a été sportif de haut niveau. Vous le saviez ?

— J'ai entendu quelque chose sur le sujet.

— Il sait comment on berne les champions. Comment ils dilapident leurs revenus, parce qu'ils n'acceptent jamais complètement le fait que leur carrière puisse s'arrêter du jour au lendemain. C'est pourquoi il insiste – et lourdement, croyez-moi – pour ne pas s'occuper de leurs finances. Je l'ai vu refuser des clients pour cette raison. Et il insiste pour que ce soit moi qui m'occupe de leurs avoirs. Et pourquoi ? Pour la même raison qui vous a poussé vers moi. Il sait que je suis le meilleur.

C'est prétentieux, mais vrai, et la vérité n'a que faire de la modestie. De plus Myron insiste pour que chacun de ses clients me voie en personne au moins une fois par trimestre. Je ne parle pas de simples coups de téléphone, de fax, d'e-mails ou de lettres. Non. Il tient à ce que j'explique chaque poste de chaque compte avec ses clients, face à face.

Satisfait de sa démonstration, Win réunit le bout des doigts de ses deux mains. C'était un geste qu'il adorait. Il lui allait comme un gant, si l'on peut dire. Il lui conférait un air de sagesse paisible.

— Myron Bolitar est mon meilleur ami. Je sais qu'il donnerait sa vie pour moi, et la réciproque est vraie. Mais s'il pensait une seule seconde que je n'agis pas au mieux des intérêts d'un de ses clients, il me retirerait son portefeuille sans hésiter.

— Magnifique discours, Win ! s'exclama Norm. Ça m'a pris aux tripes, carrément noué les boyaux, je vous jure !

Win posa les yeux sur lui une seule seconde. Norm cessa de sourire.

— J'ai fait affaire avec M. Zuckerman sans l'aide de personne, dit Crispin. Je pourrais recommencer.

— Je ne me permettrai aucun commentaire sur le contrat que vous avez passé avec Zoom, dit Win. Mais je vais vous dire une chose importante. Vous êtes un homme jeune et intelligent. Un homme intelligent connaît non seulement ses points forts, mais aussi ses points faibles. Un exemple : je ne suis pas plombier. Si chez moi une fuite apparaît dans la tuyauterie, je ne saurai pas comment la réparer. Vous êtes un golfeur, Tad. Un des plus grands talents qu'il m'ait été donné de voir sur le green. Vous devriez pouvoir vous concentrer sur ça, et uniquement sur ça.

Crispin but une gorgée de thé glacé. Il posa sa cheville

gauche sur son genou droit. Même ses chaussettes étaient jaunes.

— Vous essayez de caser votre ami, dit-il.

— Faux, répliqua Win. Je tuerais pour mon ami, mais sur le plan financier je ne lui suis redevable de rien. Vous, d'un autre côté, vous êtes mon client, et par conséquent j'ai envers vous une responsabilité de première importance sur le plan financier. Pour parler crûment, vous m'avez demandé d'accroître votre portefeuille. Je vous suggérerai tout un éventail d'investissements très intéressants. Mais je viens de formuler la recommandation la meilleure que je puisse vous faire.

Crispin se tourna vers Myron. Il l'étudia sans hâte, d'un regard scrutateur. Myron faillit hennir pour que l'autre puisse examiner sa dentition.

— De ce qu'il raconte, vous êtes foutrement bon, finit par dire le golfeur.

— Je suis bon, oui, approuva Myron. Mais je ne voudrais surtout pas qu'il vous donne une fausse impression de mon humble personne. Je ne suis pas aussi altruiste que Win a pu le laisser entendre. Si j'insiste auprès de mes clients pour qu'ils recourent à ses services, ce n'est pas parce que c'est un ami. Je sais que s'il gère les affaires de mes poulains, ce sera un plus pour eux. Il améliore la valeur de mes propres services. Il se débrouille pour que mes clients soient toujours satisfaits. Voilà ce que je retire de son implication au niveau de leurs finances. C'est vrai, je préfère que mes clients s'intéressent de près aux décisions concernant leur argent, mais c'est autant pour me protéger que pour *les* protéger.

— Comment ça ?

— Manifestement, vous savez que certains managers et autres agents ont déjà tondu des sportifs.

— Oui.

— Mais savez-vous pourquoi cela se produit ?

Crispin haussa les épaules.

— L'appât du gain, je suppose.

Myron inclina la tête avec une expression du genre ni-oui-ni-non.

— Le coupable principal, c'est l'apathie. Le manque de participation des sportifs. Ils deviennent paresseux. Ils en arrivent à se convaincre qu'il est plus facile de faire confiance à son agent, et c'est une grossière erreur. A l'agent de payer les factures, disent-ils. A lui d'investir l'argent. Et tout à l'avenant. Mais ça ne se produira jamais chez MB Sports. Pas parce que je surveille. Pas parce que Win surveille. Mais parce que c'est vous qui surveillez.

— Je surveille déjà, répliqua Crispin.

— Vous surveillez votre argent, c'est vrai. Mais je doute que vous surveilliez autre chose.

Crispin réfléchit un moment.

— J'apprécie cette discussion, dit-il, mais je crois que je me débrouille très bien tout seul.

Myron pointa l'index sur le crâne de Tad Crispin.

— Combien avez-vous reçu pour porter ce truc-là ?

— Je vous demande pardon ?

— Je ne vois aucun logo sur votre casquette, expliqua Myron. Pour un joueur de votre rang, cet oubli représente un manque à gagner d'au moins un quart de million de dollars.

Un vol imaginaire de billets verts ouata l'atmosphère.

— Mais je vais bosser avec Zoom, dit enfin Crispin.

— Ils vous ont payé les droits pour le couvre-chef ?

— Euh… Je ne crois pas, non.

— Le devant du chapeau vaut un quart de million. Nous pouvons également vendre les côtés si vous le voulez. Ils se monnaient moins bien. Peut-être atteindrions-nous un total de quatre cent mille dollars. Votre polo, c'est autre chose.

— Eh, attends une minute ! intervint Zuckerman. Il va porter des polos Zoom.

— Super, Norm, dit Myron sans se démonter. Mais il est autorisé à y ajouter des logos. Un sur la poitrine, un sur une des manches.

— Des logos ?

— N'importe quelle marque. Coca-Cola, IBM, une banque quelconque. N'importe.

— Des logos ?

— Ouais. Et qu'est-ce que vous buvez, sur le parcours ?

— Ce que je bois ? Quand je joue ?

— C'est ça, oui. Je peux probablement conclure un deal avec Powerade ou un autre producteur de sodas. Pourquoi pas une marque d'eau minérale ? Ils paient bien, généralement. Et votre sac de golf. Vous devez négocier un contrat pour votre sac de golf.

— Je ne comprends pas.

— Vous êtes un panneau publicitaire ambulant, Tad. Vous passez à la télé. Tous les fondus du golf vous regardent. Et ils voient votre casquette, votre polo, votre sac de golf. C'est là qu'on peut placer des pubs pour des marques.

— Attends une minute, répéta Zuckerman. Il ne peut quand même pas…

Un portable se mit à sonner, mais il n'arriva jamais jusqu'à la fin de la première sonnerie. Le doigt de Myron le pêcha dans sa poche et mit l'appareil en mode silencieux avec une rapidité qui aurait poussé Wyatt Earp à la retraite. De bons réflexes. C'était utile, parfois.

Mais la courte stridulation avait quand même provoqué l'ire des membres voisins. Myron jeta un coup d'œil circulaire. Il se trouvait dans la ligne de mire d'un paquet de regards assassins, dont celui de Win.

— Cours prendre ton appel derrière le club-house, lui conseilla ce dernier. Et que personne ne te voie.

Avec un petit salut crispé, Myron quitta la terrasse comme un homme dont la vessie menace de lâcher dans la seconde. Arrivé dans une zone sûre près de l'aire de stationnement, il répondit.

— Allô.

— Oh, Seigneur…

C'était Linda Coldren. Sa voix lui glaça le sang.

— Que se passe-t-il ?

— Il a encore appelé, dit-elle.

— Vous l'avez sur bande ?

— Oui.

— J'arrive tout de…

— Non ! s'écria-t-elle. Il surveille la maison.

— Vous l'avez aperçu ?

— Non. Mais… Ne venez pas ici. Je vous en prie.

— D'où appelez-vous ?

— La ligne du fax, au sous-sol. Oh, mon Dieu, Myron, si vous l'aviez entendu…

— Le numéro s'est affiché sur le détecteur d'appelant ?

— Oui.

— Donnez-le-moi.

Ce qu'elle fit. Myron sortit un stylo de son portefeuille et nota le numéro sur un vieux reçu de carte Visa.

— Vous êtes seule ?

— Jack est juste à côté de moi.

— Personne d'autre, à part vous deux ? Et Esme Fong ?

— Elle est en haut, dans le salon.

— Bon, dit Myron. Il faudrait que j'entende cet appel.

— Ne quittez pas. Jack branche le magnétophone. Je vais mettre le haut-parleur.

7

Le magnétophone déroula la bande. Myron perçut d'abord la sonnerie du téléphone. Le son était d'une netteté étonnante. Puis la voix de Jack Coldren :

— Allô ?

— Qui c'est, la petite pétasse bridée ?

La voix était très grave, très menaçante, et indubitablement déformée. Masculine ou féminine, jeune ou vieille, impossible à dire.

— Je ne sais pas de quoi…

— Tu essaies de me baiser, connard ? Je vais commencer à te renvoyer ton putain de rejeton morceau par morceau.

— Je vous en prie…, fit Jack Coldren.

— Je vous avais dit de ne prévenir personne.

— Nous avons obéi.

— Alors dis-moi qui est cette petite pétasse bridée qui vient juste d'arriver chez vous.

Un blanc, puis :

— Tu nous prends pour des glands, Jack ?

— Non, bien sûr que non.

— Alors c'est qui, bordel de merde ?

— Elle s'appelle Esme Fong, dit Coldren très vite. Elle travaille pour une marque de vêtements de sport.

Elle est seulement ici pour conclure un contrat avec ma femme, c'est tout.

— Conneries.

— C'est la vérité, je le jure.

— Je me demande, Jack, je me demande…

— Je ne vous mentirais pas !

— Ouais, Jack, on verra ça. Ça va te coûter un max.

— Que voulez-vous dire ?

— Cent mille. Disons que c'est une pénalité.

— Pour quoi ?

— T'occupe, connard. Tu veux retrouver ton môme vivant ? Maintenant, il va falloir allonger cent mille. C'est en…

— Attendez une seconde, l'interrompit Coldren qui se racla la gorge.

Il essayait de reprendre pied, et un peu du contrôle de la situation.

— Jack ?

— Oui ?

— Tu me coupes la parole encore une seule fois et j'écrase la queue de ton môme dans un étau.

Quelques secondes interminables de silence.

— Prépare le pognon, Jack. Cent mille. Je te rappellerai et je te dirai comment procéder. Tu m'as bien compris ?

— Oui.

— Pas de merde avec moi, Jack. J'adore faire souffrir les gens.

Le court silence qui suivit fut déchiré par un cri perçant, un cri à vous mettre les nerfs à vif et les poils des bras au garde-à-vous. La main de Myron se crispa sur le portable.

Fin de la communication. Tonalité. Puis plus rien.

Linda Coldren reprit la parole.

— Qu'est-ce que vous allez faire ?

— Prévenir le FBI, répondit Myron.

— Vous avez perdu la tête ?

— Je pense que c'est la seule solution.

Jack Coldren dit quelque chose en fond sonore.

— Il n'en est absolument pas question, martela Linda dans l'appareil. Nous voulons seulement payer la rançon et retrouver notre fils.

Inutile de discuter avec eux.

— Restez tranquilles. Je vous rappelle dès que possible.

Myron coupa et composa un autre numéro. Celui de Lisa, une bonne copine à lui qui travaillait à la compagnie du téléphone. Elle y était leur contact depuis l'époque où Win et lui travaillaient pour le gouvernement.

— Un numéro à Philadelphie, dit-il. Tu pourrais me trouver l'adresse ?

— Pas de problème, répondit Lisa.

Il lui transmit le numéro. Les gens qui regardent trop la télé pensent que ce genre de truc demande un temps infini. Plus maintenant. On trace la source instantanément, de nos jours. Plus besoin de ces « Essayez de le garder au bout du fil encore un peu, pour la triangulation », ni rien d'aussi daté. La même chose est vraie quand il s'agit de localiser un numéro de téléphone. N'importe quel standardiste à peu près n'importe où peut balancer le numéro dans son terminal ou interroger les annuaires inversés, et bingo. Bah, on n'a même plus besoin de standardiste, d'ailleurs. Les programmes informatiques sur CD-ROM et les sites Web rendent le même service.

— C'est une cabine publique, dit-elle.

Mauvaise nouvelle, mais pas très surprenante.

— Tu sais où ?

— Le centre commercial Grand Mercado, à Bala-Cynwyd.

— Un centre commercial ?

— Oui.

— Tu en es sûre ?
— C'est ce qui s'est affiché sur mon écran.
— Où ça, dans le centre ?
— Aucune idée. Tu crois qu'ils précisent « entre le magasin de disques et celui des lingeries coquines » ?
Cela n'avait pas de sens. Un centre commercial ? Le kidnappeur aurait traîné Chad Coldren dans une galerie marchande pleine de monde et l'aurait forcé à hurler dans le téléphone ?
— Merci, Lisa.
Il mit un terme à la communication et se retourna vers Win, lequel se tenait juste derrière lui, bras croisés, totalement relax, comme à son habitude.
— Le kidnappeur a appelé, dit Myron.
— C'est ce que j'ai cru comprendre.
— Tu me serais bien utile pour résoudre cette affaire.
— Non, dit Win.
— Ça n'a rien à voir avec ta mère, Win.
Le visage de son ami resta de marbre, mais une lueur passa dans ses yeux. « Pas plus loin », disait-elle.
Myron se fit une raison.
— Bon. Il faut que j'y aille. Présente mes excuses aux deux autres, s'il te plaît.
— Tu es venu ici pour recruter des clients, dit Win. Tout à l'heure, tu as affirmé que tu avais accepté d'aider les Coldren dans l'espoir de les représenter.
— Et alors ?
— Alors tu es à deux doigts de mettre le grappin sur le nouveau Mozart du golf. Rester me semble l'option toute indiquée.
— Je ne peux pas.
Win décroisa les bras, eut une petite moue contrariée.
— Tu veux bien faire quelque chose pour moi ? fit Myron. Me dire si je perds mon temps ou pas ?
Win demeura imperturbable.

— Tu te souviens, je t'ai dit que Chad s'était servi de sa carte bancaire pour un retrait ? dit Myron.

— Oui.

— Déniche-moi la bande de la caméra de surveillance du distributeur, dit-il. Elle pourrait m'apprendre si toute cette histoire n'est qu'une très mauvaise blague concoctée par Chad lui-même.

Win tourna les talons et se dirigea vers la véranda.

— On se voit au cottage, ce soir.

8

Myron se gara dans le parking du centre commercial à huit heures moins le quart. La journée avait été très longue et il était encore relativement tôt. Il entra par le magasin Macy et repéra immédiatement un des grands plans des lieux. Les téléphones publics étaient indiqués par des points bleus. Onze en tout : deux à l'entrée sud du rez-de-chaussée, deux à l'entrée nord de l'étage, les sept autres dans la galerie des restaurants.

Aux Etats-Unis, les centres commerciaux sont les grands lamineurs géographiques. Dans ces endroits aseptisés de boutiques rutilantes et de plafonds d'où cascade un éclairage excessif, le Kansas ressemble à la Californie, le New Jersey au Nevada. Difficile de trouver plus américain. Certains des commerces peuvent avoir des enseignes différentes, mais ils sont tellement formatés que seule la dénomination change. Mêmes magasins de sport, de fringues, de chaussures, galeries d'art exposant les peintres grand public à la mode, boutique vendant des reproductions de pièces de musées, sans compter un ou deux vendeurs de disques. Le tout est empaqueté dans un forum néo-romain très orwellien, chromes partout, fontaines rustiques et laides, débauche de marbres et de sculptures dignes d'un cabinet dentaire et, bien sûr, points d'information rituellement inoccupés. Ici, les fausses fougères prolifèrent.

Devant un magasin vendant des pianos et des orgues électriques était assis un employé vêtu d'un costume de marin mal coupé et d'une casquette de vieux loup de mer. Il jouait *Muskrat Love* sur un orgue. De quoi être un peu perplexe. Qui va dans un centre commercial pour acheter un orgue ?

Il passa sans s'arrêter devant un alignement de vitrines constellées d'affiches « Exclusif », « Meilleure qualité », « Prix cassés » et toutes ces banalités affriolantes qui font le délice du gentil consommateur. Puis il y eut les Jeans Plus, les Jeans Extra et les Collector Jeans, qui se ressemblaient beaucoup. Ces magasins employaient tous des adolescentes maigrichonnes et traînant les pieds qui emplissaient les étagères avec l'enthousiasme d'un eunuque distribuant les préservatifs pendant une orgie.

Il y avait une flopée de lycéens qui erraient là comme des zombies – « on glande juste, mec » – et qui avaient l'air très, heu, géniaux. Au risque de passer pour un raciste à l'envers, Myron trouvait que les garçons blancs étaient interchangeables. Shorts baggie. T-shirt blanc. Baskets noires à cent dollars, délacées bien entendu. Casquette de baseball vissée bas sur les yeux, avec la visière coquettement recourbée. Minces. Dégingandés. Tout en bras et en jambes interminables. Aussi pâles qu'un portrait de Goya, même en plein été. Le maintien tendance guimauve avachie. Les yeux qui ne regardaient jamais directement un autre humanoïde, hantés par la gêne, un peu de peur aussi.

Il passa devant un salon de coiffure nommé A la Bonne Coupe, ce qui à son humble avis aurait mieux convenu à une boucherie-charcuterie. Les experts capilliculteurs de la Bonne Coupe étaient soit des anciennes employées du centre commercial qui s'étaient recyclées, soit des garçons prénommés Mario dont le père s'était forcément appelé Sal. Deux clientes étaient assises en vitrine, l'une pour une permanente, l'autre pour une décoloration. Qui pouvait bien vouloir ça ? Qui désirait se retrouver assis dans une vitrine pour que le monde entier puisse voir votre chevelure torturée ?

Il prit un escalier mécanique à côté d'un jardin en plastique pour accéder aux joyaux de la couronne du centre commercial : la galerie des restaurants. Elle était peu fréquentée à cette heure, car les gens avaient pour la plupart déjà dîné et étaient repartis. Ces endroits constituaient le dernier avant-poste du grand melting-pot américain. Restos italien, chinois, japonais, mexicain, moyen-oriental (ou grec), traiteurs, spécialistes du poulet grillé-braisé-frit, incontournables fast-foods (la clientèle la plus nombreuse), débits de crèmes glacées, plus quelques variantes bizarroïdes, des commerces lancés par des gens qui rêvaient de créer une chaîne de franchisés dans tout le pays. Extases éthiopiennes. Aux boulettes de viande suédoises (Chez Sven), Curry de campagne. Tout un poème traditionnel et ultramoderne en devanture.

Myron entreprit de vérifier les numéros des sept postes téléphoniques publics. Tous avaient été effacés. Rien d'étonnant, à la façon dont les gens en abusent aujourd'hui. Mais ce n'était pas un problème non plus. Il sortit son portable et composa le numéro qu'il avait noté. Un appareil sonna immédiatement.

Bingo.

Celui au fond à droite. Myron alla le décrocher pour être bien sûr.

— Allô ? fit-il.

Il s'entendit dire « Allô ? » dans le portable.

— Salut, Myron, c'est chouette d'entendre ta voix, chuchota-t-il dans le portable.

Puis il décida d'arrêter de se parler à lui-même. Il était encore trop tôt pour jouer au branque de service.

Il raccrocha le téléphone public et regarda autour de

lui. Un groupe d'employées du centre squattaient une table pas très loin de là. Elles étaient assises en un cercle fermé, dans cette attitude protectrice qu'ont les coyotes en période de reproduction.

Des différents restaurants, c'est Chez Sven (et ses boulettes de viande suédoises) qu'on avait la meilleure vue sur le téléphone. Myron s'approcha. Deux hommes travaillaient derrière le comptoir, tous deux avec des cheveux noirs, le teint bistre et des moustaches à la Saddam Hussein. La poche de leur chemise était marquée d'un prénom : Mustafa pour l'un, Ahmed pour l'autre.

— Lequel d'entre vous est Sven ? demanda Myron.

Bide total. Pas l'ombre d'un sourire.

Il les questionna sur la cabine téléphonique. Mustafa et Ahmed se montrèrent très peu serviables. Mustafa répliqua qu'il travaillait pour gagner sa vie, et qu'il n'avait pas le temps de surveiller un téléphone public. Ahmed gesticula et l'injuria dans une langue étrangère.

— Je ne suis pas vraiment linguiste, dit Myron, mais là, ça ne ressemblait franchement pas à du suédois.

Regards meurtriers.

— Bon, c'est pas tout ça, mais le président m'attend. Je parlerai aux copains de votre palace, parole de scout. Super. Surtout l'accueil.

Myron revint vers la table des filles. Toutes baissèrent vivement les yeux, comme des rats qui se carapatent dans le faisceau d'une torche électrique. Il s'avança d'un pas tranquille. Leurs regards fusèrent vers lui dans ce qu'elles devaient penser être des coups d'œil furtifs. Il entendit un chœur murmuré de « OhmonDieu Ohmon Dieu!OhmonDieu ! ».

Il se campa devant leur table. Elles étaient quatre. Ou cinq ou six, peut-être. Difficile à dire tant elles semblaient se fondre l'une avec l'autre dans un méli-mélo indistinct de cheveux, noir à lèvres, ongles à la Fu Manchu, boucles d'oreilles, anneaux de nez, fumée de cigarette, tops trop étroits découvrant le nombril et claquements de chewing-gum.

Celle assise au milieu de cette confusion releva les yeux la première. Elle était coiffée comme Elsa Lancaster dans *La Fiancée de Frankenstein* et portait une jolie copie de collier de chien clouté autour du cou. Les autres visages l'imitèrent.

— Salut, genre, dit « Elsa ».

Myron esquissa son sourire le plus irrésistible, celui que Harrison Ford devait lui envier.

— Ça ne vous dérange pas si je vous pose quelques questions ?

Les filles s'entre-regardèrent. Sans trop savoir pourquoi, Myron se sentit rougir. Elles s'échangèrent de petits coups de coude, mais aucune ne répondit. Il continua :

— Depuis combien de temps êtes-vous attablées ici ?

— Est-ce que c'est, genre, une de ces enquêtes pour le centre commercial ?

— Non, dit-il.

— Ah. Bon. Parce que c'est, genre, rasoir, ces enquêtes, tu vois, quoi ?

— Hmm.

— Nous c'est, genre, tire-toi de ma zone, Futal Nylon, tu vois ?

Myron réitéra son « Hmm ».

— Vous vous souvenez depuis combien de temps vous êtes ici ?

— Nan. Amber, tu sais, toi ?

— Ben, on est allés chez Gap à quatre heures, genre.

— Ouais, c'est vrai. Gap. Super classe.

— Ultrasuper. J'adore le chemisier que t'as acheté, Trish.

— C'est, genre, grave la totale classe, hein, Mindy ?

— Totale ultra grave.

— Il est presque huit heures, maintenant, reprit

Myron. Vous êtes donc restées ici ces quatre dernières heures ?

— Genre, salut, y a quelqu'un ? Ouais, au moins.

— Faut dire que c'est, genre, notre table grave, tu vois ?

— Personne d'autre s'assoit là, genre.

— Sauf cette fois-là, quand ces grosses pétasses ont voulu nous squatter la table. C'était genre grave risqué.

— Mais nous, ça a été : « Oh, toi, genre, tu vires ta graisse de là, tu vois ? »

Elles se turent et regardèrent Myron. Il supputa que la réponse à sa précédente question était « oui », et poussa un peu plus loin.

— Vous avez vu quelqu'un utiliser le téléphone public, là ?

— T'es genre flic, ou genre même genre ?

— Meuh nan.

— Impossible.

— Possible, je dirais, genre.

— Il est trop grave craquant pour être keuf.

— Oh ouais, comme si Jimmy Smits est pas grave craquant.

— C'est genre télé, sois pas genre débile. Là, c'est la vraie vie. Et dans la vraie vie, les keufs sont grave pas craquants.

— Ah ouais ? Et Brad, il est pas genre total craquant ? Tu as dit que tu étais genre raide dingo de lui, tu te souviens ?

— Meuh nan. Et puis il est pas keuf. Il est, genre, je loue un uniforme à Florsheim.

— Mais il est trop top sexy.

— Total ultra.

— Méga grave sexy.

— Il aime Shari.

— Beeuurk. Shari ?

— Elle, je la déteste grave, genre, tu vois ?

— Moi aussi. Genre, elle se sape dans le catalogue Quelle Pouf, ou quoi ?

— Total vrai.

— Elle est, genre, « Allô, ici Shari Blenno. »

Elles gloussèrent comme des poules sous acide, si on peut imaginer une telle vision d'horreur.

Myron aurait bien aimé trouver un interprète.

— Je ne suis pas flic, dit-il.

— Je te l'avais dit.

— Meuh nan.

— Mais je m'occupe d'une affaire très importante, reprit Myron. C'est une question de vie ou de mort. J'ai besoin de savoir si vous vous souvenez de quelqu'un qui aurait utilisé ce téléphone – celui à droite – il y a environ trois quarts d'heure.

— Woah ! s'exclama celle que les autres appelaient Amber, et elle repoussa sa chaise. Ecartez-vous, parce que là je vais, genre, gerber toute la journée, vous voyez ?

— C'était, genre, Crado le Clown.

— Il était grave naze, genre !

— Total naze.

— Total. Grave total, même.

— Et il a genre cligné de l'œil à Amber !

— Meuh nan !

— Total beurk !

— Genre coupe-faim.

— Je parie que cette pouf de Shari lui aurait bien sucé la glotte.

— Minimum.

Gloussements de basse-cour hystérique.

— Vous avez vu quelqu'un, donc ? dit Myron.

— Grave naze, il était.

— Total naze.

— Genre, eh, tu t'es jamais lavé les cheveux ?

Tournée gratuite de gloussements.

— Vous pourriez me le décrire ? demanda Myron.

— Jeans genre, promo soldée fin de série.

— Chaussures de travail. Pas des Timberland, c'est sûr.

— Il était genre, grave apprenti skinhead, vous voyez ?

— Apprenti skinhead ? répéta Myron.

— Genre, crâne rasé, barbiche hyper moche. Et un tatouage de ce truc sur le bras.

— Ce truc ? fit Myron.

— Vous savez, genre, ce tatouage-là… (D'un doigt, elle esquissa un dessin dans l'air.) On dirait une de ces croix bizarres genre, d'avant nous.

— Vous voulez dire : une croix gammée ? insista Myron.

— Genre comme ça, n'importe. J'ai l'air d'une prof d'histoire ?

— Et il avait, genre, quel âge ?

Genre. Il venait de dire « genre ». S'il restait ici trop longtemps, il finirait avec un piercing quelque part sur lui. Dans le cerveau ? Possible.

— Vieux.

— Grave largué.

— Genre, vingt ans au moins.

— Et la taille ? s'enquit Myron. Le poids ?

— Un mètre quatre-vingts.

— Ouais, genre ça.

— Maigre.

— Très.

— Genre, même pas de cul.

— Pas de cul du tout.

— Il y avait quelqu'un avec lui ? dit Myron.

— Meuh nan.

— Lui ?

— Dans ses rêves, ouais !

— Qui irait avec un furoncle à pattes comme ça ?

— Y avait que lui au bigo pendant, genre, une demi-heure.

— Et il a flashé grave sur Mindy…

— Nan !

— Attendez une seconde, dit Myron. Il est resté là une demi-heure ?

— Nan. Pas aussi longtemps.

— Ça a eu l'air long.

— Un quart d'heure, peut-être. Amber, elle exagère toujours, genre.

— Amber, elle te dit, genre, je t'emmerde grave béton, Trish, d'accord ? Je t'emmerde, juste, tu vois ?

— Rien d'autre ? fit Myron.

— Il avait un beeper.

— Ouais. Un beeper. Comme si quelqu'un allait appeler cette tache.

— Et il le tenait tout près du téléphone, aussi. Naze, genre je sais pas à quoi ça sert.

Il ne s'agissait sans doute pas d'un beeper, mais d'un lecteur de microcassettes. Ce qui pouvait expliquer le cri. Ou un modulateur vocal. Il en existait des modèles aussi petits.

Il les remercia et leur distribua des cartes de visite avec son numéro de portable. Une des filles eut la bonté de la lire. Elle fit la grimace.

— Votre prénom, c'est vraiment Myron, genre ?

— Oui.

Elles se figèrent toutes et le dévisagèrent.

— Je sais, dit-il. C'est genre naze, option grave ringard.

Il retournait vers sa voiture quand une pensée qui le tracassait depuis quelque temps par intermittence refit surface. Au téléphone, le kidnappeur avait mentionné une « pétasse bridée ». D'une façon ou d'une autre, il avait donc été au courant de l'arrivée d'Esme Fong au domicile des Coldren. Question : comment ?

Il y avait deux possibilités. La première, ils avaient planqué un micro dans la maison.

Peu probable. Si la résidence des Coldren était sur écoute ou sous une forme quelconque de surveillance électronique, le kidnappeur aurait également su que Myron était dans la danse.

Deuxième hypothèse : un complice surveillait personnellement la maison.

Cette dernière solution semblait la plus logique. Myron lui accorda un bon moment d'intense réflexion. Si quelqu'un observait la maison il y avait seulement une heure, il était raisonnable de penser que le type se trouvait toujours en poste, derrière un buisson, dans un arbre ou une autre cachette de ce style. Et si Myron parvenait à localiser le guetteur sans se faire remarquer, il pourrait le suivre et pourquoi pas remonter jusqu'à Chad Coldren.

Est-ce que le risque valait d'être couru ?

Genre, total oui.

9

Dix heures.

Myron se servit une nouvelle fois du nom de Win pour se garer sur l'aire de stationnement du Merion. Il chercha la Jaguar de son ami, en vain. Il chercha des gardiens. Personne. Ils étaient tous en poste à l'entrée. Ce qui simplifiait les choses.

Il enjamba la corde blanche et entra sur le terrain de golf. La nuit était tombée, mais les lumières venues des maisons alentour procuraient assez d'éclairage pour voir où il mettait les pieds. Malgré sa renommée, le Merion était un parcours plutôt petit. Depuis le parking jusqu'à Golf House Road, en traversant les deux fairways, on ne parcourait pas plus de cent mètres.

Myron avançait sans hésiter. L'humidité dans l'air était pareille à une couverture moite et diaphane. Sa chemise commençait à lui coller à la peau. Les grillons étaient nombreux et très en verve, leur mélodie aussi monotone qu'un CD de Mariah Carey, même si ce n'était pas aussi agaçant. L'herbe chatouillait ses chevilles.

En dépit de son aversion naturelle pour le golf, il éprouvait toujours la sensation adéquate de transgression, comme s'il foulait un sol sacré. Des fantômes habitaient la nuit, de la même façon qu'ils habitaient tout endroit porteur de légende. Myron se souvenait de ce jour où il s'était trouvé seul au centre du parquet du Boston Garden, sans personne dans la salle. C'était une semaine après qu'il avait été pris chez les Celtics. Clip Arnstein, le célèbre manager général des Celtics, l'avait présenté à la presse plus tôt dans la journée. Myron s'était énormément amusé. Tout le monde souriait et riait et l'appelait le nouveau Larry Bird. Cette nuit-là, il s'était tenu dans le saint des saints du basket-ball, avec les fanions du championnat accrochés aux chevrons qui semblaient osciller malgré l'absence du moindre souffle d'air, lui murmurant les légendes du passé et les promesses de ce qui restait à venir.

Myron n'avait jamais disputé un match dans cette salle mythique.

Il ralentit en approchant de Golf House Road et enjamba de nouveau la corde blanche. Puis il se dissimula derrière un arbre. Ce ne serait pas facile. Mais de la même manière, ce ne serait pas plus facile pour sa proie. Ce genre de voisinage remarquait tout ce qui sortait de l'ordinaire. Par exemple une voiture garée là où elle n'aurait pas dû se trouver. C'est pourquoi Myron avait laissé sa Ford dans le parking du Merion. Le kidnappeur avait-il fait de même ? Ou sa voiture était-elle à l'arrêt, quelque part dans une rue proche ? A moins qu'on ne l'ait déposé ?

Il se courba et fonça jusqu'à l'arbre suivant. Il devait avoir l'air assez cruche – un type d'un mètre quatre-vingt-dix et d'un bon quintal qui galope entre les arbres et les massifs comme dans une scène coupée au montage des *Douze Salopards*.

Mais avait-il le choix ?

Il ne pouvait quand même pas aller d'un pas dégagé. Le kidnappeur risquait de le repérer. Or tout son plan reposait sur le fait qu'il pourrait localiser l'autre avant que celui-ci ne l'aperçoive. Comment y parvenir ? Il n'en avait pas une idée très précise. La meilleure tactique qu'il avait trouvée consistait à décrire des cercles de plus en plus serrés autour de la maison des Coldren, en essayant de voir… euh, quelque chose.

Il scruta les alentours. A la recherche de quoi, il n'en était même pas sûr. Un endroit que le kidnappeur pouvait utiliser comme poste d'observation, plus ou moins. Un coin sûr où se planquer, peut-être, ou un perchoir d'où un homme muni de jumelles pouvait surveiller les parages. Rien. La nuit était orpheline de brise comme de mouvement.

Il contourna le pâté de maisons, en fonçant un peu au hasard d'un buisson à un autre, avec l'impression de ressembler à John Belushi quand il s'introduit dans le bureau de Dean Wormer, dans *American College*.

American College et *Les Douze Salopards*. Décidément, il regardait trop de films.

Alors qu'il continuait à refermer la spirale de ses pas sur la résidence des Coldren, il se rendit compte du hic majeur de sa tactique. Selon toute probabilité, on le remarquerait bien avant qu'il repère qui que ce soit. Conscient de l'écueil, il se concentra au maximum pour mieux se dissimuler, s'intégrer au monde de la nuit, se fondre dans le paysage et devenir invisible.

Myron Bolitar, le guerrier ninja mutant.

Les lumières scintillaient aux fenêtres flanquées de volets noirs des spacieuses résidences de pierre. Toutes étaient plutôt imposantes et jolies, si l'on aimait l'architecture lourdingue, et dégageaient une impression de confort tutélaire réservé à d'autres que vous. Des maisons solides. Des maisons pour le troisième petit cochon. Des maisons fières d'être ce qu'elles étaient.

Il était tout près de celle des Coldren, à présent. Toujours rien – pas même une seule voiture garée dans une des rues. La sueur poissait ses vêtements comme du beurre fondu sur une crêpe. Bon sang, il avait besoin d'une bonne douche. Il s'accroupit et observa la maison.

Bon, et maintenant ?

Attendre. Rester sur le qui-vive pour ne pas laisser passer un quelconque mouvement. La surveillance, les planques et l'attente n'étaient pas vraiment le point fort de Myron. En règle générale, c'est Win qui s'en chargeait. Il possédait le contrôle du corps et la patience pour. Myron, lui, ne tenait déjà plus en place. Il regrettait de ne pas avoir apporté une BD, un magazine de charme ou même quelque chose à lire.

Après une attente interminable d'au moins trois minutes, la porte d'entrée s'ouvrit. Myron se redressa. Esme Fong et Linda Coldren apparurent dans l'encadrement. Elles se dirent au revoir. Esme gratifia Linda de sa poignée de main de fer puis se dirigea vers sa voiture. Linda Coldren referma la porte. Esme démarra et partit.

Myron s'installa derrière un buisson. Il y avait beaucoup de buissons un peu partout, dans le coin. Partout où portait son regard, il apercevait des buissons de tailles, formes et sortes différentes. Les sangs bleus fortunés semblaient vraiment apprécier ce style de végétation. Myron se demanda si leurs ancêtres en avaient apporté sur le *Mayflower*.

A rester ainsi accroupi, il ne tarda pas à avoir des crampes dans les jambes. Il les étendit l'une après l'autre pour les dégourdir un peu. Son genou amoché, celui qui avait signé la fin de sa carrière de basketteur, l'élançait déjà. Il ne tarda pas à jeter l'éponge. Il avait chaud, il transpirait et il souffrait. Il était temps que le loup sorte du bois.

C'est alors qu'il entendit un bruit, qui semblait venir de la porte arrière de la maison des Coldren. Il étouffa un soupir résigné, se redressa de toute sa taille avec quelques craquements d'articulations et fit le tour. Il trouva un joli buisson derrière lequel s'abriter et reprit sa surveillance.

Jack Coldren était dans le jardin à l'arrière de son domicile, en compagnie de Diane Hoffman, son caddie. Jack tenait un club dans les mains, mais il ne s'en servait pas. Il dit quelque chose à Diane, qui répliqua immédiatement. Aucun des deux ne paraissait particulièrement ravi de l'échange. Myron ne parvenait pas à saisir leurs propos, mais ils gesticulaient avec véhémence.

Une dispute en bonne et due forme.

Intéressant…

Bien sûr, il existait sans doute une explication des plus innocentes à cette petite scène. Les joueurs et leurs caddies se disputaient tout le temps, supposa Myron. Il se souvint avoir lu comment Ballesteros, l'ancien prodige espagnol, s'accrochait continuellement avec son caddie. C'était presque inévitable. La routine, quoi, un caddie et un pro qui s'asticotent, surtout pendant une période aussi tendue que celle d'un tournoi de l'U.S. Open.

Mais le timing était assez curieux, quand on y réfléchissait un peu. Un homme reçoit un appel téléphonique terrifiant d'un kidnappeur. Il entend son fils hurler, apparemment de peur ou de douleur. Et puis, deux heures plus tard, il est dans son jardin à s'engueuler avec son caddie à propos de son swing.

Où était la logique, là-dedans ?

Myron décida de se rapprocher, mais il n'avait aucun moyen de le faire directement. Il y avait encore des buissons, disposés tels des mannequins d'entraînement à éviter sur un terrain de football. Il lui faudrait se diriger vers le côté de la maison, effectuer un crochet et revenir derrière eux. Il fit un bond rapide sur la gauche et risqua un coup d'œil. La dispute se poursuivait sans faiblir. Diane Hoffman avança d'un pas vers Jack Coldren.

Puis elle le gifla en plein visage.

Le claquement déchira la nuit comme un coup d'épée.

Myron se figea. Diane Hoffman cria quelque chose. Myron crut percevoir le mot « salaud », mais rien d'autre. Le caddie jeta sa cigarette aux pieds de Jack et s'éloigna d'un pas rendu mécanique par la colère. Jack baissa la tête, la secoua lentement, d'un air affligé, puis rentra dans la maison.

« Eh bien, dis donc… », songea Myron. Ce swing devait vraiment poser problème.

Il resta sagement derrière son buisson. Dans l'allée devant la maison, une voiture démarra. Celle de Diane Hoffman, très probablement. Pendant un instant, il se demanda si elle jouait un rôle dans toute cette affaire. Visiblement, elle s'était trouvée à l'intérieur du domicile des Coldren. Etait-elle le mystérieux guetteur ? Il réfléchit à cette possibilité. L'idée commençait à prendre corps quand Myron repéra l'homme.

Du moins, il supposa qu'il s'agissait d'un homme. Difficile à dire de là où il était accroupi. Myron n'en croyait pas ses yeux. Il s'était trompé, et sur toute la ligne. Le criminel ne s'était pas caché dans les buissons, ni ailleurs au-dehors. Myron observa la silhouette toute de noir vêtue qui sortait par une fenêtre située au premier. Plus précisément, si la mémoire ne lui faisait pas défaut, de la fenêtre de la chambre de Chad Coldren.

Salut, mon gars !

Myron se baissa un peu plus. Et maintenant ? Il lui fallait un plan. Oui, un plan. Excellente idée. Mais lequel ? Devait-il se saisir du criminel maintenant ? Non. Mieux valait le filer. Avec un peu de chance, il le mènerait à Chad. Le scénario rêvé.

Il risqua un autre coup d'œil. La silhouette sombre était descendue le long d'un treillage envahi par le lierre. Il sauta le dernier mètre. Dès que ses pieds touchèrent le sol, il détala.

Super.

Myron suivit, en s'efforçant de rester aussi loin de

l'autre que possible sans le perdre de vue. Mais ce salopard courait vite, ce qui rendait une filature discrète à peu près impossible. Pourtant Myron lui laissa la même avance. Il ne voulait pas prendre le risque d'être vu. En outre, il y avait de fortes chances que le type soit arrivé en voiture ou qu'un complice vienne le ramasser. La circulation dans ces rues était quasiment nulle. Myron ne manquerait pas d'entendre un moteur qui démarre.

Et que ferait-il, alors ?

Retourner au triple galop jusqu'à son propre monstre mécanique ? Non, ça ne marcherait pas. Suivre une voiture à pied ? Euh, il ne se sentait pas la forme bionique de l'Homme qui valait trois milliards. Alors, que faire ?

Bonne question.

Il aurait aimé que Win soit là.

Le criminel courait toujours aussi vite. Myron, lui, commençait à s'essouffler. Bon Dieu, après qui cavalait-il ? Carl Lewis ? Quatre cents mètres plus loin, le type obliqua subitement à droite et disparut. Le changement de direction avait été si soudain que Myron craignit d'avoir été repéré. Non, impossible. Il était trop loin de l'autre, qui d'ailleurs n'avait pas regardé en arrière.

Myron essaya d'accélérer un peu, mais le chemin était recouvert de gravier, et il ne pouvait pas courir sans bruit. Et pourtant il fallait absolument qu'il réduise l'écart. Il se mit à faire de grandes enjambées sur la pointe des pieds, dans le genre Barychnikov atteint de dysenterie. Il pria pour que personne ne le voie.

Il atteignit l'endroit où l'autre avait bifurqué. La rue s'appelait Green Acres Road. Green Acres… Le thème musical de la vieille série télé agricole et bucolique s'imposa à son esprit, comme si quelqu'un avait mis une pièce dans son juke-box mental sans lui demander son avis. Eddie Albert était sur son tracteur. Eva Gabor ouvrait des cartons dans son appartement de Manhattan.

Derrière le comptoir de son épicerie, Sam Drucker faisait bonjour aux gentils téléspectateurs. M. Haney passait les pouces sous ses bretelles et les étirait. Arnold le cochon grognait.

Mince, l'humidité ambiante avait des vertus hallucinogènes insoupçonnées.

Myron vira sur la droite et scruta la rue devant lui.

Rien.

Green Acres était une impasse courte distribuant peut-être cinq maisons. Des demeures fabuleuses, c'est du moins ainsi que Myron se les imagina. De hautes murailles de troènes – autre variété de buissons – bordaient chaque côté de la rue. Les portails à commande électronique interdisaient l'accès à des allées spacieuses au-delà. Myron fit halte et regarda autour de lui.

Où était passé le monte-en-l'air ?

Son pouls s'emballa. Pas signe du type en noir. La seule issue possible était vers les bois voisins, en passant entre deux maisons du cul-de-sac. *A priori*, son inconnu avait dû prendre cet itinéraire. Si, bien sûr, il préférait la fuite à, disons, une embuscade dans les buissons. Après tout, il pouvait très bien avoir repéré Myron et décidé de se planquer quelque part. Pour tomber à bras raccourcis sur son poursuivant quand celui-ci arriverait à sa hauteur.

Ces pensées n'avaient rien de très réconfortant.

Bon, alors ?

Il lécha la sueur qui s'était formée au-dessus de sa lèvre supérieure. Sa gorge était horriblement sèche, et il s'entendait presque transpirer.

Un peu de nerf, Myron, se dit-il. Il faisait cent dix kilos pour un mètre quatre-vingt-dix. Ce n'était pas une demi-portion, quand même. De plus il était ceinture noire de taekwondo et rompu au combat rapproché. Il pouvait repousser victorieusement n'importe quel assaut.

Sauf si l'autre était armé.

C'est vrai, ça. Il fallait voir les choses en face. L'expérience du combat de rue et des arts martiaux était utile, soit, mais ça ne vous immunisait pas contre une balle bien ajustée. Pas même Win. Bien sûr, Win n'aurait jamais été assez idiot pour se fourrer dans un tel pétrin. Myron ne portait une arme sur lui que lorsqu'il le jugeait absolument nécessaire. Win, lui, était toujours enfouraillé d'au moins deux flingues, sans compter un instrument à lame très tranchante. Certains pays du tiers-monde auraient eu tout intérêt à être aussi bien armés que Win pour repousser toute agression venue de l'extérieur.

Alors, que faire ?

Il regarda à droite et à gauche, mais il ne vit aucun endroit susceptible de servir de cachette à quelqu'un. Les murs de troènes étaient très denses, épais, en un mot impénétrables. Ce qui ne laissait comme solution que les bois au bout du cul-de-sac. Mais il n'y avait plus aucun éclairage public là-bas, et les bois n'avaient rien de particulièrement accueillant à cette heure.

Devait-il s'y risquer, malgré tout ?

Non. Ce serait inutile, au mieux. Il n'avait aucune idée de l'étendue de ces bois, ni de la direction à prendre quand il les aurait atteints. Les probabilités de retrouver le criminel étaient furieusement minces. Le meilleur espoir de Myron, c'était que l'autre ait décidé de se cacher en attendant son départ.

Partir. Voilà qui sonnait comme un titre de plan.

Myron revint à l'entrée de Green Acres, tourna à gauche, parcourut en sens inverse quelques centaines de mètres et se dissimula derrière un nouveau buisson. Lui et les buissons en étaient maintenant à se tutoyer. Il baptisa celui-là Frank.

Il attendit une heure. Personne ne se manifesta.

Magnifique.

Finalement il se releva, dit au revoir à Frank et revint

à sa voiture. Le type en noir s'était sans doute éclipsé en passant par les bois. Ce qui signifiait qu'il avait prévu un itinéraire de fuite ou qu'il connaissait les lieux. Cette deuxième hypothèse semblait plus plausible. Donc il pouvait s'agir de Chad Coldren lui-même. Ou alors ses kidnappeurs savaient très bien ce qu'ils faisaient. En ce cas il n'était pas du tout impossible qu'ils soient maintenant au courant de l'implication de Myron et du fait que les Coldren leur avaient désobéi.

Myron espérait de plus en plus que tout ça n'était qu'une très mauvaise plaisanterie. Sinon, s'il y avait bien eu enlèvement, il s'interrogeait sur les répercussions qu'entraînerait sa présence. Comment les kidnappeurs réagiraient-ils ? Tout en marchant vers sa voiture, Myron se remémora leur dernier coup de fil, et le cri réellement effrayant poussé par Chad Coldren.

10

« *Pendant ce temps, au Wayne Manor…* »

Ce commentaire en voix off de la série télé *Batman* revenait toujours à l'esprit de Myron quand il atteignit les grilles en acier de la propriété des Lockwood. En réalité, le domicile de la famille de Win ressemblait très peu à la demeure de Bruce Wayne, même si, dans son style, elle était tout aussi impressionnante. Une allée un peu moins large qu'une voie express sinuait jusqu'au pied d'une imposante bâtisse érigée sur une colline basse. Il y avait quelques hectares de pelouse dont chaque brin d'herbe était toujours à la taille idéale, comme la chevelure d'un politicien en année d'élection, des jardins luxuriants, un modeste plan d'eau, une piscine qui l'était beaucoup moins, un court de tennis, des écuries et un parcours d'obstacles pour les chevaux.

En gros, le domaine Lockwood était très « majestueux », et méritait sans problème le terme de « manoir », quel que soit le sens à donner à ce mot.

Myron et Win séjournaient dans la maison des hôtes – ou, comme le père de Win aimait l'appeler, « le cottage ». Poutres apparentes, planchers marquetés, cheminées, cuisine équipée flambant neuve, salle de billard, sans parler de cinq chambres et quatre salles de bains. Chouette cottage, en vérité.

Myron essayait d'y voir clair dans les derniers événements, mais il n'aboutissait qu'à une série de paradoxes, catégorie « l'œuf ou la poule, en premier ? ». La question du mobile, par exemple. D'un côté, il n'était pas illogique d'enlever le fils pour faire perdre ses moyens au père. Problème : Chad Coldren avait été porté disparu *avant* le tournoi, ce qui signifiait que le ravisseur était soit très prudent, soit devin. D'un autre côté, le kidnappeur avait exigé cent mille dollars, ce qui semblait indiquer un simple rapt pour obtenir une rançon. Cent mille billets, c'était une jolie petite somme. Un peu faible pour un kidnapping, mais plutôt coquette pour quelques jours de boulot.

Mais s'il s'agissait simplement d'un enlèvement dans le but d'extorquer *mucho dinero*, le moment choisi était curieux. Pourquoi maintenant ? Pourquoi pendant la période où se déroulait l'U.S. Open ? – la seule fois en presque un quart de siècle où Jack Coldren avait une chance d'effacer son échec le plus cuisant ?

Satanée coïncidence, non ?

Ce qui ramenait au canular de mauvais goût et à un scénario du genre : Chad Coldren disparaît avant le tournoi pour déstabiliser son père. Comme cela ne marche pas – au contraire, Papa commence à gagner –, il augmente la mise et simule son propre enlèvement. En poussant le raisonnement un peu plus avant, on pouvait imaginer que c'était Chad qui était sorti par la fenêtre de sa propre chambre. Qui mieux que lui ? Il connaissait parfaitement les lieux, il savait probablement comment s'éclipser en passant par les bois. A moins qu'il n'ait trouvé refuge chez un de ses copains habitant sur Green Acres Road. Au choix.

Ça tenait debout.

Mais pour que ce soit valable, il fallait partir du postulat que Chad détestait vraiment son père. En avait-on des preuves ? Myron le pensait. A commencer par le fait que Chad avait seize ans. Période particulièrement ingrate. Ce n'était pas une preuve en soit, évidemment, seulement un paramètre à ne pas négliger. De plus, et là c'était beaucoup plus important, Jack Coldren était le prototype même du père absent. Aucun sportif pro n'est autant absent du foyer familial qu'un golfeur. Ni les basketteurs, ni les footballeurs, les joueurs de baseball ou de hockey. Les seuls à passer aussi peu de temps chez eux sont les joueurs de tennis. Dans ces deux sports, le tennis et le golf, les tournois se déroulent pendant pratiquement toute l'année, car il n'existe quasiment pas de période qu'on puisse dire hors saison, et si vous êtes chanceux, vous aurez une épreuve à domicile par an.

Dernier point – peut-être le plus décisif de tous –, Chad avait disparu depuis deux jours sans que cela affole qui que ce soit. Et autant oublier le discours de Linda Coldren sur la responsabilisation nécessaire des enfants et l'éducation libre. La seule explication rationnelle pour une telle nonchalance, c'est que la chose s'était déjà produite dans le passé, ou qu'au moins ils s'y attendaient.

Mais le scénario du canular comportait aussi quelques écueils.

Par exemple, comment insérer dans le tableau M. Naze le Nazillon du centre commercial ?

C'était bien là le hic. Quel rôle jouait le skinhead dans toute cette affaire ? Chad Coldren avait-il un complice ? C'était possible, mais ça collait assez mal avec le scénario de la vengeance. En admettant que l'adolescent soit effectivement derrière tout ça, Myron voyait mal ce garçon de bonne famille s'acoquiner avec un nazillon livré avec croix gammée tatouée sur le bras.

Qu'en tirait donc Myron ?

Un début de mal de crâne.

Alors qu'il arrêtait sa Ford devant la maison d'hôtes,

il sentit son cœur se serrer. La Jag de Win était là. Mais aussi une Chevrolet Nova verte.

— Oh, bon sang…

Myron descendit au ralenti de sa voiture. Il s'intéressa à l'immatriculation de la Chevrolet. Inconnue au bataillon. Comme il s'y attendait. Il déglutit et s'en éloigna.

Il ouvrit la porte d'entrée du cottage et fut instantanément accueilli par la vague de fraîcheur distillée par la climatisation. Les lumières étaient éteintes. Pendant un moment, il resta immobile dans le vestibule, yeux clos, et s'abandonna à cet air qui lui chatouillait la peau. Quelque part, une énorme horloge de parquet égrenait son tic-tac.

Myron ouvrit les yeux et alluma le plafonnier.

— Bonsoir.

Il pivota du buste vers la droite. Win était assis dans un fauteuil en cuir à haut dossier, près de la cheminée. Il tenait un verre à cognac dans une main.

— Tu étais dans le noir ? demanda Myron.

— Oui.

Myron fronça les sourcils.

— Un peu théâtral, tu ne trouves pas ?

Win alluma une lampe proche de lui. Le cognac avait légèrement rosi ses joues.

— Ça te dit de m'accompagner ?

— Bien sûr. Je reviens tout de suite.

Myron alla prendre un Yoo-Hoo bien glacé dans le frigo et s'assit sur le canapé en face de son ami. Il secoua la cannette et l'ouvrit. Pendant plusieurs minutes, ils apprécièrent leurs boissons respectives en silence. La comtoise tic-taquait obstinément. Des ombres allongées serpentaient sur le parquet en longs tentacules gris. Quel dommage que ce fût l'été ! C'était le genre d'endroit qui n'était parfait qu'avec un feu de cheminée crépitant et peut-être les hululements du vent au-dehors. La clim n'installait pas vraiment la même ambiance.

Myron commençait à se détendre quand il entendit la cataracte soudaine d'une chasse d'eau qu'on tire. Il questionna Win du regard.

— Je ne suis pas seul, dit celui-ci.

— Oh, fit Myron en corrigeant discrètement sa position avachie sur le canapé. Une femme ?

— Je ne cesserai jamais de m'esbaudir de l'acuité de tes talents.

— Je la connais ?

— Non, dit Win. Moi non plus, d'ailleurs.

Rien que de très normal, donc. Myron regarda longuement son ami.

— Tu as envie d'en parler ?

— Non.

— Je suis là, sinon.

— Oui, j'avais remarqué.

Win fit tournoyer le liquide ambré dans son verre à dégustation. Il le vida d'un trait et tendit la main vers la carafe en cristal taillé. Il parlait d'une voix quelque peu pâteuse. Myron essaya de se remémorer en quelle occasion il avait vu pour la dernière fois Win le végétarien, maître dans plusieurs arts martiaux, adepte de la méditation transcendantale, toujours tellement à l'aise et en symbiose avec son environnement, boire plus que de raison.

Ça remontait à loin.

— J'ai une question ayant trait au golf pour toi, annonça Myron.

D'un hochement de tête, Win l'autorisa à la poser.

— Penses-tu que Jack Coldren puisse conserver la première place jusqu'au bout ?

Win se servit un cognac.

— Jack va gagner, dit-il.

— Tu as l'air très sûr de toi.

— Je suis sûr. De lui.

— Et pour quelle raison ?

Win éleva le verre jusqu'à sa bouche et par-dessus son bord observa Myron.

— J'ai vu ses yeux.

Myron grimaça.

— Et c'est censé signifier quoi, au juste ?

— Il l'a retrouvé. Le regard de la gagne.

— Tu blagues, là ?

— Va savoir. Mais laisse-moi te poser une question.

— Je suis tout ouïe.

— Qu'est-ce qui différencie les grands sportifs des champions ? Les types doués des légendes vivantes ? Pour faire simple, qu'est-ce qui fait un vrai gagnant ?

— Le talent, dit Myron. La pratique. L'entraînement.

Win secoua doucement la tête.

— Tu sais bien que ce n'est pas ça.

— Je sais ça, moi ?

— Oui. Beaucoup de sportifs sont doués. Beaucoup s'entraînent comme des dingues. Mais il faut plus pour créer un véritable gagnant.

— Ce truc dans le regard ?

— Exactement.

Myron fit la moue.

— Tu ne vas pas te mettre à me chanter *Eye of the Tiger*, j'espère ?

Win inclina la tête de côté.

— Qui interprétait cette chanson ?

Leur vieux jeu des questions. Win connaissait la réponse, bien évidemment.

— C'était dans *Rocky II*, non ?

— *Rocky III*, corrigea Win.

— Celui avec Mr. T ?

Win acquiesça.

— Qui jouait le rôle de... ? fit-il.

— Clubber Lange.

— Excellent. Et maintenant, quel est le nom du groupe qui interprétait la chanson du film ?

— Je ne m'en souviens plus.

— Survivor. Un nom d'ailleurs assez ironique, quand on pense à la vitesse à laquelle ce groupe a sombré dans l'oubli, non ?

— Mouais, dit Myron. Bon, alors c'est quoi, ce truc qui fait les champions, hein ?

Win but une autre gorgée, la fit rouler sur sa langue, l'avala.

— Le désir, lâcha-t-il.

— Le désir ?

— La faim. Les crocs.

— Ah.

— La réponse n'a rien de surprenant, dit Win. Regarde les yeux de Joe DiMaggio. Ou ceux de Larry Bird. Ou de Michael Jordan. Etudie un peu les photos du McEnroe de la grande époque, ou de Chris Evert. Regarde Linda Coldren… Regarde dans le miroir.

— Le miroir ? J'ai ça, moi ?

— Quand tu étais sur le terrain, dit Win à voix lente, ton regard n'était pas loin d'être celui d'un fou.

Le silence retomba. Myron but un peu de Yoo-Hoo. La froideur de l'aluminium dans sa paume était agréable.

— A t'entendre, on croirait que tout ce truc de « désir » t'est inconnu, remarqua-t-il.

— Il l'est.

— Conneries.

— Je suis un bon golfeur, dit Win. Correction : Je suis un très bon golfeur. J'ai pas mal pratiqué dans ma jeunesse. J'ai même gagné mon lot de tournois. Mais je n'ai jamais désiré gagner avec assez de force pour passer au niveau supérieur.

— Je t'ai vu à l'œuvre, dans les tournois d'arts martiaux. Et tu m'as paru plein du « désir » d'étaler l'adversaire.

— C'est tout à fait différent.

— Comment ça ?

— Je ne considère pas un tournoi d'arts martiaux comme une compétition sportive où le gagnant remporte chez lui un trophée minable et se vante devant ses collègues et amis, pas plus que je ne le vois comme une compétition qui apportera une sorte d'émotion vide de sens que les anxieux perçoivent comme la gloire. Pour moi, combattre n'est pas un sport. C'est une question de survie. Si je peux perdre là, fit-il avec un geste qui désignait un ring imaginaire, je peux perdre dans le monde réel. (Il regarda en l'air.) Mais…

Il ne termina pas sa phrase.

— Mais quoi ? insista Myron.

— Tu as peut-être mis le doigt sur quelque chose.

— Oh ?

Win réunit la pointe de ses doigts.

— Vois-tu, pour moi le combat est une question de vie ou de mort. C'est ainsi que je vois les choses. Mais les sportifs dont nous avons parlé poussent ça un peu plus loin. Chaque compétition, même la plus anodine, devient pour eux une question de vie ou de mort. Et perdre, c'est mourir un peu.

Myron hocha la tête. Il n'adhérait pas à cette théorie, mais quoi, il n'allait pas empêcher son ami de parler.

— Un point m'échappe, dit-il. Si Jack est possédé par ce « désir » si particulier, pourquoi n'a-t-il jamais remporté aucun tournoi professionnel ?

— Il l'a perdu.

— Le désir ?

— Oui.

— Quand ?

— Il y a vingt-trois ans.

— Pendant ce fameux Open ?

— Oui, dit de nouveau Win. La plupart des sportifs le perdent peu à peu. Ils finissent par se lasser, ou bien ils gagnent suffisamment de fois pour éteindre le brasier infernal qui brûle en eux. Mais ça n'a pas été le cas pour

Jack. Son feu intérieur a été comme soufflé d'un coup. On a presque pu voir la chose se produire. Il y a vingt-trois ans. Au seizième. La balle qui retombe en plein dans la carrière. Depuis, son regard n'a jamais plus été le même.

— Jusqu'à aujourd'hui, ajouta Myron.

— Jusqu'à aujourd'hui, oui. Il lui a fallu vingt-trois ans, mais il a ranimé cette flamme dans ses yeux.

Ils burent tous deux. Win sirota, Myron avala goulûment. La fraîcheur chocolatée créait une sensation délicieuse en glissant dans sa gorge.

— Depuis combien de temps connais-tu Jack ? demanda-t-il.

— Je l'ai rencontré quand j'avais six ans. Il en avait quinze.

— Et il avait déjà ce « désir » en lui ?

Win sourit en contemplant rêveusement le plafond.

— Sur le green, il aurait préféré s'ôter un rein avec une petite cuillère plutôt que de laisser quelqu'un d'autre l'emporter sur lui.

Son regard redescendit sur Myron.

— Si Jack Coldren avait le « désir » ? Il en était l'archétype.

— On dirait bien que tu l'admirais.

— C'est vrai.

— Plus maintenant ?

— Non.

— Qu'est-ce qui t'a fait changer ?

— J'ai grandi.

— Woah, souffla Myron avant de s'accorder encore un peu de Yoo-Hoo. Ça, c'est profond. Pour ne pas dire abyssal.

Win s'esclaffa.

— Tu ne comprendrais pas.

— Mets-moi à l'épreuve, pour voir.

Win posa son verre à dégustation sur la table voisine

de son fauteuil. Puis il se pencha en avant, très lentement.

— Qu'y a-t-il de tellement génial à être le gagnant ?

— Pardon ?

— Les gens adorent le gagnant. Ils ont du respect pour lui. Ils l'admirent, non, mieux : ils le vénèrent. Ils utilisent des termes comme « héros », « courage » et « persévérance » pour le décrire. Ils veulent le côtoyer, le toucher. Ils veulent être comme lui.

Win écarta les mains, paumes ouvertes.

— Mais pourquoi ? Qu'y a-t-il chez le gagnant que nous voulons imiter ? Sa capacité à s'aveugler sur tout ce qui ne va pas dans le sens de l'obtention d'une élévation stérile ? Son obsession égocentrique à avoir un morceau de ferraille pendu au cou ? Son empressement à tout sacrifier, y compris les gens, afin de battre son adversaire sur une bande de gazon artificiel pour décrocher une statuette horrible ?

Il regarda Myron, et la sérénité qui imprégnait habituellement son visage avait soudain déserté ses traits.

— Pourquoi applaudissons-nous un tel égoïsme, un tel amour de soi-même ?

— L'esprit de compétition n'est pas une mauvaise chose, Win. Tu parles de cas extrêmes.

— Mais ce sont ces extrémistes que nous admirons le plus. Par sa nature même, ce que tu appelles « esprit de compétition » mène à l'extrémisme et détruit tout sur son passage.

— Tu fais dans le simplisme, Win.

— Parce que c'est simple, mon ami.

Ils se renversèrent tous deux dans leurs sièges. Myron étudia un moment les poutres au plafond.

— Tu te trompes, dit-il enfin.

— Comment cela ?

Myron se demandait comment l'expliquer.

— Quand je jouais au basket, commença-t-il, je veux

dire, quand j'étais vraiment dedans et que j'ai atteint ce niveau auquel tu as fait allusion, je me foutais du score. Je ne me souciais même pas de l'équipe adverse ou de la battre. J'étais seul. Dans une zone spéciale. Je sais que ça va te paraître stupide, mais quand j'étais au summum de mon jeu, c'était presque une expérience de zen.

— Non, ça ne me paraît pas stupide. Et quand as-tu ressenti ça ?

— Hein ?

— Quand t'es-tu senti le plus… « zen », pour reprendre ton expression.

— Je ne te suis pas, là.

— C'était pendant l'entraînement ? Non. Pendant un match sans importance, ou alors que ton équipe menait de trente points ? Non plus. Ce qui provoquait chez toi cet état de nirvana alors que tu étais en nage, mon ami, c'était la compétition. Le désir, le besoin viscéral de battre un adversaire au top niveau.

Myron ouvrit la bouche pour répliquer, mais il se ravisa. La fatigue commençait à se faire sentir.

— Je ne suis pas certain d'avoir une réponse à ça, dit-il. A la fin de la journée, j'aime bien avoir gagné. Je ne sais pas pourquoi. J'aime bien les glaces aussi. Et je ne sais pas pourquoi non plus.

Le visage de Win se ferma.

— Comparaison impressionnante, dit-il d'un ton froid.

— Eh, il se fait tard.

Myron entendit une voiture qui se garait devant la façade. Une jeune femme blonde entra dans la pièce, sourire aux lèvres. Win le lui rendit. Elle se pencha vers lui et l'embrassa furtivement sur la bouche. Win n'avait aucun problème avec ce genre de situations. Il ne se montrait jamais ouvertement grossier avec les filles qu'il sautait. Il n'était pas du genre à les mettre à la porte une fois satisfait. Peu lui importait qu'elles restent pour la nuit, si cela leur faisait plaisir. Certaines pouvaient interpréter cette attitude comme une preuve de prévenance, ou une certaine faiblesse. Elles commettaient alors une grave erreur. Win les autorisait à rester parce qu'elles n'avaient que très peu d'importance pour lui. Elles ne pouvaient jamais l'atteindre. Jamais le toucher. Alors pourquoi ne pas leur accorder une nuit ?

— C'est mon taxi, dit la blonde.

Le sourire de Win était totalement dénué d'expression.

— C'était bien, ajouta-t-elle.

Il ne cilla même pas.

— Tu peux me joindre par l'intermédiaire d'Amanda, si tu veux, fit-elle avant de regarder Myron, puis Win, de nouveau. Enfin, tu sais…

— Oui, dit Win. Je sais.

Sur un dernier sourire un peu embarrassé, la jeune femme sortit.

Myron avait observé la scène en s'efforçant de ne rien laisser transparaître de ce qu'il éprouvait. Une prostituée ! Bon Dieu, c'était une prostituée ! Il savait que Win avait recouru à leurs services par le passé – au milieu des années 1980, pendant une période, il commandait des repas chinois au Hunan Grill et des prostituées asiatiques au bordel La Noble Maison, pour ce qu'il avait baptisé ses « soirées chinoises » –, mais continuer de la sorte, aujourd'hui, à son âge ?

Puis Myron se souvint de la Chevrolet Nova, et un froid subit l'envahit.

Il se tourna vers son ami. Ils s'entre-regardèrent un moment, sans parler.

— Une leçon de morale, commenta Win. Comme c'est mignon !

— Je n'ai rien dit !

— Justement, dit Win en se levant.

— Où vas-tu ?

— Je sors.

Myron sentit son cœur s'affoler.

— Ça te dérange, si je viens avec toi ?

— Oui.

— Quelle voiture vas-tu prendre ?

Win ignora la question.

— Bonne nuit, Myron.

Myron cherchait frénétiquement une solution, mais il savait que c'était sans espoir. Son ami s'en allait, et il n'y avait aucun moyen de l'en empêcher.

Win fit halte à la porte et se retourna vers lui.

— Une question, si je puis me permettre.

Incapable de parler, Myron répondit d'un hochement de tête.

— Est-ce Linda Coldren qui t'a contacté en premier ? demanda Win.

— Non, dit Myron.

— Qui, alors ?

— Ton oncle Bucky.

Win arqua un sourcil.

— Et qui l'a suggéré à Bucky ?

Myron soutint le regard de son ami, mais il ne put maîtriser le tremblement qui l'avait saisi. Win acquiesça, tourna les talons et s'en fut.

— Win ?

— Va te coucher, Myron.

11

Myron n'alla pas se coucher. Il n'essaya même pas.

Il s'installa dans le fauteuil de Win et tenta de lire, mais les mots imprimés n'avaient pas de sens pour son cerveau. Il était épuisé. Il se laissa aller contre le cuir épais du dossier et attendit. Les heures s'écoulèrent. Des images disparates de l'œuvre potentielle de Win lui traversèrent l'esprit, baignées dans des gerbes d'un écarlate sombre. Myron ferma les yeux et s'efforça de les chasser.

A trois heures et demie du matin, une voiture se gara devant le cottage. Le moteur fut coupé. Une clef cliqueta dans la serrure et la porte s'ouvrit. Win entra et considéra Myron sans la moindre trace d'émotion.

— Bonne nuit, lui dit-il.

Il s'éloigna dans le couloir. Myron entendit la porte de sa chambre se refermer et vida enfin ses poumons. Bien, se dit-il. Il se hissa en position verticale et réussit à rejoindre sa chambre. Il rampa entre les draps, mais il ne parvenait pas à s'endormir. Une peur sombre et épaisse lui plombait le ventre. Il venait à peine d'entrer en phase de sommeil paradoxal quand la porte de sa chambre s'ouvrit en grand.

— Vous dormez encore ? demanda une voix au timbre familier.

Myron réussit l'exploit d'entrouvrir les paupières. Il avait l'habitude de voir Esperanza Diaz faire irruption dans son bureau sans frapper, mais pas de la voir faire la même chose dans la pièce où il était supposé dormir.

— Quelle heure est-il ? coassa-t-il.

— Six heures et demie.

— Du matin ?

Elle le fusilla d'un de ses regards laser, ceux que les équipes de construction routière auraient aimé lui emprunter pour néantiser les formations rocheuses sur le tracé. D'un doigt, elle rangea quelques mèches rebelles et d'un noir de jais derrière son oreille. L'éclat de sa peau cuivrée faisait penser à une croisière en Méditerranée, au clair de lune, à des eaux cristallines, des vêtements de paysans aux manches bouffantes, des oliveraies.

— Comment êtes-vous arrivée ici ? questionna-t-il.

— J'ai pris le train, dit-elle.

Myron était encore dans le cirage.

— Et ensuite ? Vous avez pris un taxi ?

— Pourquoi, vous êtes devenu agent de voyages ? Ouais, j'ai pris un taxi.

— Je posais juste la question.

— Cet abruti de chauffeur m'a demandé trois fois l'adresse. Je suppose qu'il n'a pas l'habitude d'emmener des Hispaniques dans ce coin.

— Bah, il a dû penser que vous étiez une domestique, marmonna Myron avant de bâiller.

— Avec ces chaussures-*là* ?

Elle leva un pied pour qu'il puisse se rendre compte.

— Très jolies.

Il prit une position moins horizontale dans le lit, mais son corps réclamait toujours du repos pour ses articulations rouillées.

— Je ne voudrais pas vous paraître trop curieux, mais pourquoi êtes-vous venue ici ?

— J'ai eu des informations sur le vieux caddie.

— Lloyd Rennart ?

— Oui. Il est mort.

— Oh.

Mort. Comme la piste qu'il représentait, même si elle n'était pas très prometteuse.

— Vous auriez pu passer un coup de fil, simplement.

— Il y a autre chose.

— Ah ?

— Les circonstances qui entourent sa mort sont… (Elle s'interrompit et se mordilla la lèvre inférieure) nébuleuses.

Myron se mit presque en position assise.

— Nébuleuses ?

— Lloyd Rennart s'est apparemment suicidé, il y a de ça huit petits mois seulement.

— Comment il s'y est pris ?

— C'est là que ça devient nébuleux. Sa femme et lui étaient en vacances dans une région montagneuse, au Pérou. Il s'est réveillé un matin, il a griffonné un mot d'adieu et il s'est jeté du haut d'un à-pic, ou quelque chose dans ce goût-là.

— C'est une blague ?

— Pas du tout. Je n'ai pas encore pu avoir beaucoup de détails. Le *Philadelphia Daily News* n'a passé qu'un bref entrefilet sur cette histoire.

Puis, avec l'ombre d'un sourire :

— Mais, d'après cet article, le corps n'a toujours pas été retrouvé.

Myron se réveilla en urgence.

— Quoi ?

— Il semblerait que Lloyd Rennart ait fait le grand plongeon dans un ravin très encaissé, sans accès praticable au fond. Depuis, on a peut-être localisé le corps, mais je n'ai pas trouvé d'article ultérieur. Aucun des journaux locaux n'a publié de nécro le concernant.

Myron secoua la tête. Pas de corps. Les questions qui venaient immédiatement à l'esprit avaient la force de l'évidence : se pouvait-il que Lloyd Rennart soit toujours en vie ? Avait-il simulé sa propre mort afin de préparer tranquillement sa vengeance ? Tout ça semblait un peu tiré par les poils, mais on ne pouvait jamais savoir. S'il avait tout manigancé dans ce sens, pourquoi aurait-il attendu vingt-trois ans ? C'est vrai, pour la première fois l'U.S. Open se déroulait de nouveau au Merion. C'est vrai, la coïncidence pouvait rouvrir de vieilles blessures. Mais quand même.

— Bizarre comme c'est étrange, dit-il en levant les yeux vers son assistante. N'empêche, vous auriez pu me dire tout ça au téléphone. Vous n'aviez pas besoin de venir jusqu'ici.

— Où est le problème ? rétorqua sèchement Esperanza. J'avais envie de sortir de la ville pour le week-end. Et je me suis dit que ça pourrait être marrant de voir l'Open. Ça vous dérange ?

— Je posais juste une question.

— Vous êtes vraiment fouille-merde, des fois.

Il leva les deux mains comme le méchant qui se rend au gentil shérif.

— Ça va, ça va. Oubliez que j'ai posé la question.

— C'est oublié, siffla-t-elle, magnanime. Vous voulez bien m'affranchir sur ce qui se passe ?

Il lui parla de Naze le Nazillon au centre commercial, et du monte-en-l'air vêtu en ninja qui l'avait semé.

Quand il eut fini, c'est Esperanza qui secouait la tête.

— Jésus, Marie et toute la Sainte Famille. Sans Win, vous êtes désespérant.

Elle était championne pour vous remonter le moral quand vous l'aviez dans les chaussettes.

— A propos de Win, dit-il. Evitez de lui parler de cette affaire.

— Pourquoi ?

— Il réagit assez mal.

Elle plissa les yeux, l'air suspicieux.

— Mal à quel point ?

— Hier soir, il est parti en virée.

— Aïe… Je croyais qu'il avait arrêté ces expéditions.

— Je le croyais aussi.

— Vous en êtes bien sûr ?

— Il y avait une Chevrolet garée dans l'allée, quand je suis arrivé ici, dit Myron. Il l'a prise hier soir, et il n'est rentré qu'à trois heures et demie du matin.

Il n'avait pas besoin d'en dire plus. Win conservait plusieurs vieilles Chevrolet non enregistrées. Ses « voitures jetables », comme il les appelait. Impossibles à tracer.

La voix d'Esperanza se radoucit :

— Vous ne pouvez pas tout avoir, Myron.

— De quoi parlez-vous ?

— Vous ne pouvez pas demander à Win de le faire quand ça vous arrange, et ensuite avoir les boules parce qu'il le fait de son propre chef.

— Je ne lui ai jamais demandé de jouer au justicier de la nuit.

— Si, vous l'avez fait. Vous l'impliquez dans des situations potentiellement violentes, et quand ça vous arrange, vous lui retirez la laisse. Comme s'il était une sorte d'arme mortelle.

— Ce n'est pas du tout ça.

— C'est tout à fait ça, dit-elle. Quand Win part pour ses expéditions nocturnes, il ne s'en prend jamais à des innocents, pas vrai ?

Myron réfléchit à la question.

— Non, admit-il.

— Alors, où est le problème ? Il s'attaque seulement à

une autre catégorie de coupables. C'est lui qui les choisit, au lieu que ce soit vous.

— Ce n'est pas la même chose…

— Parce que vous vous arrogez le droit de juger ?

— Je ne l'envoie pas massacrer des gens. Je lui demande de surveiller certaines personnes, ou de me couvrir.

— Je ne suis pas certaine de voir la différence.

— Vous savez ce qu'il fait lors de ces virées nocturnes, Esperanza ? Il se promène à pied dans les quartiers les plus pourris qu'on puisse trouver. D'anciens potes du FBI lui disent où il pourra trouver des dealers de crack ou des revendeurs de matos pédophile, ou bien le coin où traîne un gang – les ruelles, les immeubles à l'abandon, n'importe – et il va se balader dans ces trous où aucun flic n'oserait entrer.

— On dirait Batman, grinça Esperanza.

— Vous ne pensez pas que ce soit mal ?

— Oh si, je pense que c'est mal, répondit-elle avec aplomb. En revanche, je ne suis pas sûre que vous, vous le pensiez.

— Qu'est-ce que ça veut dire, à la fin ?

— Réfléchissez donc à ce qui vous met dans un tel état, dit-elle.

Des pas approchaient. Win passa la tête par l'embrasure de la porte. Il souriait comme une guest star dans la présentation d'un épisode de *La croisière s'amuse*.

— Bonjour tout le monde ! lança-t-il d'un ton beaucoup trop enjoué.

Il déposa un baiser sur la joue d'Esperanza. Il avait revêtu une tenue de golf très classique, quoique discrète. Chemise Ashworth. Casquette unie, pantalon à pli bleu ciel.

— Resterez-vous avec nous, Esperanza ? s'enquit-il de son ton le plus civil.

Esperanza le dévisagea, se tourna vers Myron. Fit oui de la tête.

— Magnifique. Vous pouvez prendre la dernière chambre au fond du couloir, à gauche.

Win regarda Myron.

— Devine un peu ?

— Je t'écoute, M. Joli Cœur, dit Myron.

— Crispin veut toujours te rencontrer. Il se trouve que ton départ hier soir a produit son petit effet sur lui. (Grand sourire, mains ouvertes.) L'approche du soupirant revêche. Il faudra que je l'essaie, un de ces quatre.

— Tad Crispin ? *Le* Tad Crispin ? dit Esperanza.

— En personne, répondit Win.

Elle eut une mimique approbatrice à l'adresse de Myron.

— Woah.

— N'est-ce pas, fit Win. Bon, j'ai à faire. Nous nous verrons au Merion. Je serai sous la tente Lock-Horne la majeure partie de la journée.

Il allait partir mais stoppa net et claqua des doigts.

— Ah, j'ai failli oublier, dit-il en lançant une cassette vidéo à Myron. Ça te fera peut-être gagner un peu de temps.

L'enregistrement atterrit sur le lit.

— Est-ce que c'est…

— La bande de la caméra de sécurité de First Philadelphia, oui. Avec ce que l'objectif a vu à dix-huit heures dix-huit jeudi dernier. Selon ta demande.

Un dernier sourire, un dernier geste de la main.

— Je vous souhaite une bonne journée, les enfants.

Esperanza le regarda partir.

— « Je vous souhaite une bonne journée, les enfants », répéta-t-elle.

Myron haussa les épaules.

— Allez, descendons au salon pour visionner cette cassette.

12

Linda Coldren ouvrit la porte avant que Myron ne frappe.

— Qu'y a-t-il ? dit-elle.

Elle avait les traits tirés, ce qui accentuait encore ses pommettes naturellement hautes. Ses yeux paraissaient hantés. Elle n'avait pas dormi. La pression devenait intolérable. L'inquiétude. L'incertitude. C'était une forte femme, et elle faisait de son mieux pour surmonter l'épreuve. Mais la disparition de son fils sapait lentement ses défenses.

Myron brandit la cassette vidéo.

— Vous avez un magnétoscope ? demanda-t-il.

D'un pas de somnambule, elle le précéda jusqu'au même téléviseur qu'il l'avait vue regarder la veille, lors de leur première rencontre. Jack Coldren sortit d'une autre pièce, son sac de golf en bandoulière. Lui aussi semblait exténué. Des cernes soulignaient ses yeux, bombés comme de petits cocons mous. Il tenta un sourire de bienvenue, qui vacilla comme la flamme d'un briquet à bout de gaz.

— Salut, Myron.

— Salut, Jack.

— Que se passe-t-il ?

Myron introduisit la cassette dans le lecteur.
— Vous connaissez quelqu'un qui habite Green Acres Road ?
Les Coldren échangèrent un regard.
— Pourquoi cette question ?
— Parce que la nuit dernière, j'ai planqué près de votre domicile. Et j'ai vu quelqu'un sortir par une des fenêtres.
— Par une fenêtre ? dit Jack, sourcils froncés. Laquelle ?
— Celle de la chambre de votre fils.
Silence.
Puis Linda demanda :
— Quel rapport avec Green Acres Road ?
— J'ai suivi votre visiteur. Il a tourné dans Green Acres Road où j'ai perdu sa trace. Soit il est entré dans une des maisons, soit il a continué dans les bois au-delà.
Linda baissa la tête. Jack s'avança d'un pas et répondit :
— Le meilleur ami de Jack, Matthew.
Myron n'était pas surpris outre mesure. Il alluma le téléviseur.
— C'est l'enregistrement de la caméra de sécurité du distributeur de la First Philadelphia.
— Comment vous l'êtes-vous procuré ? dit Jack.
— C'est sans importance.
La porte d'entrée s'ouvrit et Bucky fit son apparition. Le vieil homme, aujourd'hui vêtu d'un pantalon à carreaux et d'un polo jaune et vert, les rejoignit en effectuant son habituel exercice d'assouplissement des cervicales.
— Qu'est-ce qui se passe ici ? dit-il.
Personne ne répondit.
— Je vous demande…
— Regarde la télé, Papa, l'interrompit Linda.
— Oh, souffla son père en s'approchant un peu plus.

Myron passa sur le canal 3 et pressa le bouton LECTURE. Trois paires d'yeux étaient rivées sur l'écran. Myron, lui, avait déjà vu l'enregistrement. Discrètement, il guettait les réactions du trio.

Une image en noir et blanc apparut. L'allée menant au distributeur. L'angle de vue était surélevé, l'image légèrement distordue à cause de l'objectif panoramique installé pour avoir une vue aussi large que possible du lieu. Aucun son. Myron avait calé la bande sur le moment crucial. Presque immédiatement une voiture entra dans le champ. La caméra plongeait directement sur le siège conducteur.

— C'est celle de Chad, murmura Jack Coldren.

Ils observaient dans un silence religieux pendant que la vitre de la portière avant droite descendait. L'angle était un peu bizarre – d'en haut et en biais – mais le doute n'était pas permis. C'était bien Chad Coldren derrière le volant. Il se pencha par la portière et inséra sa carte bancaire dans la fente du distributeur. Ses doigts voletèrent sur le clavier numérique avec l'aisance d'une dactylographe expérimentée.

L'adolescent arborait un sourire éclatant.

Quand ses doigts eurent terminé leur petite rumba, il se laissa aller contre le dossier de son siège pour attendre. Pendant un moment, il tourna la tête vers la droite et le siège passager. Quelqu'un était assis à côté de lui. Une fois de plus Myron surveillait les réactions. Linda, Jack et Bucky plissaient tous les yeux. Tous s'efforçaient de distinguer le visage de l'autre personne, mais c'était impossible. Quand enfin Chad tourna la tête vers la caméra, il riait. Il prit les billets, récupéra sa carte. Un instant plus tard la vitre remontait et la voiture démarrait.

Myron éteignit le magnétoscope et attendit. Un silence pesant avait envahi la pièce. Linda Coldren releva lentement la tête. Elle conservait une expression calme, mais sa mâchoire inférieure tremblait tant elle était crispée.

— Il y avait quelqu'un d'autre dans la voiture, dit-elle. Qui menaçait peut-être Chad avec une arme et…

— Ça suffit ! explosa Jack. Tu as vu son visage, Linda ! Nom de Dieu, tu as vu comment il souriait !

— Je connais mon fils. Jamais il ne ferait ça.

— Non, tu ne le connais pas, rétorqua Jack. Admets-le, Linda. Nous ne le connaissons pas, ni toi ni moi.

— Ce n'est pas ce que nous croyons, s'entêta la jeune femme, mais elle cherchait plus à se convaincre elle-même que les autres.

Le visage empourpré, Jack gesticula vers le téléviseur.

— Ah non ? Alors comment expliques-tu ce que nous venons de voir, hein ? Il riait, Linda. Il se marrait comme une baleine sur notre dos.

Au prix d'un effort visible, il se maîtrisa, et précisa :

— Sur mon dos.

Linda posa sur lui un regard dur qui s'éternisa.

— Va donc jouer, Jack.

— C'est exactement ce que je vais faire.

Il ramassa son sac. Son regard croisa celui de Bucky, qui ne dit pas un mot, mais une larme coula lentement sur la joue rebondie du vieil homme. Jack serra les lèvres et se dirigea vers la porte.

— Jack ? lui lança Myron.

Coldren stoppa net.

— Il est effectivement possible que les apparences soient trompeuses, dit Myron.

— Que voulez-vous dire ? souffla Jack.

— J'ai tracé l'appel que vous avez reçu hier soir, expliqua Myron. Il a été passé d'un téléphone public.

Il leur résuma sa visite au centre commercial de Grand Mercado, et l'implication probable de M. Naze. L'expression de Linda passait de l'espoir au chagrin, pour revenir souvent à l'incompréhension. Myron la comprenait. Elle voulait que son fils soit sain et sauf. Mais dans le même temps, elle ne voulait pas que tout ça ne soit qu'une plaisanterie cruelle dont ses parents feraient les frais. Dur.

— Il a des ennuis, déclara-t-elle dès qu'il eut terminé. Ce que vous venez de dire en est la preuve.

— Ça ne prouve rien du tout, contra Jack d'un ton d'exaspération lasse. Les gosses de riches aussi traînent dans les galeries commerciales et s'habillent comme des punks. C'est sûrement un copain de Chad.

Une fois encore, Linda toisa son mari d'un regard à vous vitrifier. Une fois encore, elle dit d'un ton millimétré :

— Va jouer, Jack.

Il faillit répondre, mais renonça. Avec un mouvement de tête désemparé, il remonta la lanière de son sac sur son épaule et sortit. Bucky traversa la pièce. Il voulut prendre sa fille dans ses bras, mais elle se raidit dès qu'il l'effleura. Elle s'écarta et reporta toute son attention sur Myron.

— Vous aussi, vous pensez qu'il joue la comédie, dit-elle.

— L'explication de Jack se tient.

— Alors vous allez interrompre vos recherches ?

— Je ne sais pas, avoua Myron.

Elle se redressa de toute sa taille, le dos aussi droit qu'un I.

— Continuez à chercher, dit-elle, et je m'engage à signer avec vous.

— Linda…

— C'est la raison première de votre présence ici, n'est-ce pas ? Vous voulez devenir mon agent. Alors voilà ce que je vous propose. Vous continuez à enquêter et je signerai tous les contrats que vous voudrez. Canular ou pas. Pour vous, ce sera un gros coup, non ? Signer avec le numéro un féminin du golf ?

— Oui, dut admettre Myron. Ce serait un gros coup.

— Alors c'est le marché, fit-elle en tendant la main. Marché conclu ?

Myron ne bougea pas.

— Laissez-moi vous poser une question, dit-il.

— Quoi ?

— Pourquoi êtes-vous si sûre qu'il s'agit d'un mauvais canular ?

— Vous me croyez naïve ?

— Pas vraiment, non. J'aimerais seulement savoir la raison qui vous emplit d'une telle certitude.

Elle abaissa la main et se détourna.

— Papa ?

Bucky parut surgir d'une phase comateuse.

— Tu veux bien nous laisser seuls une minute, s'il te plaît ?

— Ah.

Etirement du cou. Une fois. Deux fois. Doublé dans la foulée. Heureusement qu'il n'était pas né girafe.

— Oui, eh bien, j'avais l'intention de me rendre au Merion, de toute façon.

— Je te retrouve là-bas tout à l'heure, Papa.

Quand ils furent seuls, Linda Coldren se mit à faire les cent pas dans le salon. Myron était impressionné par le spectacle qu'elle offrait : la combinaison paradoxale de la beauté, de la force et à présent de la fragilité. Des bras au galbe tonique, mais aussi le cou un peu long, tout en finesse. Les traits fermes, à la limite de la dureté, et ce regard d'un bleu doux. Myron avait entendu parler de la beauté « sans faille ». Elle était tout le contraire.

— Je ne suis pas très douée pour ce qui est de… (Avec deux doigts en crochets, elle griffa l'air pour simuler des guillemets)… « l'intuition féminine » et toutes ces fadaises sur les liens qui unissent une mère à son enfant. Mais je sais que mon fils est en danger. Il ne disparaîtrait pas comme ça, impossible. Il peut bien sourire sur cet enregistrement, il s'est passé quelque chose.

Myron se garda bien de l'interrompre.

— Je ne demande pas d'aide. Ce n'est pas mon style, dépendre de quelqu'un d'autre. Mais dans la situation actuelle... J'ai peur. Je n'ai jamais éprouvé une peur pareille de toute mon existence. Elle me dévore. J'en suffoque. Mon fils a des ennuis et je ne peux rien faire pour lui venir en aide. Vous voudriez des preuves que ce n'est pas une mauvaise blague. Je ne peux pas vous les fournir. Je sais, c'est tout. Et je vous implore de m'aider.

Myron n'était pas trop sûr de la meilleure réponse à donner. Son petit laïus était indubitablement sincère, mais il n'apportait aucun élément concret. Ce qui par ailleurs n'édulcorait en rien la souffrance de cette mère. Il finit par se décider :

— Je vais m'intéresser à la maison de Matthew. Nous verrons ce qui arrivera ensuite.

13

A la lumière du jour, Green Acres Road offrait un spectacle encore plus impressionnant. Les deux côtés de la rue étaient bordés de haies de troènes hautes de trois mètres et tellement denses que Myron aurait été incapable de dire quelle épaisseur elles avaient. Il se gara devant une grille en fer forgé et s'approcha à pied de l'interphone. Il appuya sur le bouton d'appel et attendit. Il repéra plusieurs caméras de surveillance, certaines fixes, d'autres qui balayaient lentement l'espace devant elles. Il vit également des détecteurs de mouvements, un peu de barbelé, des dobermans.

Jolie forteresse, se dit-il.

Une voix aussi impénétrable que les haies retentit dans le haut-parleur.

— Puis-je vous aider ?

— Bonjour.

Myron décocha son sourire le plus amical à la caméra la plus proche, en évitant le genre démarcheur. Il parlait à une caméra. Comme dans les films d'espionnage. Chouette.

— J'aimerais voir Matthew Squires.

Une petite pause, et la réponse vint, sous forme de question :

— Votre nom, monsieur ?

— Myron Bolitar.

— Maître Squires vous attend-il ?

— Non.

Maître Squires ?

— Vous n'avez donc pas rendez-vous ?

Un rendez-vous pour voir un gamin de seize ans ? Qui est ce gosse ? Le fils caché du président ?

— Non, je crains que non.

— Puis-je connaître le but de votre visite ?

— M'entretenir avec Matthew Squires.

Myron Bolitar, *alias* M. L'Esquive.

— J'ai bien peur que ce ne soit pas possible maintenant, dit la voix.

— Pourriez-vous lui dire que c'est au sujet de Chad Coldren ?

Nouvelle pause. Les caméras pivotèrent. Myron regarda autour de lui. Tous les objectifs étaient braqués sur lui, le fixant de haut comme des extraterrestres hostiles.

— Et qu'y a-t-il au sujet de maître Coldren ? interrogea la voix.

Myron choisit une caméra au hasard.

— Puis-je savoir à qui je parle ?

Pas de réponse.

Myron laissa s'écouler trois secondes, puis dit :

— Vous êtes censé répondre : « Je suis le grand magicien d'Oz. »

— Je regrette, monsieur. Personne n'est admis sans rendez-vous. Je vous souhaite une très bonne journée.

— Attendez ! Allô ? Allô ?

Myron écrasa le bouton de nouveau. Aucune réaction. Il le garda enfoncé pendant de longues secondes. Toujours rien. Il leva les yeux vers la caméra la plus proche et afficha son sourire le plus désarmant, plus charmeur que Tom Cruise et Brad Pitt réunis. Un petit geste de la main, en prime. Rien. Il recula d'un pas, gesticula les deux bras. *Nada*.

Il resta planté là une minute encore. C'était vraiment curieux. Toutes ces mesures de sécurité pour un gosse de seize ans ? Quelque chose clochait. Il pressa le bouton d'appel. En l'absence de réponse, il se campa face à la caméra, mit les pouces dans ses oreilles, mains ouvertes, gigota des doigts et tira la langue.

Dans le doute, toujours adopter une attitude adulte.

De retour à sa voiture, il prit le téléphone et composa le numéro d'un vieil ami, le shérif Jake Courter.

— Bureau du shérif.

— Salut, Jack. C'est Myron.

— Et merde ! Je savais bien que je n'aurais pas dû venir bosser un samedi !

— Ooh, je suis blessé. Sérieux, Jake, ils vous surnomment toujours le Stakhanov de la flicaille ?

Gros soupir à l'autre bout du fil.

— Je suis juste passé faire un peu de paperasse. Qu'est-ce que vous voulez ?

— Pas de repos pour ceux qui assurent avec constance et abnégation la paix et la justice pour le commun des mortels.

— Exact, dit Jake. Cette semaine, je suis sorti pour douze appels reçus ici. Devinez combien étaient consécutifs à des systèmes d'alarme de particuliers qui se sont déclenchés pour rien ?

— Treize ?

— Vous n'êtes pas loin du compte.

Pendant plus de vingt ans, Jake Courter avait été flic dans les villes les plus dures du pays. Il détestait ça et n'aspirait qu'à une vie plus pépère. Aussi Jake, qui était un Noir plutôt imposant (ce qui a son importance, on va le voir), avait démissionné de la police et s'était installé dans la petite ville pittoresque (comprendre : à population exclusivement blanche, ou presque) de Reston, dans le New Jersey. Comme il cherchait un boulot pas trop fatigant, il s'était présenté au poste de shérif. Reston était une ville universitaire (c'est-à-dire : votant à gauche), et Jake avait joué de sa « négritude », comme il disait. Il l'avait emporté les doigts dans le nez. La culpabilité du bon Blanc, avait-il expliqué à Myron. Imparable.

— L'agitation de la grande ville vous manque ? dit Myron.

— Autant que d'avoir un herpès, répondit Jake. Bon, Myron, ça y est, vous avez fait votre numéro de charme. Maintenant je suis comme un jouet entre vos mains diaboliques. Qu'est-ce que vous voulez ?

— Je suis à Philadelphie, pour l'U.S. Open.

— De golf, c'est ça ?

— Ouais, de golf. Et je voudrais savoir si vous avez déjà entendu parler d'un type du nom de Squires.

— Oh, merde, grommela Jake après un court silence.

— Quoi ?

— Dans quel merdier vous vous êtes encore fourré, hein ?

— Aucun. J'ai simplement remarqué qu'il avait tous ces systèmes de sécurité autour de son domicile et...

— Et qu'est-ce que vous êtes allé foutre près de chez lui ?

— Rien.

— Ben tiens, railla Jake. Je suppose que vous passiez dans le coin, par le plus grand des hasards.

— Quelque chose comme ça, oui.

— A d'autres, dit Jake avant de soupirer. Bon, et puis merde, ce ne sont plus mes oignons, maintenant. Squires. Reginald Squires, *alias* Le Grand Bleu.

Myron grimaça.

— Le Grand Bleu ? Il fait de la plongée ?

— Eh, tous les caïds ont besoin d'un surnom. Squires est connu sous celui de Grand Bleu. Bleu, comme dans « sang bleu ».

— Ah, ces gangsters, quel dommage qu'ils ne canalisent pas leur créativité dans des activités honnêtes, s'pas ?

— Des activités honnêtes, répéta Jake. Qu'est-ce qu'il ne faut pas entendre ! Bref. Squires est plein aux as par sa famille, et il a suivi le cursus habituel des gosses de la haute. Education chiadée, écoles privées, tout le bataclan.

— Alors qu'est-ce qu'il fait à fréquenter des gens aussi peu, euh, fréquentables ?

— Vous voulez la réponse la plus simple ? Cet enfoiré est complètement taré. Il prend son pied à amocher son prochain. Un peu comme Win.

— Win ne prend pas son pied à amocher qui que ce soit.

— Si vous le dites…

— Quand Win tombe sur le râble de quelqu'un, il a une bonne raison. C'est pour empêcher cette personne de recommencer, pour le punir, ou n'importe.

— Ouais, n'importe, sûr, dit Jake. Je vous sens un peu susceptible, là, Myron. Non ?

— La journée a été longue.

— Il n'est que neuf heures du matin, je vous signale.

— La vie nocturne a des attraits que la lumière du jour méconnaît.

— Qui a dit ça ?

— Personne. Je viens de l'inventer.

— Vous devriez envisager de vous recycler dans la rédaction de cartes de vœux.

— Bon, alors, Squires trempe dans quoi, Jake ?

— Vous voulez entendre quelque chose de marrant ? Je n'en suis même pas sûr. Personne ne l'est, d'ailleurs. La drogue et la prostitution, sûrement, des saloperies de ce style. Mais catégorie classe. Rien de très organisé ou de très étendu. C'est plus comme s'il faisait ça pour s'amuser, vous me suivez ? Comme s'il se mettait dans tout ce qui pouvait le faire bander, et qu'ensuite il laissait tomber pour passer à autre chose.

— Et le kidnapping ?

— Oh merde, vous êtes encore sur quelque chose de gratiné, hein ?

— Je vous demande juste si Squires a déjà fait dans le kidnapping.

— Oh. D'accord. Disons donc que c'est une question purement rhétorique, du genre : « Si un ours chie dans la forêt et qu'il n'y a personne alentour, est-ce que ça pue quand même ? »

— Vous avez tout compris. Est-ce que le kidnapping sent assez mauvais pour que ça l'intéresse ?

— Je ne peux pas vous l'affirmer. Ce mec est un déjanté de première, aucun doute là-dessus. Il fréquente la crème, et tous leurs trucs de snobs : les cocktails à mourir d'ennui, caviar, champagne, il doit même rire comme les autres à leurs blagues qui ne sont même pas drôles, il bavarde avec des gens aussi chiants que lui de sujets aussi chiants qu'eux…

— A vous entendre, on croirait que vous fondez d'admiration pour les riches.

— C'est que mon point de vue, mon vieux. Ils ont tout, pas vrai ? Vu de l'extérieur. Le blé, les baraques d'enfer, les clubs très fermés. Mais ils sont tellement ennuyeux. Merde, moi je me suiciderais si je les fréquentais. Du coup, je me demande si Squires ne s'emmerde pas un peu, lui aussi. Vous me suivez ?

— Hon-hon, grogna Myron. Et c'est Win le snob qui fait peur, hein ?

Jack rit.

— Touché. Mais pour répondre à votre question, je ne serais pas surpris d'apprendre que Squires tâte du kidnapping pour se distraire un peu, entre deux cocktails.

Myron le remercia et raccrocha. Il leva les yeux. A travers le pare-brise, il dénombra une bonne dizaine de caméras de sécurité alignées au sommet des haies comme de petites sentinelles.

Bon, et maintenant ?

Pour ce qu'il en savait, Chad Coldren était peut-être plié en quatre de rire en l'observant par l'intermédiaire d'une de ces caméras. Toute cette histoire pouvait très bien n'être qu'une perte de temps. Bien sûr, Linda Coldren lui avait promis de le prendre pour agent. Et même s'il rechignait à le reconnaître, il était loin de trouver cette perspective déplaisante. Il se prit à envisager cette éventualité et se mit à sourire. Et s'il réussissait à convaincre Tad Crispin…

Eh, Myron, un gosse a peut-être de très gros ennuis, tu te rappelles ?

Ou, ce qui était plus probable, un gamin gâté-pourri ou un adolescent négligé par ses parents – au choix – fait l'école buissonnière et s'amuse au détriment de ses géniteurs.

La question ne changeait pas pour autant : et maintenant ?

Il repensa à l'enregistrement de Chad devant le distributeur automatique. Il n'était pas entré dans les détails avec les Coldren, mais cet épisode l'intriguait. Pourquoi dans ce quartier ? Pourquoi ce distributeur-là précisément ? Si le gamin avait pris la tangente ou qu'il se cachait, il avait besoin de retirer de l'argent. Très logique, Sherlock.

Mais pourquoi dans Porter Street ?

Pourquoi pas à une banque plus proche de son domicile ? Et, ce qui était tout aussi important, que fabriquait Chad dans ce coin-là ? Il n'y avait rien alentour. Ce n'était pas situé sur un trajet en direction des autoroutes, ni rien de tel. Le seul établissement dans le voisinage qui requérait de l'argent liquide, c'était Court Manor Inn. Myron se remémora l'attitude singulière de Stuart Lipwitz. De quoi se poser des questions.

Il démarra. C'était peut-être une piste. En tout cas, elle méritait d'être étudiée.

Bon, Stuart Lipwitz avait été très clair sur un point : il ne lui ferait pas de confidences. Mais Myron pensait à un moyen de le rendre beaucoup plus coopératif.

14

— Souriez !

L'homme ne sourit pas. Il passa précipitamment en marche arrière et sa voiture repartit aussitôt à reculons. Myron haussa les épaules et abaissa son appareil photo, qui rebondit doucement contre sa poitrine, au bout de sa sangle. Une autre voiture approchait. Myron colla de nouveau le viseur devant son œil.

— Souriez ! répéta-t-il.

Un autre homme, encore une fois, pas de sourire en retour. Le type réussit à se baisser avant de passer en marche arrière.

— Des gens qui n'aiment pas l'objectif, soliloqua Myron. Ça fait plaisir à voir, en ces temps où beaucoup tueraient pour avoir leur tronche dans un magazine.

Il n'eut pas longtemps à attendre. Il était posté sur le trottoir devant Court Manor Inn depuis cinq minutes à peine quand il vit Stuart Lipwitz qui accourait vers lui. Le grand Stu, dans son habit de lumière, queue-de-pie grise, large cravate, épingle de concierge au revers. Une queue-de-pie dans un motel de passe. Un peu comme si un maître d'hôtel officiait dans un Burger King. A la vue du phénomène qui approchait, une chanson de Pink Floyd vint à l'esprit de Myron : *Hello, Is There Anybody Out*

There ? David Bowie ajouta sa patte : *Ground Control to Major Tom…*

Ah, les années 1970…

— Vous, là ! s'écria Lipwitz.

— Salut, Stu.

Cette fois, pas de sourire.

— C'est une propriété privée, dit Stuart Lipwitz, légèrement essoufflé. Je dois vous demander de quitter les lieux sur-le-champ.

— Ça me chagrine beaucoup de vous contredire, Stu, mais je me trouve sur un trottoir public. J'ai tout à fait le droit d'être là où je suis.

Stuart Lipwitz bégaya, puis leva les bras dans un geste qui exprimait beaucoup mieux sa frustration. Avec la queue-de-pie, le mouvement rappela vaguement à Myron une chauve-souris prête à l'envol.

— Mais vous ne pouvez pas rester là à photographier ma clientèle, dit-il dans une sorte de gémissement presque touchant.

— Votre clientèle ? C'est un nouvel euphémisme pour désigner les michetons ?

— Je vais appeler la police.

— Oooh. Arrêtez de me faire peur comme ça.

— Vous interférez dans mes affaires.

— Et vous avec les miennes.

Stuart Lipwitz mit les poings sur ses hanches et fit son possible pour paraître menaçant.

— C'est la dernière fois que je vous le demande gentiment. Quittez les abords de mon établissement.

— Ce n'était pas gentil.

— Pardon ?

— Vous venez de dire que vous alliez me le demander gentiment, expliqua Myron. Ensuite vous avez dit : « Quittez les abords de mon établissement. » Vous n'avez pas dit : « S'il vous plaît », ou : « Veuillez avoir l'obligeance de partir. » Qu'est-ce qu'il y avait de gentil dans votre formulation ?

— Je vois, fit Lipwitz, dont le visage s'était constellé de gouttelettes de sueur. (Mais après tout il faisait chaud et le pauvre était en queue-de-pie.) Monsieur, je vous prie respectueusement de quitter les abords de mon établissement.

— Pas question. Mais au moins maintenant vous avez respecté votre parole.

Stuart Lipwitz inspira et expira bruyamment à plusieurs reprises.

— Vous voulez savoir, pour le garçon, n'est-ce pas ? Celui sur la photo ?

— On ne peut rien vous cacher, à vous.

— Et si je vous dis qu'il est venu ici, vous partirez ?

— Franchement, ce serait un crève-cœur de renoncer à la beauté d'un endroit aussi paradisiaque, mais je crois que je parviendrais à m'arracher à sa contemplation, oui.

— Monsieur, c'est du chantage.

Myron le regarda avec curiosité.

— Je pourrais vous répondre : « Chantage ? Quel vilain mot ! » Mais là, ce serait vraiment un cliché. Alors je crois que je vais me contenter de : Oui.

Lipwitz se remit à bégayer :

— M-mais... C-c'est contraire à la loi !

— Par opposition à, je ne sais pas, moi : la prostitution, la vente de drogues et toutes les activités louches qui se déroulent dans votre motel borgne ?

L'outrage agrandit notablement les yeux de Stu.

— Un motel borgne ? Vous parlez de Court Manor Inn, monsieur ! C'est un établissement respectable et je ne vous permets pas...

— Rien à glander, Stu. J'ai des photos à prendre.

Un autre véhicule arrivait. Un break Volvo gris. Chouette bagnole pour emmener pique-niquer toute la famille. Au volant, un homme d'une cinquantaine d'années en complet-veston. La jeune fille qui occupait le siège passager avait dû choisir sa tenue dans le catalogue Quelle Pouf, comme les filles du centre commercial le lui avaient appris récemment.

Avec un grand sourire, Myron se pencha vers le conducteur.

— Woah, monsieur, en vacances avec votre fille ?

L'homme eut le même regard qu'un cerf ébloui par des phares en pleine nuit. La jeune prostituée s'écroula de rire sur son siège.

— Eh, Mel, il croit que je suis ta fille ! beugla-t-elle très élégamment.

Myron leva l'appareil photo. Stuart Lipwitz tenta de s'interposer, mais Myron le repoussa d'un revers de son bras libre.

— C'est la Journée « souvenir à Court Manor », annonça-t-il. Je peux faire imprimer la photo sur une tasse, si vous préférez. Ou sur une assiette décorative ?

Le type en complet-veston passa la marche arrière. La Volvo disparut en quelques secondes.

Stuart Lipwitz était écarlate. Il serra les poings. Myron lui accorda un regard placide.

— Allons, Stu…

— J'ai des amis puissants, menaça l'autre.

— Oooh. Me voilà terrifié une nouvelle fois.

— Très bien. Si vous y tenez…

Stuart tourna les talons et remonta en hâte la courte allée. Myron sourit. Ce jeune freluquet était plus dur à faire craquer qu'il ne l'avait estimé au départ, et il ne tenait pas à rester ici toute la journée. Mais il devait se faire une raison : il n'avait pas d'autre piste pour l'instant. Et puis, jouer avec le Grand Stu était assez marrant.

Myron attendit d'autres clients. Il se demanda ce que Stu manigançait. Quelque chose de désespéré, aucun doute. Dix minutes plus tard, une Audi jaune canari vint s'arrêter devant lui et un Noir à la carrure de déménageur en sortit. Il était un peu plus petit que Myron, mais taillé en force. Un coffre qui tenait plutôt du bahut de campagne et des jambes épaisses comme des troncs de séquoia. Il se déplaçait avec des mouvements coulés, pas du tout ce qu'on associe généralement à ce gabarit.

Ce détail déplut fort à Myron.

Le Noir avait des lunettes de soleil et portait une chemise hawaiienne et un short en jean. Le plus remarquable chez lui, en dehors de sa corpulence, c'était sa chevelure. Ses ondulations étaient collées bien droites, avec la raie sur le côté, comme sur les vieux clichés de Nat King Cole.

Myron pointa un doigt vers la tête de l'homme.

— C'est dur à obtenir ? demanda-t-il.

— Quoi ? dit l'autre. Vous voulez parler de ma coiffure ?

— Oui. Pour les ordonner aussi bien.

— Nan, pas vraiment. Une fois par semaine je vais chez un type, Ray. Dans une vieille échoppe de barbier, en fait, avec tout l'attirail d'époque, dit le Noir avec un sourire presque mélancolique. Ray s'en occupe pour moi. Et ensuite il me rase dans la grande tradition, avec serviettes chaudes et tout le reste.

Il se caressa la joue d'une main pour souligner les bienfaits de ce traitement.

— Du grand art, visiblement, dit Myron.

— Merci. C'est gentil à vous de dire ça. Je trouve ces séances de rasage relaxantes, vous savez ? Qu'on s'occupe de moi comme il le fait. Je pense que c'est important. Pour évacuer le stress.

— Comme je vous comprends, approuva Myron.

— Je vous refilerais bien les coordonnées de Ray. Vous pourriez y passer et apprécier son savoir-faire.

— Chez Ray, hein ? dit Myron. Oui, je crois que ça ne me déplairait pas.

Le Noir s'avança d'un pas.

— Il semblerait que nous ayons un petit problème ici, monsieur Bolitar.

— Comment avez-vous appris mon nom ?

Le Hulk d'ébène haussa la masse de ses épaules. Derrière les verres teintés, une paire d'yeux jaugeait Myron, celui-ci en était très conscient. Et lui faisait de même, évidemment. Tous deux la jouaient subtil, sans rien ignorer de ce que pensait l'autre.

— J'apprécierais vraiment beaucoup que vous leviez le camp, dit le Noir d'un ton très poli.

— J'ai bien peur de ne pas pouvoir vous donner satisfaction, répondit Myron. Quand bien même vous me le demandez avec autant de gentillesse.

L'autre eut une petite moue. Il restait à distance.

— Voyons si nous pouvons trouver une solution, d'accord ?

— Dacodac.

— Je suis là pour faire mon boulot, Myron. Je suis sûr que vous comprenez mes obligations, n'est-ce pas ?

— Complètement, lui affirma Myron.

— Et vous aussi, vous êtes là pour votre boulot.

— C'est exact.

Le Noir ôta ses lunettes de soleil et les rangea dans la poche de sa chemise.

— Ecoutez, je sais que vous ne serez pas un client facile. Et vous savez que moi non plus. Si on en venait à se bousculer, je ne sais pas qui aurait le dessus.

— Moi, bien sûr. Le bien triomphe toujours du mal.

L'homme sourit.

— Pas dans ce quartier.

— Là, vous marquez un point.

— Je ne suis pas sûr non plus que ça vaille le coup pour vous ou moi de chercher à le savoir. A mon avis, nous avons dépassé ce stade pour machos qui veulent se prouver leur propre valeur.

Myron était plutôt d'accord.

— Nous sommes adultes, en un mot.

— En effet.

— Donc, il semble que nous en arrivions à une impasse, conclut Myron.

— Je le pense aussi, dit le Noir. Bien sûr, je pourrais toujours dégainer mon flingue et vous descendre.

Myron fit non de la tête.

— Pas pour quelque chose d'aussi minable. Trop de répercussions prévisibles.

— Mouais. Je me disais bien que vous ne tomberiez pas dans le panneau, mais il fallait que j'essaie. On ne sait jamais.

— Vous êtes un pro, lui concéda Myron. Si vous n'aviez pas essayé, vous auriez eu l'impression de vous montrer négligent. Et moi, je me serais senti diminué.

— Je suis heureux que vous compreniez.

— A ce propos, dit Myron, vous ne seriez pas un peu trop qualifié pour vous occuper d'une situation pareille ?

— Je ne peux pas dire que je vous donne tort, si c'est ce que vous pensez, répondit l'autre en se rapprochant.

Myron sentit tous ses muscles se tendre, et un frisson pas si désagréable que ça le parcourut.

— Vous avez l'air de quelqu'un qui sait la fermer, dit le Noir.

Myron ne répondit pas, histoire de lui prouver qu'il avait vu juste.

— Le gamin que vous avez sur cette photo, il était là.

— Quand ?

L'autre fit encore la moue.

— C'est tout ce que je peux vous lâcher. Et je suis très généreux. Vous vouliez savoir si le gamin était passé ici. La réponse est oui.

— Sympa de votre part, dit Myron.

— Je m'efforce seulement d'arranger les choses. Ecoutez, nous savons tous les deux que Lipwitz est un petit trou-du-cul doublé d'un sombre connard. Il se comporte comme si cet urinoir public était le Beverly Wilshire. Mais les gens qui viennent ici, ce n'est pas ce qu'ils veulent. Ils veulent être invisibles. Ils ne veulent même pas se voir dans un miroir, si vous me comprenez.

— Je comprends.

— Donc je vous fais une faveur. Oui, le gamin de votre photo était là.

— Il y est toujours ?

— Ne poussez pas, Myron.

— Dites-moi seulement ça.

— Non. Il n'est resté que cette nuit-là, répondit le Noir avant d'écarter les bras, négociateur en diable. Maintenant, dites-moi, Myron. Est-ce que je me suis montré correct avec vous ?

— Très.

— Bon. A votre tour.

— Je suppose qu'il n'y a pas moyen de vous faire dire pour qui vous travaillez.

Le Noir eut un rictus las.

— Ça a été un plaisir de faire votre connaissance, Myron.

— De même.

Ils se serrèrent la main. Myron remonta dans sa voiture et partit.

Il était presque arrivé au Merion quand son portable sonna.

— Allô ?

— Est-ce que c'est, genre, Myron ?

Une des filles du centre commercial.

— Oui, bonjour. C'est même Myron sans « genre ».

— Hein ?

— Aucune importance. Quoi de neuf ?

— Cette mocheté de naze sur qui tu as, genre, enquêté l'autre soir, tu sais ?

— Bien sûr.

— Il est là, genre.

— A quel endroit, dans le centre ?

— La galerie des restaurants. Il fait la queue pour être servi au McDonald's.

Myron effectua un demi-tour serré et appuya sur l'accélérateur.

15

Naze le Nazillon était toujours là.

Assis seul à une table dans un coin, il dévorait un burger-quelque-chose comme si cette horreur l'avait personnellement offensée. Les filles avaient dit vrai. A sa vue, le premier qualificatif qui venait à l'esprit était « laid ». Le punk essayait de se donner des airs de dur, avec barbe de trois jours à l'appui, soit quelques poils épars réunis au bout du menton, mais le manque de testostérone le reléguait dans la catégorie adolescent mal dégrossi et crado. Il était coiffé d'une casquette de baseball ornée d'une décalcomanie représentant une tête de mort sur deux tibias croisés. Il avait retroussé au maximum les manches de son T-shirt gris déchiré sur ses bras blanchâtres et maigrelets, dont l'un des deux portait une croix gammée tatouée. Et ce petit connard était déjà trop vieux pour prétendre ne rien savoir du symbole.

Le skinhead mordit encore vicieusement dans sa victime impuissante. Visiblement, il la haïssait. Les filles étaient là, qui le désignaient du doigt comme si Myron aurait pu hésiter à l'identifier. Myron se barra les lèvres de l'index dressé pour leur faire comprendre d'arrêter leur manège. Elles obéirent, compensant en se lançant dans une conversation trop bruyante et anodine, sans cesser de lui jeter des regards appuyés qui se voulaient sans doute discrets. Myron détourna la tête.

Naze le Nazillon avait terminé de régler son sort au hamburger. Il se leva, ce que Myron jugea être une excellente initiative. Comme on le lui avait dit, Naze était très maigre. Et les filles avaient raison : il n'avait pas de fesses. Rien du tout. Myron n'aurait pu dire si l'ado avait choisi la mode jean trop grand ou si c'était parce qu'il n'avait rien derrière, sans doute un peu des deux, car tous les dix pas Naze devait faire halte pour remonter son pantalon.

Myron le fila au-dehors, dans la clarté aveuglante du soleil. Il faisait fichtrement chaud, et Myron eut presque la nostalgie de la clim omniprésente dans le centre commercial. Naze marchait d'un pas (genre) dégagé dans le parking. Vers sa voiture, à tous les coups. Myron obliqua à droite et monta dans sa Ford Taurus qu'il mit en marche, prêt à suivre l'autre.

Il parcourut l'aire de stationnement au pas et repéra Naze qui avançait vers la dernière rangée de véhicules. Seules deux voitures y étaient garées. L'une était une Cadillac Séville métallisée, l'autre un pick-up avec des pneus surdimensionnés, un autocollant du drapeau sudiste à l'arrière, souligné de la phrase BAD TO THE BONE. Mettant à contribution le savoir-faire accumulé durant toutes ces années d'enquêtes, Myron paria pour le pick-up. Naze en ouvrit effectivement la portière et grimpa derrière le volant. Incroyable. Parfois les capacités de déduction de Myron frisaient la médiumnité. Il pourrait peut-être ouvrir un cabinet de voyance par téléphone.

Filer le bahut du Nazillon n'avait rien d'un exploit. Il se voyait autant dans la circulation qu'une tenue de golfeur dans un monastère, et le gringalet à tête de mort y allait léger sur l'accélérateur. Ils roulèrent ainsi pendant une demi-heure environ. Myron n'avait pas idée de leur destination, mais loin devant il reconnut le Veterans Stadium. Il s'y était rendu avec Win à plusieurs reprises pour y voir jouer les Eagles. Win avait toujours des places au niveau de la ligne de centre, dans le tiers inférieur des tribunes. Comme c'était un vieux stade, les loges « de luxe » du Vet étaient situées tout en haut, ce qui déplaisait à Win. Il préférait donc s'asseoir parmi la masse. Courageux de sa part.

A environ trois pâtés d'immeubles du stade, Naze prit une rue transversale. Il gara sa camionnette et sortit pour se mettre aussitôt à courir. Une fois de plus, Myron songea à appeler Win en renfort, mais ç'aurait été inutile. Win se trouvait au Merion. Donc son téléphone était éteint. Il se posait toujours des questions sur la nuit dernière et les accusations proférées par Esperanza ce matin. Peut-être avait-elle raison. Peut-être qu'il était au moins partiellement responsable de certains agissements violents de Win. Mais ce n'était pas le plus important, cela il le savait à présent. La vérité, celle qui effrayait Esperanza aussi, était beaucoup plus simple.

Peut-être que ça ne faisait plus ni chaud ni froid à Myron.

Vous lisez les journaux, vous regardez les infos à la télé et vous voyez ce que Myron a vu de l'humanité, et votre foi profonde en l'être humain commence à vous sembler une tare d'optimiste béat. C'est ce qui le rongeait réellement : pas les actes que Win pouvait parfois commettre, mais le fait que lui, Myron, ne s'en souciait pas plus que ça.

Win avait une vision irréelle du monde, en noir et blanc. Or, ces derniers temps, Myron s'était rendu compte que ses zones personnelles de grisaille avaient une fâcheuse tendance à s'assombrir. Il n'aimait pas cette évolution. Il n'aimait pas la transformation insidieuse qui s'imposait à lui à force de voir la cruauté dont l'homme fait preuve envers son semblable. Il essayait de s'accrocher à ses vieilles valeurs, mais la corde devenait de plus en plus glissante. Et pourquoi s'y accrocher, au fait ? Parce qu'il croyait vraiment en ces valeurs, ou parce qu'il préférait se voir ainsi ?

Il ne savait plus.

Il aurait dû prendre un flingue. Non, c'était stupide de sa part. Il ne filait qu'un jeune paumé. Bien sûr, même un jeune paumé pouvait sortir un flingue et le descendre. Mais quel choix avait-il ? Appeler la police ? Avec les éléments dont il disposait, ce serait un peu extrême. Revenir plus tard avec une arme de poing quelconque ? D'ici là, Naze aurait tout le temps de s'évanouir dans la nature. Avec Chad Coldren, peut-être.

Non, il fallait qu'il suive ce petit connard. Il lui suffirait de se montrer prudent.

Myron ne savait pas trop ce qu'il devait faire. Il arrêta la Ford au coin du pâté de maisons et en sortit. La rue était flanquée d'immeubles bas en brique qui se ressemblaient tous. A une époque, le quartier avait pu être agréable, mais aujourd'hui il évoquait plutôt un type qui a perdu son boulot et cessé de se laver. Il suintait du paysage une impression de négligence désabusée, comme un jardin que personne ne prend plus la peine d'entretenir.

Naze bifurqua dans une ruelle entre deux immeubles. Beaucoup de sacs-poubelle en plastique. Beaucoup d'escaliers d'incendie rouillés. Quatre jambes dépassaient sur le sol, derrière un réfrigérateur d'âge canonique. Myron perçut des ronflements. Au bout de la ruelle, Naze tourna à droite. Myron le suivit sans hâte. L'ado était entré par l'issue de secours dans ce qui ressemblait à un immeuble abandonné. La porte n'avait aucune clenche ou bouton, et restait entrebâillée. D'une main, Myron la tira doucement vers lui.

Dès qu'il eut franchi le seuil humide, il entendit un

cri de bête enragée. Naze. Juste en face de lui. Quelque chose filait dans les airs droit sur le visage de Myron. La rapidité de ses réflexes lui sauva la mise. Il réussit à plonger de côté assez prestement pour que la barre de fer ne le touche qu'à l'épaule. Une douleur fulgurante incendia son bras. Il roula sur le sol en ciment et se releva dans le même mouvement.

Ils étaient trois, à présent. Tous armés de démonte-pneu. Tous avec le crâne rasé et des tatouages de croix gammée. On aurait dit les suites ratées d'un très mauvais film. Naze le Nazillon était la première mouture. Le Pire Contre-Attaque – celui à sa gauche – souriait d'une joie hystérique. Celui à sa droite – Connard le Barbant – avait l'air un peu plus effrayé. Le maillon faible, sans doute.

— On change une roue ? demanda Myron aimablement.

Naze le Nazillon fit claquer le démonte-pneu dans sa paume ouverte, histoire d'impressionner.

— Je vais t'écraser la chetron.

— Oh là là, soupira Myron.

— Pourquoi tu me suivais, putain d'enculé ?

— Moi ?

— Ouais, toi. Pourquoi tu me suivais, merde ?

— Qui a dit que je te suivais ?

Naze connut un instant d'incertitude. Puis :

— Tu me prends pour un con ou quoi ?

— Non, je pense que tu es M. Mensa.

— Monsieur quoi ?

Connard le Barbant intervint avec beaucoup de finesse :

— Il se paie ta gueule, mec.

— Ouais, renchérit Pire. Y se paie ta gueule.

Les yeux chassieux de Naze se firent mauvais.

— Ah ouais ? C'est ce que tu fais, enculé ? Tu te paies

ma gueule, hein ? C'est ça que tu fais ? Tu te paies ma gueule ?

Myron le regarda au fond des yeux.

— On pourrait peut-être passer à la réplique suivante du texte, non ?

— Ouais, fit Connard, on n'a qu'à se payer sa gueule à lui, juste un peu. Lui botter le cul.

Myron savait que ces trois-là n'étaient sans doute pas des combattants très expérimentés, mais il savait aussi que trois adversaires armés ont très souvent raison d'un seul homme bien entraîné. Et puis ils étaient un peu trop nerveux, avec les yeux aussi clairs que ceux d'un poisson plus très frais. Ils n'arrêtaient pas de renifler et de se frotter le nez.

Défoncés à la coke. Les sinus et ce qui restait de cerveau derrière cramés.

La meilleure chance de Myron consistait à les dérouter et à frapper à l'improviste. C'était risqué. Il fallait les mettre hors d'eux, et ruiner le peu d'équilibre qu'ils avaient encore. Mais en même temps il fallait contrôler cet équilibre, pour savoir quand lâcher un peu de lest. Exercice ô combien délicat qui exigeait nul autre que Myron Bolitar, le roi des fildeféristes, dans une démonstration époustouflante loin au-dessus de la foule, et sans filet s'il vous plaît.

Une fois encore, Naze posa sa question fétiche :

— Pourquoi tu me suivais, putain d'enculé ?

— Et si j'étais irrésistiblement attiré par toi ? proposa Myron. Même si tu n'as pas de cul.

Connard se mit à caqueter.

— Oh mec, allez, on se paie sa gueule. On lui défonce grave sa tronche, allez.

Myron essaya de leur balancer le regard du gros dur. Quand il prenait cet air, certains pensaient qu'il souffrait de constipation instantanée, mais il estimait s'améliorer avec le temps. La pratique, il n'y a que ça de vrai.

— Je ne ferais pas ça, si j'étais vous.

— Ah non ? couina Naze. Donne-moi juste une bonne raison pour qu'on t'explose pas. Donne-moi une seule raison pour que je te pète pas tous tes putains d'os avec ça.

Il brandit le démonte-pneu. Au cas où Myron n'aurait pas tout compris du message.

— Vous avez demandé tout à l'heure si je vous prenais pour des cons, dit Myron.

— Ouais, et alors ?

— Alors tu me prends pour un con aussi ? Tu penses que quelqu'un qui voudrait t'exploser serait assez con pour te suivre jusqu'ici, en sachant pertinemment ce qui va se passer ?

La tirade les laissa indécis.

— Je t'ai suivi, continua Myron, pour te tester.

— Qu'est-ce que c'est que ces conneries ?

— Je bosse pour certaines personnes. Inutile de mentionner leur identité.

« Surtout parce que je ne sais pas de qui je parle et que j'invente au fur et à mesure », songea-t-il.

— Disons simplement que ces personnes font des affaires dans un domaine que vous fréquentez, les gars.

— Qu'on fréquente, nous ?

Reniflements et frottements de nez.

— Que vous fréquentez, oui, répéta Myron. Comme avoir des relations suivies, des accointances, ou côtoyer. Fréquenter.

— Hein ?

Seigneur…

— Mon employeur a besoin de quelqu'un pour s'occuper d'un certain territoire. Quelqu'un de nouveau. Quelqu'un qui prendra dix pour cent sur les ventes et se saupoudrera les narines autant qu'il voudra.

Trois paires d'yeux écarquillés étaient fixées sur lui.

Connard regarda Naze.

— T'entends ça, mec ?
— Ouais, j'ai entendu.
— Merde, on touche pas de pourcentage avec Eddie, poursuivit Pire. Cet enculé joue trop petit.
Avec son démonte-pneu, il désigna Myron.
— Ce gonze, mec, mate-le un peu, il est vieux. Il doit bosser pour quelqu'un qu'a du répondant.
— C'est forcé, ajouta Pire.
Naze le Nazillon hésitait. La suspicion étrécit ses yeux.
— Comment t'as su, pour nous ?
Myron adopta un ton détaché pour répondre.
— Les nouvelles vont vite.
C'était vraiment sans filet…
— Alors comme ça tu m'as suivi seulement pour ton putain de test, hein ?
— Exact.
— Tu t'es pointé au centre commercial, et t'as décidé de me suivre ?
— Quelque chose comme ça.
— Quelque chose comme ça, ah ouais…
Naze sourit. Il regarda Connard, puis Pire. Sa main se crispa sur le démonte-pneu. Oh-oh…
— Alors comment ça se fait que t'as posé des questions sur moi hier soir, hein ? Comment ça se fait que t'as voulu te rencarder sur un coup de fil que j'ai passé ?
Aïe.
Naze avança d'un pas, les yeux brillants.
Myron leva une main.
— La réponse est simple, affirma-t-il.
Le trio de crânes rasés hésita. Myron saisit sa chance. Son pied se leva et s'abattit comme un piston sur le genou de Pire, qui ne s'y attendait visiblement pas. Pire s'écroula sur le ciment. Myron se mit à courir.
— Faut choper cet enculé !
Ils s'élancèrent à sa poursuite, mais Myron repoussait déjà la porte de secours d'un coup d'épaule. En lui, le

côté « macho-qui-veut-se-prouver-sa-valeur », comme l'avait dit son ami devant Court Manor Inn, avait bien envie d'essayer de se les payer tous les trois, mais la petite voix de la sagesse lui rappela que ce serait très imprudent. Ils étaient armés. Pas lui.

Quand il arriva au bout de la ruelle, il n'avait plus que dix mètres d'avance. Aurait-il assez de temps pour se ruer derrière le volant et démarrer ? Il n'avait pas d'autre choix que d'essayer pour le savoir.

Il saisit la poignée et ouvrit vivement la portière. Il se glissait à l'intérieur quand un démonte-pneu percuta son épaule. *Très* douloureux. Il s'affala sur le siège, se contorsionna et attrapa la poignée interne de la portière pour la fermer. Quelqu'un l'avait saisie et résistait. Il se jeta en arrière pour tirer plus fort.

La vitre explosa.

Les éclats de verre cascadèrent sur son visage. Il frappa du talon à travers la portière sans vitre et toucha un crâne rasé. On lâcha sa portière. Il avait déjà sorti sa clef et mettait le contact quand l'autre vitre avant explosa. Naze engouffra la moitié de son buste à travers l'ouverture. Ses yeux étincelaient de fureur.

— Fils de pute, on va te crever !

Le démonte-pneu sifflait en direction de sa tête une fois de plus. Derrière lui, un coup violent l'atteignit juste sous la nuque. Myron enclencha la marche arrière et démarra à reculons en faisant crisser les pneus. Naze essayait de basculer à l'intérieur de la Ford. Myron lui éclata le nez d'un coup de coude. Naze retomba sur l'asphalte où il roula avant de se relever comme s'il était monté sur ressorts. C'est le problème quand on affronte des types défoncés à la coke. Leur cerveau met du temps à enregistrer la douleur.

Les trois nazillons se précipitaient vers le pick-up, mais Myron avait pris trop d'avance. La bataille était terminée. Pour le moment.

16

Myron transmit le numéro d'immatriculation du pick-up, mais cela ne donna rien. Il avait été annulé quatre ans plus tôt. Naze avait dû récupérer les plaques dans une casse. Rien que de très commun. Même les branleurs de son acabit étaient assez malins pour ne pas utiliser leur véritable immatriculation lorsqu'ils risquaient de commettre un délit.

Il décrivit un cercle et revint fouiller l'intérieur de l'immeuble. Des seringues usagées, des fioles brisées et des sacs vides de Doritos jonchaient le sol en ciment. Myron eut une moue écœurée. C'était déjà moche d'être un dealer. Mais un type qui en plus balançait tous ses détritus par terre ?

Il fouina un peu plus. Le bâtiment était abandonné, et à moitié ravagé par un incendie. Personne à l'intérieur. Et aucun indice.

D'accord, alors qu'est-ce que tout cela signifiait ? Ces trois camés étaient-ils les kidnappeurs ? Myron avait du mal à l'imaginer. Ce genre de tarés cambriolent les maisons, agressent les gens dans les rues sombres, et aiment castagner autrui avec des démonte-pneus. Mais ces petits connards défoncés n'avaient pas assez de neurones pour planifier un enlèvement élaboré.

D'un autre côté, quel degré de sophistication fallait-il accorder à ce kidnapping ? Lors de ses deux premiers appels, le ravisseur n'avait même pas su fixer la rançon. Ce n'était pas un peu bizarre, ça ? Finalement, est-ce que tout ça ne pouvait pas être l'œuvre de trois crânes rasés fumés qui voulaient jouer en division supérieure ?

Myron reprit sa voiture et mit le cap sur la maison de Win. Win possédait toute une collection de véhicules. Il pourrait en trouver une qui n'ait pas les vitres explosées. Les dommages physiques subis par Myron semblaient sans gravité. Une ou deux ecchymoses, mais rien de cassé. Aucun des coups n'avait pleinement porté, sauf ceux assenés sur cette bonne vieille Ford.

Il passa en revue plusieurs hypothèses et finit par arrêter un scénario à peu près cohérent. Disons que, pour une raison encore floue, Chad Coldren avait décidé de passer à Court Manor Inn. Peut-être pour se payer un peu de bon temps avec une fille, ou pour acheter de la drogue. A moins que ce ne fût pour l'attrait du service réservé à la clientèle. N'importe. Comme le prouvait l'enregistrement de la caméra, Chad avait retiré un peu d'argent à un distributeur tout proche. Ensuite il avait loué une chambre pour la nuit. Ou une heure.

Une fois à Court Manor Inn, quelque chose avait déraillé. En dépit des dénégations outragées de Stu Lipwitz, Court Manor était un établissement pour le moins louche géré par des gens assurément louches. Peut-être que Chad avait voulu acheter de quoi se défoncer à Naze le Nazillon. Peut-être avait-il été témoin d'un crime. Ou peut-être que le gamin avait un peu trop parlé, et que des individus peu recommandables avaient compris qu'il avait du liquide sur lui. Quoi qu'il en soit, les orbites de vie de Chad Coldren et du trio de crânes rasés s'étaient croisées. Résultat : un kidnapping.

Grosso modo, ça collait.

Le mot clef étant : *grosso modo*.

En chemin pour le Merion, Myron se mit à dégonfler la baudruche de ce scénario avec quelques détails bien pointus. D'abord, le timing. Dans un premier temps, Myron avait eu la conviction que l'enlèvement était lié au retour de Jack dans l'U.S. Open. Mais dans l'hypothèse d'une implication des trois nazillons, cette question devenait une simple coïncidence. Bon, Myron pourrait s'en satisfaire quand même. Mais alors comment, par exemple, Naze avait-il su – depuis le centre commercial – qu'Esme Fong se trouvait au domicile des Coldren ? Dans ce schéma, quelle place octroyer au type qui était descendu de la fenêtre de la chambre de Chad et avait disparu dans Green Acres Road – un inconnu qui pour Myron ne pouvait avoir comme nom que Matthew Squires ou Chad Coldren ? L'intouchable Matthew Squires était-il de mèche avec les trois zombies à croix gammée ? La disparition du monte-en-l'air dans Green Acres Road relevait-elle d'une autre coïncidence ?

Le ballon de son scénario s'aplatissait à grande vitesse.

Quand Myron arriva au Merion, Jack Coldren en était au quatorze. Son partenaire du jour n'était autre que Tad Crispin. Rien d'étonnant à cela. Il était de coutume que le premier et le deuxième au classement terminent la journée.

Jack jouait toujours bien, quoique sans rien de spectaculaire. Il n'avait perdu qu'un coup sur son avance, et restait à huit devant Tad Crispin, soit une marge confortable. Myron se dirigea vers le quatorze du green. Green. Vert. Tout ici était insupportablement vert. L'herbe et les arbres, naturellement, mais aussi les tentes, les tableaux d'affichage, les multiples tours de télévision et les échafaudages, tout était d'un vert luxuriant afin de se fondre dans le décor environnant. A l'exception, bien entendu, des panneaux des annonceurs qui attiraient le regard avec la subtilité d'une enseigne géante d'hôtel à Las

Vegas. Mais quoi, les sponsors payaient le salaire de Myron. Il aurait fallu être quelque peu hypocrite pour critiquer.

— Myron, ma loute, ramène donc ton petit cul par ici.

Norm Zuckerman lui faisait signe de le rejoindre. A côté de lui se tenait Esme Fong.

— Allez, par ici, insista-t-il.

— Salut, Norm, dit Myron. Bonjour, Esme.

— Bonjour, Myron.

Elle avait opté pour une mise un peu moins stricte aujourd'hui, mais elle tenait toujours son attaché-case comme si c'était sa peluche préférée.

Norm encercla d'un bras les épaules encore douloureuses de Myron.

— Myron, dis-moi la vérité. Toute la vérité, hein ? Je veux la vérité, d'accord ?

— La vérité, c'est ça ?

— Très drôle. Dis-moi juste une chose, rien qu'une petite chose. Est-ce que je suis quelqu'un de correct ? Allez, la vérité. Est-ce que je suis quelqu'un de correct ?

— Correct, dit Myron.

— Très correct, même, non ? Je suis quelqu'un de très correct.

— Exagère pas, Norm.

Zuckerman leva les deux mains paumes ouvertes.

— D'accord, on fait comme ça. Je suis correct. Ça me va, j'achète.

Il se tourna vers Esme Fong.

— Gardez bien à l'esprit que Myron est mon adversaire. Mon pire ennemi. Nous sommes toujours dans les camps opposés. Et pourtant il est prêt à admettre que je suis quelqu'un de correct. Nous sommes bien d'accord sur ce point ?

Esme leva les yeux au ciel.

— Oui, Norm, mais vous prêchez une convertie. Je

vous ai déjà dit que j'étais d'accord avec vous sur ce point…

— Ooh, dit Zuckerman comme s'il bridait les ardeurs d'un cheval trop fougueux. Ne quittez pas, parce que je veux l'opinion de Myron aussi. Myron, voilà le marché. J'ai acheté un sac de golf. Un seul. Pour faire un test. Test qui me coûte quand même quinze mille billets par an.

Norman Zuckerman avait donc acheté les droits pour apposer le logo Zoom sur un sac de golf. La plupart des sacs étaient achetés par les gros équipementiers de golf. Mais de plus en plus fréquemment d'autres entreprises qui n'avaient aucun rapport avec ce sport payaient pour avoir le droit d'être représentées sur les sacs de golf. Entreprises de restauration rapide, de literie, et même les huiles Pennzoil. Pennzoil. Comme si quelqu'un allait se rendre à un tournoi de golf, apercevoir le logo Pennzoil, et courir en acheter un bidon.

— Et alors ?

— Alors, regarde ça ! s'exclama Norm en pointant un doigt accusateur sur un caddie. Je veux dire, regarde !

— Bon, je regarde.

— Dis-moi, Myron, est-ce que tu aperçois le logo Zoom ?

Le caddie portait le sac de golf. Comme sur chaque sac de golf, des serviettes étaient posées sur sa partie supérieure, afin de nettoyer les clubs.

Norm Zuckerman prit le ton d'un instituteur de primaire :

— Tu peux répondre oralement, Myron, en articulant la syllabe « non ». Ou bien, si c'est trop demander à ton vocabulaire limité, tu peux simplement faire pivoter ta tête de droite à gauche et retour, comme ça.

Il en fit la démonstration.

— Il est sous la serviette, dit Myron.

Norm mit la main ouverte derrière son oreille, en un geste théâtral.

— Pardon ?

— Le logo est sous la serviette.

— Evidemment qu'il est sous la serviette ! rugit Norm.

Des spectateurs se retournèrent pour fusiller du regard cet énergumène barbu aux cheveux trop longs.

— Et qu'est-ce que ça me donne, à moi, hein ? Quand je tourne une pub pour la télé, qu'est-ce que ça me donne s'ils foutent une serviette devant l'objectif ? Alors que je paie tous ces connards des millions de dollars pour qu'ils portent mes chaussures, qu'est-ce que ça me donne s'ils enveloppent leurs pieds dans des serviettes ? Si chaque panneau publicitaire que je loue était recouvert d'une grande serviette…

— J'ai pigé le principe, Norm.

— Très bien. Je ne débourse pas quinze mille billets pour qu'un abruti de caddie cache mon logo. Alors je vais voir l'abruti de caddie et je lui demande très gentiment de retirer la serviette de sur mon logo, et ce trou-du-cul me lance un de ces regards qui tuent. Tu sais, ce regard, Myron. Comme si j'étais une tache brune qu'il n'arrive pas à décoller de la cuvette de ses chiottes. Ou un petit juif du ghetto qui va s'écraser devant la morgue de ce connard de goy.

Myron coula un regard à Esme. Elle lui renvoya un petit sourire gêné.

— C'est chouette de discuter avec toi, Norm.

— Quoi ? Tu ne penses pas que j'ai raison ?

— Je comprends ton point de vue.

— Donc, admettons que je sois ton client. Tu ferais quoi, toi ?

— Je ferais en sorte que le caddie laisse toujours le logo bien visible.

— *Exactamundo.*

Il resserra son bras sur les épaules de Myron, pencha la tête et ajouta d'un ton de conspirateur :

— Alors c'est quoi cette histoire entre toi et le golf, Myron ?

— Que veux-tu dire ?

— Tu ne joues même pas au golf. Tu ne représentes aucun golfeur. Et voilà-t-y pas que, tout à coup, je te vois de mes propres yeux qui t'abats sur Tad Crispin comme la vérole sur le bas clergé. Et maintenant j'apprends que tu tournes autour des Coldren ?

— Qui t'a dit ça ?

— J'ai des sources innombrables, et très, très bien informées. La CIA, à côté, c'est de la pisse de chat. Alors c'est quoi cette entourloupe ? Pourquoi cet intérêt soudain pour le golf ?

— Je suis agent sportif, Norm. Mon boulot consiste à représenter des sportifs. Les golfeurs sont des sportifs. Dans leur genre.

Il avait failli dire seulement « genre », mais il s'était corrigé à temps.

— D'accord, mais qu'est-ce que tu traficotes avec les Coldren, hein ?

— Ce qui veut dire ?

— Ecoute, Jack et Linda sont des gens bien. Ils ont des relations, si tu me comprends.

— Justement, non, je ne comprends pas.

— C'est LBA qui représente Linda Coldren. Et personne ne quitte LBA. Tu le sais. Ils sont trop gros. Jack, bon, il n'a rien fait depuis si longtemps qu'il ne s'est même pas soucié de se trouver un agent. Alors ce que j'essaie de comprendre, c'est pourquoi les Coldren sont subitement autant à la colle avec toi.

— Pourquoi veux-tu comprendre ça ?

Norm plaqua une main sur sa poitrine.

— Pourquoi ?

— Oui. En quoi ça te concerne ?

— Pourquoi ? répéta Norm, l'air de plus en plus incrédule. Je vais te dire pourquoi. A cause de toi, Myron. Je t'aime, tu sais ça. Nous sommes frères. De la même tribu. Je ne veux que ce qu'il y a de mieux pour toi. Le Tout-Puissant m'en soit témoin, je le pense. Si jamais tu as besoin d'une recommandation, je te l'obtiendrai, tu le sais.

Myron n'en était pas convaincu du tout.

— Hmm. Alors où est le problème ?

Cette fois Norm leva les deux mains, un désarroi infini au fond des yeux.

— Qui a dit qu'il y avait un problème ? Est-ce que j'ai dit qu'il y avait un problème ? Est-ce que j'ai seulement prononcé le mot « problème » ? Je suis curieux, c'est tout. C'est dans ma nature. Je suis un gars curieux. Une sorte de commère des temps modernes, je reconnais. Alors je pose beaucoup de questions. Je fourre mon nez là où il ne devrait pas être. Ça fait partie de ma personnalité.

— Hmm, dit Myron, pour changer.

Il jeta un coup d'œil en direction d'Esme Fong, qui s'était écartée subrepticement pour ne pas entendre la suite. Elle lui adressa une mimique résignée. Travailler pour Norm Zuckerman nécessitait certainement une bonne dose de résignation. Mais tout cela faisait partie de la technique de Norm, c'était sa propre version du duo bon flic/mauvais flic. Il la jouait fantasque, déroutant, voire complètement irrationnel, tandis que son assistante – toujours jeune, intelligente et jolie – représentait l'influence apaisante vers laquelle vous vous tourniez comme on nage vers la bouée après le naufrage.

Norm donna un coup de coude à Myron et eut un petit mouvement de menton pour désigner Esme.

— C'est un canon, hein ? Surtout pour une nana qui sort de Yale. Tu as déjà vu les filles qui sont admises là-bas ? Pas étonnant qu'on les surnomme les bulldogs.

— Tu es vraiment un progressiste, Norm.

— Ah, j'emmerde les progressistes. Je suis de la

vieille école, Myron. J'ai le droit d'être insensible. Chez un type de mon âge, l'insensibilité est sémillante. Un grincheux sémillant, c'est comme ça qu'on dit. A propos, je crois qu'Esme n'est qu'à moitié.

— A moitié quoi ?

— Chinoise. Ou japonaise. Enfin bridée, quoi. Je crois qu'elle est à moitié blanche. A ton avis ?

— Au revoir, Norm.

— D'accord, comme tu voudras. Je m'en balance. Alors, dis-moi, Myron, comment as-tu fait pour agrafer les Coldren ? C'est Win qui t'a présenté ?

— Au revoir, Norm.

Myron marcha un peu, fit halte pour observer un golfeur effectuer un swing superbe. Il essaya de suivre la trajectoire de la balle. Inutile. Elle disparut presque immédiatement à ses yeux. Il n'aurait pas dû en être spécialement étonné. Ce n'est après tout qu'une petite sphère filant à plus de cent soixante kilomètres/heure à plusieurs centaines de mètres. A ce détail près que Myron était apparemment la seule personne présente incapable de réussir cette prouesse visuelle digne d'un faucon. Les golfeurs… Pour la plupart, ils ne peuvent pas lire un panneau signalant une sortie d'autoroute, mais ils arriveraient à suivre le trajet d'une balle de golf à travers plusieurs systèmes solaires.

Pas de doute. Le golf est un sport bizarre.

Le parcours grouillait de fans silencieux, même si *fans* ne semblait pas être le terme adéquat pour Myron. *Dévots* était bien plus proche de la réalité. Il régnait une atmosphère constamment éthérée sur un terrain de golf, un respect général fait de murmures révérencieux et de regards écarquillés. Chaque fois qu'une balle était frappée, la réaction du public tenait de l'orgasme discret. Les gens s'extasiaient et encourageaient à voix basse la baballe avec l'ardeur de participants du *Juste Prix* : Vas-y ! Oui, c'est ça ! Presque ! Encore un peu ! Stop !

Ils se lamentaient sur un hook facile comme tout, une balle à gauche, un putt minuscule, le green trop lisse ou pas assez glissant, et quand la balle sortait du fairway, allait sur la bordure, en bonne ou en mauvaise position. Ils admiraient le golfeur qui réussissait à se dépêtrer de tout ça, ou qui envoyait direct la balle dans le trou, et ils jetaient des regards choqués à quiconque suggérait qu'un certain coup faisait d'un golfeur « le joueur du jour ». Ils accusaient celui qui, d'un putt, n'atteignait pas le trou de frapper la balle « avec ton sac à main, Alice ». Les joueurs effectuaient sans cesse des coups qui étaient « injouables ».

Myron secoua la tête. Tous les sports ont leur jargon propre, mais parler le golfien était aussi aisé que de faire un jeu de mots en swahili. Un peu comme si des gens de la haute cherchaient à décrypter les paroles d'un rap.

Mais par un jour tel que celui-ci, avec ce soleil en majesté dans un ciel d'un bleu immaculé et l'air d'été qui embaumait comme la chevelure de votre bien-aimée, Myron se sentait plus proche du Saint-Graal des golfeurs. Il pouvait imaginer le parcours vidé de tous ses spectateurs, la paix et la tranquillité des lieux, cette même aura qui attirait les moines bouddhistes dans des retraites au sommet des montagnes, l'herbe drue et soigneusement taillée, si belle et verte que Dieu Lui-même aurait eu envie d'y courir pieds nus. Cela ne signifiait nullement que Myron était entré dans le cercle des aficionados de la petite balle – il restait un non-croyant très fervent – mais, pendant un bref moment, il fut au moins capable d'imaginer ce qui, dans ce sport, captivait et absorbait tant de gens.

Jack Coldren était proche du quatorze, et il préparait un putt à cinq mètres. Diane Hoffman alla ôter le drapeau de trou. Comme son nom l'indique, sur presque tous les greens du monde c'est un petit mât terminé par un fanion. Mais pas au Merion. Ici le drapeau de trou ne méritait pas vraiment son nom, car il ne portait pas de fanion mais un petit panier en osier. Personne ne semblait connaître la raison de cette singularité. Win proposait une histoire sur les anciens Ecossais qui auraient eu l'habitude de trimballer leur repas dans des paniers fichés au bout de bâtons, ce qui aurait fini par donner les drapeaux de trou, mais Myron détectait plus le goût prononcé pour la coutume chez Win qu'un fait avéré. Aujourd'hui, évidemment, l'important était l'attachement à ces paniers d'osier chez les membres du Merion. Le monde des golfeurs…

Myron fit de son mieux pour se rapprocher insensiblement de Jack Coldren, lequel semblait chercher à retrouver « l'œil du tigre » cher à Win. En dépit de ses protestations, Myron comprenait très bien le message que son ami avait essayé de faire passer la nuit dernière, ces impondérables qui différenciaient le talent brut du savoir-faire sur le green. Le désir. L'implication. La persévérance. Win parlait de ces choses comme si elles représentaient des attributs du mal absolu. Mais elles ne l'étaient pas. Elles étaient même tout le contraire. Mieux que n'importe qui d'autre, il aurait dû le savoir. Pour paraphraser en la malmenant sans vergogne une citation politique célèbre : L'extrémisme visant une forme d'excellence n'est pas un vice.

L'expression de Jack Coldren était douce, paisible et distante. Seule explication à cette attitude : la zone blanche. Jack avait réussi à se frayer un chemin jusqu'à la zone de la superficialité, cet endroit tranquille dans lequel n'avaient droit de cité aucune foule, aucun jour de paie, aucun parcours célèbre, aucun trou à venir, aucune tension des genoux ployés, aucun adversaire hostile, aucune épouse ayant réussi ni aucun fils kidnappé. La zone blanche de Jack était un endroit limité, où n'existaient que son club, une petite balle alvéolée, et un trou.

Le reste de l'univers s'effaçait pour lui comme une séquence de rêve dans un film.

Et c'était là Jack Coldren réduit à son expression la plus pure, Myron le savait. Ce gars-là était avant tout un golfeur. Une entité qui plus que tout voulait gagner. Qui en avait besoin. Myron pouvait comprendre cela. Il avait connu cet état – sa zone blanche personnelle se réduisant à un gros ballon orange et un cerceau métallique – et une partie de lui-même resterait à jamais coincée dans cette zone. C'était un endroit agréable à occuper. Par bien des aspects, le meilleur endroit où se trouver. Win avait tort. Gagner n'était pas un but vain. C'était un but empreint de noblesse. Jack avait réussi des coups mémorables. Il s'était pleinement investi, et il s'était bien battu. Il avait perdu, et il en avait souffert. Et pourtant il était toujours là, tête haute, sur le chemin du rachat. Combien de gens connaissent cette opportunité ? Combien de gens arrachent au destin la chance de se sentir aussi vivants, d'être mis en exergue d'une telle façon, même un instant, de voir leurs rêves démultipliés par une passion intérieure aussi insatiable ?

Jack Coldren putta. Myron se surprit à suivre des yeux le parcours lent de la balle vers le trou, et à s'abandonner à cette excitation par procuration qui aimantait si violemment les spectateurs vers les sports. Il retint son souffle et eut l'impression qu'une larme s'accumulait dans ses yeux quand la balle atteignit le trou. Un birdie. Diane Hoffman ferma la main en un poing et l'agita de bas en haut en signe de victoire. Jack avait repris six coups d'avance.

Jack releva la tête et contempla le public qui applaudissait. Il remercia la foule d'un doigt porté à la visière de sa casquette, mais en fait il ne voyait rien. Il était toujours dans la zone blanche. Il luttait pour y rester. Une seconde, son regard captura celui de Myron. Celui-ci le salua d'un simple hochement de tête, mesuré, pour ne pas le tirer hors de cet état de grâce. « Reste dans la zone blanche », pensa Myron. C'est là qu'un homme pouvait gagner un tournoi. C'est là aussi qu'un fils ne sabotait pas sciemment l'accomplissement d'un rêve paternel vieux de plus de vingt ans.

Myron passa devant une série de toilettes portatives – offertes par une entreprise judicieusement nommée Royal Flush – et se dirigea vers l'allée des contributeurs. Les tournois de golf présentent une hiérarchie sans équivalent en ce qui concerne les détenteurs de tickets. C'est vrai : dans la plupart des compétitions sportives, on trouve ce système gradué d'accès. Certains ont droit à des places mieux situées, visiblement, alors que d'autres peuvent occuper les loges privées ou même les sièges en bord de terrain. Mais dans ce dernier cas, vous donnez votre ticket à un placier et vous allez vous asseoir une bonne fois pour toutes. Au golf, il vous faut exhiber continuellement votre accréditation. Les spectateurs sans passe-droit (en gros, la plèbe) portent en général un autocollant sur leur chemise, qui n'est pas sans rappeler certaines lettres écarlates en vigueur au Moyen Age. D'autres ont droit à une carte plastifiée pendant au bout d'un collier. Les sponsors (la seigneurie locale) exhibent des cartes rouges, argent ou or, selon leur contribution au tournoi. Il existe également différentes catégories de passes pour les parents des joueurs, les amis et les membres du Merion, les cadres du club, et même les agents sportifs. Ainsi, il vous faut une carte colorée pour être accepté dans l'allée des contributeurs. Et une carte dorée si vous voulez entrer dans une de ces tentes « réservées » – celles qui sont stratégiquement plantées sur les élévations de terrain, comme le PC des généraux pendant la bataille, dans les films historiques.

L'allée des contributeurs se réduisait en fait à une rangée de tentes, chacune sponsorisée par une entreprise à rayonnement plus ou moins planétaire. L'excuse théorique qui expliquait de verser au moins cent mille dollars pour ce genre de stand pendant quatre jours était d'impressionner les clients potentiels et de se faire voir. En réalité, ces tentes permettaient surtout aux grands pontes des sociétés concernées d'assister gratuitement au tournoi. Certes, quelques clients de première importance étaient également invités, mais Myron remarqua aussi que beaucoup de cadres supérieurs des groupes annonceurs se débrouillaient pour se montrer. Et la centaine de milliers de dollars dépensée pour la location de l'emplacement n'était qu'un commencement. Elle n'incluait pas la restauration, les boissons, les serveurs – sans parler des billets d'avion en première classe offerts, ainsi que la suite dans les hôtels de luxe, etc., pour les pontes et leurs invités.

Ici, la caisse enregistreuse n'arrêtait pas de cliqueter joyeusement.

Myron donna son nom à l'accorte jeune femme qui gardait l'entrée de la tente du groupe Lock-Horne. Win n'était pas encore arrivé, mais Esperanza était assise à une table, dans un coin.

— Vous avez une mine de déterré, dit-elle en guise de bienvenue.

— C'est bien possible. Au moins j'ai le moral en accord avec mon apparence.

— Que s'est-il donc passé ?

— Trois junkies fanas de croix gammées et de démonte-pneus me sont tombés dessus.

Elle prit l'air étonné.

— Seulement trois ?

Elle eut bien du mal à ne pas rire quand il lui narra ses dernières aventures au pays des nazillons camés. Quand il eut terminé son récit, Esperanza décréta :

— Désespérant, j'avais raison. Vous êtes désespérant.

— Séchez donc ces larmes de compassion. Je m'en remettrai.

— J'ai retrouvé la trace de la femme de Lloyd Rennart. C'est une sorte d'artiste, qui vit sur une plage du Jersey.

— Rien de neuf sur le corps de Lloyd Rennart ?

— Non. J'ai consulté les banques de données et les sites spécialisés sur le Web. Aucun certificat de décès n'a été délivré à son nom.

— C'est une blague ? fit Myron.

— Pas du tout. Mais il se peut que le document n'ait pas encore été enregistré sur le Web. Les services officiels sont fermés jusqu'à lundi. Et même si aucun acte de décès n'a été émis, cela ne veut peut-être rien dire.

— Pourquoi ?

— Une mort potentielle doit être déclarée depuis un certain temps avant que la personne puisse être officiellement déclarée décédée, expliqua Esperanza. Je ne sais pas… Cinq ans, quelque chose comme ça. Mais ce qui arrive souvent, c'est que le plus proche parent remplit tous les papiers pour être en mesure de réclamer le montant de l'assurance-vie et les avoirs de la personne portée disparue. Mais n'oublions pas que Lloyd Rennart s'est suicidé.

— Donc : pas d'assurance, dit Myron.

— Exact. Et si l'on part de l'hypothèse que Rennart et sa femme possédaient tout en commun, alors elle n'aurait aucune raison de chercher à accélérer la manœuvre.

C'était logique, en effet. Il restait pourtant un détail qui le chagrinait.

— Vous voulez boire quelque chose ? demanda-t-il.

— Non, merci.

— Bon, je reviens.

Il alla se chercher un Yoo-Hoo. Win avait fait en sorte que la tente Lock-Horne en soit pourvue. Ça, c'était un ami. Suspendu dans un coin, un écran affichait les scores en temps réel. Jack venait de terminer le trou quinze. Lui et Crispin avaient toujours le même écart. A moins de s'écrouler complètement, Jack aurait une avance considérable pour le dernier tour, demain.

Quand Myron se fut de nouveau assis à la même table qu'elle, Esperanza déclara :

— Je voudrais vous parler de quelque chose.

— Allez-y.

— C'est à propos de mon diplôme de droit.

— Je vous écoute, fit-il lentement.

— Vous évitez le sujet depuis un bout de temps.

— Qu'est-ce que vous racontez ? C'est moi qui vous ai poussée à suivre ces cours, vous vous souvenez ?

— Ce n'est pas ce que je veux dire, fit-elle en ramassant un emballage de paille et en commençant à jouer avec. Je parle de ce qui se passera après que j'aurai obtenu mon diplôme. Je vais être avocate diplômée. Alors je pense que ma place dans la société devrait évoluer.

— D'accord, dit Myron.

— En premier lieu, j'aimerais avoir mon bureau.

— Nous manquons d'espace.

— La salle de conférences est trop grande, répliqua-t-elle. On pourrait la réduire de quelques mètres carrés, comme d'ailleurs la salle d'attente. Ce ne serait pas un bureau immense, mais ça suffirait.

Au ralenti, Myron opina du chef.

— Nous pouvons l'envisager.

— C'est important pour moi, Myron.

— Bon, alors disons que ça m'a l'air possible.

— Deuxièmement, je ne veux pas d'augmentation.

— Vous *ne* voulez *pas* ?

— Vous avez bien entendu.

— Votre technique de négociation sort un peu de l'ordinaire, Esperanza, mais vous m'avez convaincu. J'aimerais vous donner une rallonge, mais d'accord, vous ne recevrez pas un sou de plus. La mort dans l'âme, j'accepte vos conditions.

— Vous recommencez ?

— Recommencer quoi ?

— Vous prenez mes propos pour de la plaisanterie, alors que je suis très sérieuse. Vous n'aimez pas le changement, Myron, je le sais. C'est pourquoi vous viviez encore chez vos parents il y a seulement quelques mois. C'est pourquoi vous continuez à tourner autour de Jessica, alors que vous auriez dû l'oublier il y a des années.

— Faites-moi une fleur, dit-il avec lassitude. Epargnez-moi l'analyse de psychologue amateur, d'accord ?

— Je ne fais qu'énumérer les faits. Vous n'aimez pas le changement.

— Qui veut du changement ? Et j'aime Jessica. Vous le savez.

— Très bien, vous l'aimez, dit Esperanza d'un ton dédaigneux. Vous avez raison, je n'aurais pas dû aborder le sujet.

— Très bien. C'est fini ?

— Non.

Esperanza cessa de tripoter l'emballage de la paille. Elle croisa les jambes et posa les mains sur ses cuisses.

— Ce n'est pas facile à dire pour moi, fit-elle.

— Vous préférez peut-être qu'on en reparle à un autre moment ?

Elle roula des yeux.

— Non, je ne préfère pas qu'on en reparle un autre jour. Je veux que vous m'écoutiez. Maintenant. Et que vous m'écoutiez vraiment.

Myron se pencha un peu en avant, sans rien dire.

— La raison pour laquelle je ne veux pas d'augmentation, c'est que je ne veux pas travailler pour quelqu'un. Mon père a passé toute sa vie à faire des boulots subalternes pour tout un tas de connards. Ma mère a gaspillé la sienne à nettoyer la baraque d'autres familles.

Esperanza marqua une pause, reprit son souffle.

— Je ne veux pas faire la même chose. Je ne veux pas passer ma vie au service de n'importe qui d'autre.

— Moi y compris ?

— J'ai dit *n'importe qui* d'autre, non ?

Myron ouvrit aussitôt la bouche pour répliquer, puis la referma, et dit après un temps :

— Alors je ne vois pas où vous voulez en venir avec tout ça.

— Je veux être associée, dit-elle.

Il grimaça.

— Dans MB Sports ?

— Non, dans le conseil de surveillance d'IBM. Evidemment, dans MB !

— Mais le nom est MB Sports, remarqua Myron. M pour Myron, B pour Bolitar. Or vous vous appelez Esperanza Diaz. Je ne peux pas transformer le nom en MBED. Ça ressemblerait à quoi ?

Elle se contenta de le regarder fixement.

— Vous recommencez votre petit jeu. Je m'efforce d'avoir une conversation sérieuse avec vous, je vous signale.

— Maintenant ? Vous choisissez de le faire maintenant, alors que je viens tout juste de manquer de me faire défoncer le crâne à coups de démonte-pneu…

— Sur une épaule, corrigea-t-elle.

— Peu importe. Ecoutez, vous savez à quel point vous comptez pour moi…

— Ce n'est pas une question d'amitié, le coupa-t-elle. Pour le moment, je me contrefous de compter pour vous. Ce qui m'importe, c'est la façon dont je compte dans MB Sports.

— Vous comptez beaucoup à MB. Enormément…

Il se tut.

— Mais ?

— Mais rien. Vous m'avez simplement pris un peu

au dépourvu, voilà tout. Je viens de me faire courser par une joyeuse troupe de néo-nazis défoncés à la coke. Ça fait des trucs bizarres à l'état d'esprit des gens de ma confession. Je m'efforce aussi de résoudre un cas pour l'instant insoluble de kidnapping. Je sais qu'il faut que les choses changent. J'avais l'intention de vous proposer mieux, de vous laisser effectuer certaines négociations, et d'embaucher quelqu'un d'autre pour les tâches de secrétariat. Mais une association... ce n'est pas la même bouillabaisse.

— C'est-à-dire ? fit-elle d'une voix dure.

— C'est-à-dire que j'aimerais avoir un peu de temps pour y réfléchir, d'accord ? Comment comptez-vous devenir associée ? Quel pourcentage voulez-vous avoir ? Est-ce que vous voulez l'acheter, ou le payer par votre travail ? Ce sont des éléments qu'il nous faudra déterminer, et je ne pense pas que le moment soit bien choisi.

— Très bien, dit-elle en se levant. Je vais faire un tour du côté du salon des joueurs. Voir si je peux engager la conversation avec une des épouses.

— Bonne idée.

— On se voit plus tard.

Elle s'apprêta à partir.

— Esperanza ?

Elle le regarda.

— Vous n'êtes pas en colère après moi, hein ?

— Pas en colère, répéta-t-elle d'un ton mécanique.

— Nous trouverons une solution, dit-il.

— Ouais, fit-elle. Ce serait mieux.

— N'oubliez pas. Nous rencontrons Tad Crispin une heure après la fin du tournoi. Près de la boutique pro.

— Vous voulez que je sois présente ?

— Oui.

— Bon. Comme vous voudrez.

Et elle s'en fut.

Myron se renversa dans son siège et la regarda qui

s'éloignait. Super. Exactement ce qui manquait au tableau. Sa meilleure amie féminine comme associée en affaires. Ce genre de truc ne marchait jamais. Le fric démolissait l'amitié, c'était bien connu. Son père et son oncle – les deux frères les plus proches dont on ait pu rêver – avaient tenté l'expérience. Résultat, un désastre. Son père avait fini par racheter les parts de l'oncle Morris, mais les deux ne s'étaient plus adressé la parole pendant quatre ans. Myron et Win avaient eu toutes les peines du monde à garder leurs affaires séparées tout en conservant des objectifs et des intérêts communs. Ce montage fonctionnait bien parce que aucun des deux n'interférait dans les décisions de l'autre, et que l'argent n'entrait pas en ligne de compte – et de séparation. Avec Esperanza tout s'était passé à merveille jusqu'à maintenant, parce que leur relation avait toujours été celle d'un patron envers son employée, et vice versa. Leurs rôles étaient bien définis. Mais, en même temps, il la comprenait. Elle méritait d'avoir cette chance. Elle l'avait bien gagnée. Elle était plus qu'une employée importante pour la bonne marche de MB Sports. Elle en était un rouage incontournable.

Alors, que devait-il faire ?

Il sirota son Yoo-Hoo en attendant qu'une idée lumineuse naisse dans son cerveau génial. Par chance, ses pensées furent interrompues quand quelqu'un lui tapota l'épaule.

17

— Bonjour.

Myron se retourna. C'était Linda Coldren, carré plié en deux sur la tête, noué sous le menton par les pointes, et lunettes de soleil. Greta Garbo vers 1984. Elle ouvrit son sac à main et lui montra le portable qui s'y trouvait.

— J'ai fait transférer les appels arrivant à la maison sur cet appareil, murmura-t-elle. Je peux m'asseoir ?

— Je vous en prie.

Elle prit place en face de lui. Les verres des lunettes étaient larges, mais Myron décelait quand même la rougeur autour des yeux. Son nez également donnait l'impression d'avoir été mis à vif par une overdose de Kleenex.

— Vous avez du nouveau ? demanda-t-elle.

Il lui raconta son entrevue mouvementée avec les nazillons. Linda lui posa plusieurs questions. De nouveau, le paradoxe qui la torturait apparut : elle voulait savoir son fils sain et sauf, mais elle ne voulait pas que tout ça soit un canular.

— Je pense toujours que nous devrions contacter les fédéraux, dit Myron en conclusion. Je peux le faire en toute discrétion.

— Non. Ce serait trop risqué.

— C'est tout aussi risqué de continuer de la sorte.

Linda Coldren secoua la tête, puis recula le buste. Pendant de longues secondes ils restèrent ainsi, sans parler. Elle regardait quelque part derrière l'épaule de Myron. Enfin elle dit :

— A la naissance de Chad, j'ai pris presque deux années sabbatiques. Vous le saviez ?

— Non.

— Le golf féminin, marmonna-t-elle. J'étais au summum, couronnée meilleure joueuse au monde, et pourtant vous n'avez rien lu là-dessus.

— Je ne suis pas le golf de très près, dit Myron.

— Oui, bien sûr, railla-t-elle. Mais si Jack Nicklaus avait arrêté pendant deux ans, vous en auriez entendu parler.

Myron ne put que l'admettre. Elle avait tout à fait raison.

— Le retour a été dur ? demanda-t-il.

— Vous voulez dire question niveau de jeu, ou par le fait de laisser mon fils ?

— Les deux.

Elle inspira lentement, le temps de réfléchir à la question.

— Jouer me manquait, déclara-t-elle. Vous n'avez pas idée à quel point. J'ai retrouvé la première place au classement au bout de quelques mois seulement. En ce qui concerne Chad, eh bien, à l'époque il était en bas âge. J'ai embauché une nurse pour nous accompagner lors des déplacements.

— Combien de temps cela a-t-il duré ?

— Jusqu'à ce que Chad ait trois ans. C'est alors que je m'en suis rendu compte : je ne pouvais pas continuer à le traîner partout avec moi. Ce n'était pas juste envers lui. Un enfant a besoin d'un minimum de stabilité. Alors j'ai dû faire un choix.

Le silence retomba entre eux.

— Ne vous méprenez pas sur mon compte, dit-elle après un moment. Je ne suis pas en train de m'apitoyer sur mon sort, et je suis heureuse que les femmes aient enfin le choix. Mais ce qu'on ne vous dit pas, c'est qu'avec le choix vient le sentiment de culpabilité.

— Quelle sorte de culpabilité ?

— Celle d'une mère, et c'est la pire sorte qui existe. Les remords sont incessants. Ils hantent votre sommeil. Vous vous accusez vous-même. Chaque swing réussi me donnait le sentiment que je délaissais un peu plus mon propre enfant. Je prenais l'avion pour rentrer à la maison aussi souvent que ça m'était possible. J'ai raté certains tournois auxquels je désirais vraiment participer. J'ai fait tout ce que je pouvais pour conjuguer mon rôle de mère et ma carrière. Et à chaque étape, je me traitais de salope sans cœur. Vous comprenez ça ?

— Oui, je crois que oui.

— Mais vous ne compatissez pas réellement, ajouta-t-elle.

— Bien sûr que si.

Linda Coldren eut une moue sceptique.

— Si j'avais été une mère au foyer, auriez-vous été aussi rapide à soupçonner Chad d'être derrière tout ça ? Le fait que j'aie été une mère absente n'a pas influencé votre réflexion dans ce sens ?

— Pas une mère absente, corrigea-t-il. Des parents absents.

— C'est la même chose.

— Non. Vous gagniez plus d'argent. Vous étiez de loin celui des deux parents qui réussissait le mieux et qui savait gérer son capital professionnel. En toute logique, c'était à Jack de rester à la maison.

Elle sourit faiblement.

— Ne sommes-nous pas politiquement corrects ?

— Du tout. Seulement pragmatiques.

— Hélas, ce n'est pas aussi simple, Myron. Jack aime

son fils. Et pendant les années où il ne s'est pas qualifié, il est effectivement resté à la maison auprès de Chad. Mais ne nous voilons pas la face : qu'on le veuille ou non, c'est à la femme de porter ce fardeau.

— Ça n'arrange rien.

— Et ça ne me tire pas d'affaire. Comme je l'ai dit, j'ai fait un choix. Si je devais tout recommencer, je referais exactement le même.

— Et vous seriez toujours tourmentée par la culpabilité.

Elle hocha la tête.

— Avec le choix vient la culpabilité. On ne peut pas y échapper.

Myron but une gorgée de son Yoo-Hoo.

— Vous avez dit que Jack était resté à la maison une partie du temps ?

— Oui, dit-elle. Après qu'il eut raté le tour de qualification.

Chaque année les cent vingt-cinq joueurs ayant gagné le plus reçoivent automatiquement leur carte pour le circuit de la Professional Golf Association. Quelques autres sont repêchés grâce aux sponsors. Les autres sont obligés de passer par la qualification. Si vous ne la réussissez pas, vous ne jouez pas pendant un an.

— Un seul tournoi en décide ?

Elle inclina son verre dans sa direction comme si elle portait un toast.

— Absolument.

Bonjour la pression.

— Donc, quand Jack ratait sa qualification, il restait à la maison pendant l'année suivante.

— Oui.

— Jack et Chad s'entendaient bien ?

— Chad vénérait son père, dit Linda.

— Et maintenant ?

Elle détourna légèrement la tête, et ses traits exprimèrent un vague chagrin.

— Maintenant Chad est assez grand pour se demander pourquoi son père perd sans arrêt. Il ne sait plus ce qu'il pense. Mais Jack est quelqu'un de bien. Il fait beaucoup d'efforts. Il faut que vous compreniez ce qui lui est arrivé. Perdre un Open de cette manière... ça peut vous sembler un peu mélodramatique de le présenter ainsi, mais je pense que ça a tué quelque chose en lui. Et même le fait d'être père n'a pas pu combler ce manque.

— Ça ne devrait pourtant pas avoir une importance aussi démesurée, raisonna Myron, et il crut entendre Win parler. Ce n'était qu'un seul tournoi.

— Vous avez participé à beaucoup de matchs importants, dit-elle. Vous est-il déjà arrivé de rater une victoire presque assurée, comme Jack ?

— Non.

— Moi non plus.

Deux hommes grisonnants vêtus de la même veste verte s'approchèrent du buffet. Ils se penchèrent sur chaque mets proposé et se renfrognèrent comme si les fourmis y pullulaient. Leurs assiettes débordaient pourtant toujours, à la limite de l'avalanche.

— Il y a autre chose, dit Linda.

Myron attendit la suite.

Du bout de l'index, elle remonta ses lunettes sur son nez, puis posa ses mains à plat sur la table.

— Jack et moi, nous ne sommes plus très proches. Nous ne le sommes plus depuis déjà des années.

Comme elle ne continuait pas, Myron dit :

— Mais vous êtes restés mariés.

— Oui.

Il allait lui demander pour quelle raison, mais la question était tellement évidente, qui flottait entre eux, que la formuler aurait été redondant.

— Je suis, pour lui, le rappel constant de ses échecs,

déclara-t-elle. Pour un homme, ce n'est pas facile à vivre. Nous sommes censés être partenaires pour la vie, à égalité, mais j'ai ce que Jack désire le plus.

Elle inclina la tête de côté.

— C'est curieux.

— Quoi donc ?

— Je ne cède jamais à la médiocrité sur le green. Et pourtant j'ai permis que la médiocrité domine ma vie privée. Vous ne trouvez pas ça curieux ?

Myron se fendit d'un petit mouvement qui n'exprimait rien de précis. Il sentait la tristesse émaner de Linda comme une poussée de fièvre. Elle releva la tête et lui sourit, d'un sourire enivrant qui faillit lui briser le cœur. Il éprouva subitement une envie presque incontrôlable de se pencher par-dessus la table pour la serrer contre lui et sentir le lustre de ses cheveux sur sa joue. Il essaya de se rappeler la dernière fois où il avait eu ce genre de pensée pour une femme autre que Jessica. Il ne trouva pas réponse.

— Parlez-moi de vous, dit-elle soudain.

Le changement de sujet le prit au dépourvu. Il esquissa une grimace.

— Sujet ennuyeux au possible.

— Oh, j'en doute fort, répondit-elle d'un ton presque mutin. Allez. Ça me distraira un peu.

— Là, c'est moi qui en doute fort.

— Je sais que vous avez été à deux doigts d'entrer dans le circuit pro au basket. Je sais que vous avez eu un genou amoché. Je sais que vous avez fait des études de droit à Harvard. Et je sais que vous avez tenté un come-back il y a quelques mois. Vous voulez bien remplir les blancs ?

— C'est à peu près tout.

— Non, je n'en crois rien, Myron. Tante Cissy n'a pas estimé que vous pouviez nous aider simplement parce que vous étiez doué pour le basket.

— J'ai travaillé un peu pour le gouvernement.
— Avec Win ?
— Oui.
— Vous faisiez quoi ?
Un autre geste évasif.
— C'est top secret ?
— Quelque chose comme ça.
— Et vous fréquentez Jessica Culver ?
— Oui.
— J'aime bien ce qu'elle écrit.
Il opina du chef.
— Vous l'aimez ?
— Beaucoup.
— Alors qu'attendez-vous ?
— Ce que j'attends ?
— De la vie. Quels sont vos rêves ?
Il sourit.
— Vous plaisantez, là, hein ?
— Non, je vais au cœur du sujet, dit-elle. Faites-moi plaisir. Que désirez-vous, Myron ?
Elle le regardait avec un intérêt intense. Il se sentit rougir.
— Je désire épouser Jessica. Et déménager en banlieue. Et fonder une famille.
Elle recula le buste sur son siège, comme si elle était satisfaite.
— Vraiment ?
— Oui.
— Comme vos parents ?
— Oui.
Elle sourit.
— Je trouve ça très mignon.
— C'est surtout très simple, dit-il.
— Mais nous ne sommes pas tous taillés pour la simplicité. Même si c'est ce que nous désirons.
Myron acquiesça.

— Profond, ça, Linda. Je ne sais pas ce que ça veut dire, mais ça avait l'air profond.

— Moi non plus, je ne sais pas.

Elle partit d'un rire de gorge un peu rauque dont le son plut beaucoup à Myron.

— Racontez-moi comment vous avez rencontré Win.

— A l'université, dit Myron. En première année.

— Je ne l'ai pas revu depuis qu'il avait huit ans, dit Linda Coldren avant de boire une gorgée de son eau gazeuse. Croyez-le ou non, j'en avais quinze. Jack et moi sortions ensemble depuis un an déjà. Win adorait Jack, à propos. Vous le saviez ?

— Non.

— C'est la vérité. Il suivait Jack partout. Et Jack était tellement idiot à l'époque. Il persécutait les autres enfants. Il était très malicieux, parfois un peu trop. A certains moments, il était tout bonnement cruel.

— Et malgré ça vous êtes tombée amoureuse de lui ?

— J'avais quinze ans, dit-elle comme si ce fait expliquait tout, et c'était peut-être bien le cas.

— Comment était Win, quand il était petit ? demanda Myron.

Elle sourit de nouveau, et les ridules au coin de ses yeux et de sa bouche se creusèrent.

— Vous essayez de le comprendre, hein ?

— Simple curiosité.

En réalité, la question de Linda l'avait piqué au vif. Il aurait aimé l'effacer, mais il était trop tard.

— Win n'a jamais été un gamin heureux. Il a toujours été... (Elle s'interrompit pour chercher le mot approprié) ... en dehors. Je ne sais pas comment le dire mieux. Il n'était pas fou, ou excentrique, ou agressif. Non, rien de tout ça. Mais il y avait quelque chose qui n'allait pas chez lui. Depuis toujours. Même enfant, il avait cette étrange capacité de détachement.

Myron comprenait très bien ce qu'elle voulait dire.

— Tante Cissy est comme ça aussi, ajouta-t-elle.

— La mère de Win ?

— Oui. Elle peut être aussi glaciale qu'un iceberg quand elle le veut. Même envers Win. Elle se comporte comme s'il n'existait pas.

— Elle doit bien parler de lui, objecta Myron. A votre père, au moins.

— Détrompez-vous. Quand Tante Cissy a conseillé à mon père de contacter Win, c'était la première fois qu'elle prononçait son prénom depuis des années.

Myron ne dit rien. Une fois de plus la question évidente plana dans l'air sans qu'il l'exprime : Que s'était-il passé entre Win et sa mère ? Mais jamais Myron ne la poserait. Cette conversation était déjà allée trop loin. Interroger Linda Coldren à ce sujet aurait été commettre une trahison impardonnable. Si Win voulait qu'il le sache un jour, il le lui dirait.

Le temps passa, mais ni elle ni lui ne le remarquèrent. Ils bavardèrent, surtout de Chad et du genre de fils qu'il était. Jack tenait bon et menait toujours de six coups. Une avance énorme. S'il foirait cette fois, ce serait encore pire que vingt-trois ans plus tôt.

La tente commença à se vider, mais Myron et Linda restèrent attablés et parlèrent encore un peu. Une sensation d'intimité réconfortante s'insinuait en lui, et il avait du mal à respirer normalement quand il la regardait trop longtemps. Pendant un moment, il ferma les yeux. Rien ne se passait réellement, il s'en rendit compte. S'il existait une attirance quelconque, c'était uniquement un cas classique du syndrome de la demoiselle en détresse – et il n'y avait rien de moins politiquement correct, pour ne pas dire de plus néandertalien, que ça.

Les autres convives s'étaient tous retirés, à présent. Pendant plusieurs minutes, ils ne virent personne. A un moment, Win passa la tête entre les pans de la tente. Les voyant ensemble, il arqua un sourcil et s'éclipsa.

Myron consulta sa montre.

— Il faut que j'y aille. J'ai un rendez-vous.

— Avec qui ?

— Tad Crispin.

— Ici, au Merion ?

— Oui.

— Vous pensez en avoir pour longtemps ?

— Non.

Elle se mit à faire tourner son alliance et l'étudia comme si elle voulait l'estimer.

— Ça vous dérange si je vous attends ? demanda-t-elle. Nous pourrions dîner ensemble.

Elle ôta ses lunettes de soleil. Les yeux étaient gonflés, mais le regard restait direct et concentré.

— D'accord.

Il retrouva Esperanza au club-house. Elle fit la moue à son arrivée.

— Quoi ? dit-il.

— Vous pensez à Jessica ? demanda-t-elle d'un ton soupçonneux.

— Non, pourquoi ?

— Parce que vous avez cette expression de chiot éperdu d'amour qui file la nausée. Vous savez bien. Celle qui me donne envie de vomir sur vos chaussures.

— Allez, dit-il. Tad Crispin nous attend.

La rencontre se termina sans qu'ils parviennent à un accord. Mais ils s'en rapprochaient.

— Ce contrat qu'il a signé avec Zoom, dit Esperanza. C'est un gros balourd.

— Je sais.

— Crispin vous a à la bonne.

— Nous verrons ce que ça donnera.

Il s'excusa et revint rapidement à la tente. Linda Coldren occupait le même siège. Elle lui tournait le dos, et sa posture était celle d'une reine.

— Linda ?

— Il fait nuit maintenant, dit-elle. Chad déteste le noir. Je sais qu'il a seize ans, mais je laisse toujours la lumière du couloir allumée. Juste au cas où.

Myron s'était immobilisé. Quand elle se tourna vers lui – quand il découvrit son sourire –, il eut l'impression qu'on lui vissait une pointe d'acier dans la poitrine.

— Lorsque Chad était petit, continua-t-elle, il emportait partout ce petit club de golf en plastique rouge et une balle Wiffle. C'est amusant. Quand je pense à lui maintenant, c'est ainsi que je le vois. Avec son petit club rouge. Pendant longtemps, j'ai été incapable de l'imaginer comme ça. Il ressemble tellement à un homme, à présent. Mais depuis qu'il n'est plus là, tout ce que je vois, c'est ce petit garçon heureux qui frappe des balles de golf dans le jardin derrière la maison.

Myron tendit la main vers elle.

— Allons-y, Linda, dit-il doucement.

Elle se leva. Ils marchèrent ensemble, sans parler. Le ciel nocturne était si lumineux qu'il en paraissait humide. Myron aurait aimé lui prendre la main. Mais il n'en fit rien. Quand ils arrivèrent à la voiture de Linda, elle en déverrouilla les portières avec sa télécommande. Puis elle ouvrit celle du conducteur tandis que Myron contournait l'avant du véhicule pour aller s'asseoir sur le siège passager. Subitement il se figea.

L'enveloppe se trouvait sur son siège à elle.

Pendant plusieurs secondes, ils ne firent pas un mouvement. L'enveloppe était en papier kraft, de grand format. Elle était plate sauf au centre, où l'on distinguait un léger renflement.

Linda Coldren leva les yeux vers Myron. Il se pencha à l'intérieur de la voiture et avec ses paumes souleva l'enveloppe par les bords. Plusieurs lignes étaient écrites au verso. En lettres capitales.

JE VOUS AVAIS DIT DE NE PAS CHERCHER D'AIDE.
MAINTENANT CHAD EN PAIE LE PRIX.
A LA PROCHAINE INCARTADE, CE SERA BIEN PIRE.

L'étau de l'appréhension broyait la poitrine de Myron. D'un doigt replié, il toucha timidement la partie renflée. On aurait dit un morceau d'argile. Avec mille précautions, Myron décacheta l'enveloppe. Il la renversa et laissa son contenu tomber sur le siège de la voiture.

Le doigt coupé rebondit une fois puis s'immobilisa sur le cuir.

18

Myron restait les yeux fixes, incapable de parler.

OhmonDieu-ohmonDieu-ohmonDieu-ohmonDieu...

Une terreur brute le submergea. Il se mit à trembler, et tout son corps s'engourdit. Son regard retomba sur le message dans sa main. Une petite voix dans son crâne répétait : *C'est ta faute, Myron, ta faute...*

Il se tourna vers Linda Coldren. Elle porta une main frémissante comme un papillon devant sa bouche. Ses yeux étaient immenses.

Myron voulut s'approcher d'elle, mais il tituba tel un boxeur compté huit qui n'en a pas profité pour récupérer.

— Nous devons prévenir quelqu'un, réussit-il à dire, et sa voix lui parut venir de très loin. Le FBI. J'ai des amis...

— Non.

Son ton était ferme.

— Linda, écoutez-moi...

— Relisez le message, lâcha-t-elle.

— Mais...

— Relisez le message, répéta-t-elle avant de baisser la tête, l'air dur. Vous n'êtes plus sur le coup, Myron.

— Vous ignorez à qui vous avez affaire.

Elle releva la tête d'un mouvement sec, et ses mains se crispèrent en deux poings.

— Ah, vraiment ? J'ai affaire à un monstre, un malade. Le genre de monstre qui est prêt à mutiler mon fils à la moindre provocation. (Elle se rapprocha de la voiture.) Il lui a coupé un doigt uniquement parce que j'ai osé vous parler. Que pensez-vous qu'il fera si j'enfreins encore ses consignes ?

Myron était tout chamboulé.

— Linda, le paiement de la rançon ne garantit pas que…

— Je le sais, coupa-t-elle.

— Mais…

Son esprit cherchait désespérément un argument, et Myron dit alors quelque chose d'excessivement stupide :

— Vous n'êtes même pas sûre que ce soit son doigt.

Elle baissa de nouveau les yeux. D'une main plaquée devant sa bouche, elle étouffa un sanglot. De l'autre elle caressa doucement le doigt, sans la moindre trace de répulsion sur son visage.

— Si, murmura-t-elle, je sais.

— Il est peut-être déjà mort, dit Myron, décidément très en forme.

— Alors quelle différence quant à ce que je fais ?

Myron s'interdit de répondre. Il en avait déjà trop fait dans le crétinisme. Il lui fallait juste un petit instant pour se reprendre, et envisager la bonne réaction.

Ta faute, Myron. Ta faute…

Il fit taire la petite voix. Après tout, il s'était trouvé dans des situations bien pires. Il avait vu des cadavres, il s'était attaqué à des individus très dangereux, et il avait traîné des criminels devant la justice. Il avait seulement besoin de…

Toujours avec l'aide de Win, Myron. Jamais tout seul.

Linda Coldren leva le doigt sectionné dans la lumière.

Les larmes coulaient librement sur son visage, mais ses traits demeuraient d'une placidité de statue.

— Au revoir, Myron.

— Linda…

— Il n'est pas question que je lui désobéisse une seconde fois.

— Nous devons réfléchir posément…

— Non. Nous n'aurions jamais dû vous contacter.

Tenant le doigt de son fils dans le creux de sa main, Linda se glissa dans la voiture. Elle déposa avec soin la sinistre relique sur le siège passager, puis alluma le moteur. Elle passa une vitesse et démarra.

D'un pas pesant, Myron rejoignit sa voiture. Pendant plusieurs minutes, il resta assis derrière le volant, à respirer à fond, lentement, pour essayer de se calmer. Il étudiait les arts martiaux depuis que Win l'avait initié au taekwondo durant leur première année à l'université. La méditation tenait une place importante dans ce qu'ils avaient appris, mais Myron n'avait jamais réussi à saisir les subtilités fondamentales de cette activité. Son esprit partait toujours à la dérive, à un moment ou un autre. A présent, il s'efforçait d'appliquer les règles de base. Il ferma les yeux. Il inspira lentement par le nez, à fond, en abaissant son diaphragme et en laissant seulement son estomac se dilater, et non sa poitrine. Puis il expira par la bouche, encore plus lentement, et vida complètement ses poumons.

« Bon, songea-t-il, quelle est la prochaine étape ? »

La première réponse qui fit surface était la plus basique : abandonner l'affaire. Sauver les meubles. Accepter de reconnaître que tu n'es pas du tout dans ton élément. Tu n'as jamais véritablement bossé pour les fédéraux. Tu te contentais d'accompagner Win. Tu es largement dépassé par la situation et ça a déjà coûté un doigt à un gamin de seize ans, si ce n'est pas plus. Comme

Esperanza l'a dit : « Sans Win, vous êtes désespérant. » Retiens la leçon et retire tes billes.

Et ensuite ? Il laisserait les Coldren seuls face à cette crise ?

S'il l'avait fait dès le début, Chad Coldren pourrait peut-être toujours compter sur ses dix doigts.

L'image fit s'écrouler quelque chose en lui. Il rouvrit les yeux. De nouveau, son cœur se mit à cogner plus fort dans sa poitrine. Il ne pouvait pas appeler les Coldren. Il ne pouvait pas prévenir les fédéraux. Et s'il continuait seul sur cette affaire, il risquerait la vie de Chad Coldren.

Il mit le contact en essayant toujours de retrouver un peu de sérénité. Il était temps de se montrer analytique. Froid. Il devait considérer ce dernier événement, aussi morbide fût-il, comme un indice de plus, même si ce n'était que pendant un moment. Oublier l'aspect horrible de la chose. Oublier le fait qu'il avait peut-être tout foiré. Le doigt sectionné n'était qu'un indice.

Primo : l'endroit où l'enveloppe avait été déposée était pour le moins curieux. Linda Coldren avait déverrouillé les portières avec sa télécommande. Comment l'enveloppe était-elle arrivée sur le siège conducteur ? Le kidnappeur avait-il simplement forcé la serrure ? C'était une possibilité, certes, mais le type aurait-il eu le temps de se livrer à ce genre d'activité sur le parking du Merion ? Quelqu'un ne l'aurait-il pas vu ? C'était probable. Chad Coldren possédait-il un double des clefs de la voiture, que son ravisseur aurait alors utilisé ? Hmm. Hypothèse très vraisemblable, que malheureusement il ne pourrait valider qu'en s'adressant à Linda, ce qui était désormais hors de question.

Une impasse. Au moins pour l'instant.

Secundo : il y avait plus d'une personne impliquée dans ce kidnapping. Pas besoin d'être un génie de la déduction pour le comprendre. Tout d'abord, il y avait

Naze le Nazillon. Le coup de fil passé du centre commercial prouvait qu'il jouait un rôle dans l'ensemble, sans parler de son comportement ultérieur. Mais il était inimaginable qu'un zombie comme Naze ait pu se glisser dans l'enceinte du Merion pour déposer l'enveloppe dans le véhicule de Linda. Pas sans éveiller au moins l'attention, et certainement de très forts soupçons, surtout pendant le déroulement de l'U.S. Open. Ce qui rendait la manœuvre impossible. De plus, le message de menace avait parlé d'« incartade ». Incartade. Est-ce que ce mot collait avec le vocabulaire de Naze ?

Bon, il progressait. Quoi d'autre ?

Tertio : les kidnappeurs étaient aussi vicieux que stupides. Vicieux, ils l'avaient prouvé. Leur stupidité pouvait sembler moins évidente, mais il suffisait de considérer froidement les faits. Par exemple, exiger une rançon importante sur un week-end quand on sait que les banques ne rouvriront que le lundi, était-ce vraiment une preuve d'intelligence ? Ne pas savoir quel montant demander lors des deux premiers appels téléphoniques aux parents, est-ce que ça ne supposait pas une certaine légèreté ? Et enfin, était-il réellement prudent de sectionner un doigt à l'otage qui n'était qu'un gamin juste parce que ses parents avaient bavardé avec un agent sportif ? Est-ce que ça avait seulement un sens ?

Non.

A moins, bien sûr, que les kidnappeurs n'aient su que Myron était un peu plus qu'un simple agent sportif.

Mais comment ?

Il engagea la Ford dans la longue allée menant au cottage de Win. Des gens qu'il ne connaissait pas sortaient les chevaux des écuries. Alors qu'il approchait de la maison d'hôtes, Win apparut sur le seuil. Myron stoppa la voiture et en descendit.

— Comment s'est passé ton entretien avec Tad Crispin ? demanda Win.

Myron fonça vers lui.

— Ils lui ont coupé un doigt, fit-il, le souffle court à la limite de l'hyperventilation. Les kidnappeurs. Ils ont sectionné un doigt à Chad. Ils l'ont laissé dans la voiture de Linda.

L'expression de Win ne changea en rien.

— Tu l'as découvert avant ou après ta rencontre avec Tad Crispin ?

La question déconcerta Myron.

— Après.

Win hocha lentement la tête.

— Alors ma première question est toujours valable : comment s'est passé ton entretien avec Tad Crispin ?

Myron recula d'un pas, comme s'il venait de recevoir une gifle.

— Bon sang, dit-il d'un ton presque craintif. Tu n'es pas sérieux, là ?

— Ce qui arrive à cette famille ne me concerne pas. Ce qui arrive dans tes discussions d'affaires avec Tad Crispin me concerne.

Abasourdi, Myron secoua la tête.

— Même toi, tu ne peux pas être aussi froid.

— Oh, je t'en prie…

— Tu me pries de quoi ?

— Il y a en ce monde des tragédies bien plus graves que la perte d'un doigt chez un garçon de seize ans. Des gens meurent, Myron. Des inondations effacent de la carte des villages entiers. Des hommes infligent des horreurs à des enfants tous les jours… Tiens, tu as lu le journal de cet après-midi ?

— Qu'est-ce que c'est que ce délire ?

— J'essaie seulement de te faire comprendre, continua Win d'une voix trop posée, trop mesurée. Les Coldren n'ont aucune importance pour moi, pas plus que n'importe quels inconnus, et peut-être même moins. Le journal est empli de tragédies qui me touchent beaucoup plus sur le plan personnel. Par exemple…

Win s'interrompit et dévisagea sans hâte Myron.

— Par exemple quoi ? fit celui-ci.

— Il y a un nouveau développement dans l'affaire Kevin Morris, répondit Win. Ça te dit quelque chose ?

— Non.

— Deux gamins âgés de sept ans – Billy Waters et Tyrone Duffy – ont disparu depuis trois semaines. Ils se sont évanouis dans l'air alors qu'ils rentraient de l'école à bicyclette. La police a interrogé un certain Kevin Morris, un type avec un copieux passé de pervers, y compris attentat à la pudeur, parce qu'on l'avait vu traîner aux alentours de leur école. Mais M. Morris a engagé un avocat très retors. Il n'y a aucune preuve physique, et en dépit d'indices plutôt concordants, par exemple les vélos des gosses qu'on a retrouvés dans une benne à ordures non loin de son domicile, M. Morris a été relâché.

Myron sentit un froid diffus enserrer son cœur.

— Et quel est le dernier développement concernant cette affaire, Win ?

— La police a reçu un appel anonyme, tard la nuit dernière.

— Tard comment ?

Win continuait de le regarder avec calme.

— Très tard.

Myron ne dit rien.

— Il semblerait, poursuivit Win, que quelqu'un ait vu Kevin Morris alors qu'il enterrait les corps non loin d'une route, dans les bois près de Lancaster. La police a entrepris des fouilles, et a retrouvé les cadavres la nuit dernière. Et tu sais ce qu'ils ont découvert ?

Myron secoua la tête, car il n'osait même pas répondre à haute voix.

— Billy Waters et Tyrone Duffy ont été assassinés tous les deux. On les a agressés sexuellement, et mutilés d'une telle façon que même les médias ne veulent pas décrire. La police a également découvert assez de preuves sur les lieux pour arrêter Kevin Morris. Ses empreintes digitales sur un scalpel. Des sacs en plastique identiques à ceux se trouvant dans sa cuisine. Des échantillons de sperme qui, aux premières analyses, correspondent.

Myron frissonna.

— Tout le monde semble persuadé que M. Morris sera reconnu coupable, conclut Win.

— Et la personne qui a passé le coup de fil ? Elle témoignera ?

— C'est ce qu'il y a de curieux, dit Win. L'homme a appelé depuis un téléphone public, et il n'a pas décliné son identité. Il semble que personne ne sache de qui il s'agit.

— Mais la police a arrêté Kevin Morris ?

— Oui.

Les deux hommes s'affrontèrent du regard.

— Je suis surpris que tu ne l'aies pas tué, dit enfin Myron.

— Alors c'est que tu ne me connais pas aussi bien que ça.

Un cheval poussa un hennissement retentissant. Win tourna la tête et contempla le magnifique animal. Une expression étrange passa sur son visage, quelque chose comme de la mélancolie.

— Que t'a-t-elle fait, Win ?

Win regardait toujours le pur-sang. Ils savaient tous deux à qui Myron faisait allusion.

— Que t'a-t-elle fait pour te remplir d'une telle haine ?

— Ne te lance pas dans des hyperboles trop échevelées, Myron. Je ne suis pas aussi simple. Ma mère n'est pas l'unique responsable de la façon dont j'ai été modelé. Un homme n'est pas façonné par un seul incident, et je suis loin d'être fou, comme tu l'as déjà suggéré. Comme tout autre être humain, je choisis mes combats. Je combats pas mal – mieux que la plupart des gens – et en règle générale, je suis du bon côté. J'ai combattu pour Billy Waters et Tyrone Duffy. Mais je ne souhaite pas combattre pour les Coldren. C'est mon choix. Et toi, en tant que mon plus proche ami, tu devrais le respecter. Tu ne devrais pas essayer de me pousser ou de me culpabiliser pour que je te rejoigne dans un combat que je ne souhaite pas mener.

Myron ne savait pas trop quoi dire. Il était toujours effrayé quand il parvenait à comprendre la froide logique de son ami.

— Win ?

Celui-ci s'arracha à la contemplation du cheval et reporta son attention sur Myron.

— Je suis dans le pétrin, dit Myron en percevant une note désespérée dans sa voix. J'ai besoin de ton aide.

Win adopta soudain un ton radouci, et il parut presque peiné.

— Si c'était vrai, je serais là. Tu le sais. Mais tu n'es pas dans un pétrin dont tu ne puisses te sortir aisément. Fais marche arrière, Myron, c'est aussi simple que ça. Tu as la possibilité de te retirer de cette affaire. Et tenter de m'y impliquer contre ma volonté, en jouant sur notre amitié, est une grossière erreur. Laisse tomber, cette fois.

— Tu sais bien que je ne peux pas faire ça.

Win eut un petit hochement de tête et se dirigea vers sa voiture.

— Comme je l'ai dit, nous choisissons tous nos combats.

Alors qu'il entrait dans le cottage, il entendit Esperanza qui criait :

— Banqueroute ! Tu vas perdre ! Banqueroute !

Myron arriva dans son dos. Elle regardait *La Roue de la fortune*.

— Cette femme est vraiment trop cupide ! dit-elle en

désignant l'écran. Elle a déjà plus de six mille dollars et elle continue à tourner la roue. Je déteste ça.

La roue s'immobilisa sur une case où brillait le nombre 1000. La femme demanda un B. Il y en avait deux.

— Vous rentrez tôt, grogna Esperanza. Je croyais que vous dîniez avec Linda Coldren.

— Ça n'a pas marché.

Esperanza se retourna enfin et le regarda avec attention.

— Que s'est-il passé ?

Il le lui raconta. Le teint cuivré de la jeune femme pâlit peu à peu. Quand il eut terminé, elle dit :

— Vous avez besoin de Win.

— Il ne m'aidera pas.

— Il est temps de ravaler votre fierté de macho et d'aller lui demander. De l'implorer, s'il le faut.

— Je suis allé le voir. Je l'ai imploré. Il refuse.

A l'écran, la femme cupide acheta une voyelle. C'était une réaction qui déroutait toujours Myron. Pourquoi les candidats qui manifestement connaissaient déjà la solution du puzzle s'acharnaient-ils à acheter des voyelles ? Pour perdre de l'argent ? Pour être sûrs que leurs adversaires trouveraient eux aussi la réponse ?

— Mais vous êtes ici, dit-il platement.

— Et alors ?

C'était la véritable raison de sa venue, et il le savait. Au téléphone, elle lui avait répété qu'il ne travaillait pas aussi bien quand il était seul. Ses paroles en disaient beaucoup sur les raisons réelles pour lesquelles elle avait fui la Grosse Pomme.

— Vous voulez m'aider ? demanda-t-il.

La femme cupide se pencha en avant, tourna la roue et se mit à frapper dans ses mains en criant : « Allez, sur 1000 ! » Ses adversaires battirent eux aussi des mains. Comme s'ils voulaient qu'elle réussisse. Bien sûr.

— Que voulez-vous que je fasse ? s'enquit Esperanza.

— Je vous l'expliquerai en chemin. Si vous voulez bien m'accompagner.

Ils observèrent tous deux la roue qui ralentissait. La caméra effectua un zoom très lent. La flèche ralentit et ralentit encore avant de s'arrêter sur le mot BANQUEROUTE. Un grognement s'éleva du public. La femme cupide affichait toujours le même sourire, mais à présent elle ressemblait à quelqu'un qui vient de se prendre un coup de poing dans l'estomac.

— C'est un signe, décréta Esperanza.

— Bon ou mauvais ?

— Oui.

19

Les filles squattaient toujours la même table dans la galerie des restaurants. C'était étonnant, quand vous y réfléchissiez. Les longues journées estivales déployaient tous leurs charmes de ciels ensoleillés et de pépiements d'oiseaux, l'année scolaire était terminée, et pourtant les adolescents passaient en masse leurs journées dans une cafétéria digne de celle de leur bahut, probablement à se lamenter du jour où les cours reprendraient.

Myron poussa un discret soupir. Il critiquait les ados. Un signe patent de nostalgie envers sa jeunesse enfuie. D'ici peu de temps, il hurlerait sur la tête de n'importe qui pour qu'on monte le thermostat.

Dès qu'il arriva dans la galerie des restaurants, toutes les filles braquèrent leur regard sur lui. Comme si elles disposaient d'un détecteur spécial « gens-que-nous-connaissons » à l'entrée. Myron n'hésita pas. Le visage aussi fermé que possible, il marcha droit sur elles, du pas lourd de l'exécuteur venant chercher le condamné pour l'amener à son juste châtiment. Après tout, ce n'étaient que des gamines. La coupable se trahirait d'elle-même, il n'en doutait pas.

Et elle le fit. Presque instantanément.

C'était celle dont ses copines s'étaient moquées la

veille, en l'accusant d'avoir déclenché chez Naze un sourire supposé enjôleur. Missy, ou Messy, ou quelque chose d'approchant. Tout s'expliquait, à présent. Le skinhead n'avait pas repéré la surveillance de Myron. On l'avait tuyauté. En fait, tout avait été arrangé. C'est ainsi que Naze avait su pour les questions le concernant posées par Myron aux filles. Ce qui expliquait le timing apparemment fortuit, Naze s'incrustant dans la galerie des restaurants juste assez longtemps pour que Myron arrive.

Un traquenard des plus primaires. Et il était tombé dedans tête la première.

Celle avec la coiffure à la Elsa Lancaster fit une grimace assez horrible.

— Genre, c'est quoi le blème ?

— Ce petit connard a essayé de me tuer, dit Myron.

Hoquets et mines effarées, mais aussi illuminées par l'excitation. Pour la plupart d'entre elles, c'était comme un épisode d'une série télé qu'elles vivaient de l'intérieur. A part Missy, ou Messy ou quelque chose commençant par un M, qui restait aussi stoïque qu'un automate.

— Mais il n'y a pas de quoi se tracasser, ajouta Myron. Nous sommes sur le point de le serrer. D'ici une heure ou deux, il sera derrière les barreaux. La police s'apprête à le cueillir. Je voulais seulement vous remercier pour votre coopération.

La fille M intervint :

— Je croyais que tu n'étais pas flic.

Une phrase sans « genre ». Révélateur, non ?

— Je bosse sous couverture, pour cette affaire, dit Myron.

— Oh… Mon… Dieu…

— Tire-toi !

— Woah !

— Tu veux dire, comme *Un flic dans la Mafia* ?

Myron regardait la télé de temps en temps, mais il n'avait aucune idée de ce qu'était cette référence.

— Exactement, fit-il sobrement.

— Alors là, c'est total cool.

— Est-ce qu'on va, genre, passer à la télé ?

— Au flash infos du soir ?

— Le présentateur de Canal 4, il est genre trop craquant, tu vois ?

— Faut que je me refasse ma coiffure.

— Nan, Amber, t'es ultra top. Mais moi, on dirait que j'ai un nid de rats sur la tronche.

Myron se racla la gorge.

— L'affaire est à peu près terminée. Sauf pour un détail : le complice.

Myron attendit que l'une d'entre elles dise : « Le complice ? (Genre quoi ?) », mais aucune ne pipa mot. Il décida donc d'enfoncer un peu plus le bouchon.

— Quelqu'un dans cette galerie a aidé ce taré à me tendre un piège.

— Genre, ici ?

— Dans *notre* galerie ?

— Pas dans *notre* galerie. Impossible.

Elles prononçaient le mot *galerie* comme certains prononcent le mot *synagogue*.

— Quelqu'un a aidé ce nazebrock ?

— *Notre* galerie ?

— Beurk.

— Là c'est, genre, j'arrive même pas à le croire.

— Vous pouvez le croire, assena Myron, plus sinistre que jamais. En fait, cette personne est certainement présente en ce moment même. Et elle nous espionne.

Elles tournèrent la tête dans tous les sens. M elle-même suivit le mouvement général, bien que de façon assez peu convaincante.

Myron avait exhibé le bâton. Et maintenant, la carotte :

— Ecoutez, les filles, je veux que vous ouvriez bien grands les yeux et les oreilles. Nous allons serrer son complice. Ça ne fait pas le moindre doute. Les petits connards comme lui crachent toujours le morceau très vite. Mais évidemment, si son complice s'était simplement laissé berner par lui…

Regards bovins autour de la table des filles.

— Si elle, disons, n'avait pas été vraiment au courant du score – ce n'était pas exactement leur jargon, mais elles acquiescèrent – et si elle venait me parler d'elle-même, avant que les flics ne l'alpaguent, alors je serais sans doute en mesure de lui sauver la mise. Sinon, elle pourrait être accusée de complicité de tentative de meurtre. Genre.

Rien. Myron s'y était attendu. M n'admettrait jamais rien devant ses copines. La perspective de se retrouver en prison était certes effrayante, mais moins que celle d'un lynchage oral en direct par ses meilleures amies.

— Au revoir, mesdemoiselles.

Myron alla se poster à l'autre extrémité de la galerie des restaurants. Il s'adossa à une colonnade décorative stratégiquement située entre la table des filles et les toilettes.

Il patienta, en espérant qu'elle s'excuserait et viendrait à lui. Au bout de cinq minutes, M se leva de sa chaise et se mit à marcher dans sa direction. Exactement comme il l'avait prévu. Il réprima un sourire. Peut-être qu'il aurait dû opter pour une carrière de conseiller d'orientation scolaire. Modeler les jeunes esprits égarés, pour les mettre dans le droit chemin.

M obliqua vers la sortie.

Merde.

Myron la rejoignit en quelques enjambées rapides, tout sourires.

— Mindy ? dit-il, car il venait soudain de se rappeler son prénom.

Elle tourna la tête vers lui mais ne répondit pas.

Il adopta un ton velouté et un regard compréhensif. Le confident muet rêvé de toutes les petites turpitudes quotidiennes.

Le confesseur qui ne juge pas.

— Quoi que vous puissiez me dire, cela restera confidentiel, glissa-t-il. Si vous êtes impliquée dans tout ça…

— Eh, tu restes loin de moi, d'accord ? Je suis pas, genre, *impliquée* dans rien du tout.

Elle le contourna et passa devant Foot Locker et Athlete's Foot – deux magasins qui pour Myron avaient toujours été des décalques incompatibles, des sosies impossibles, comme on n'imagine pas de voir Batman et Bruce Wayne dans la même pièce.

Myron la regarda qui s'éloignait d'un pas nerveux. Elle n'avait pas craqué, ce qui l'étonnait un peu. Il était donc temps de passer au plan B. Il hocha la tête une fois. Mindy continuait de se hâter vers la sortie, en jetant des regards fréquents derrière elle pour s'assurer que Myron ne la suivait pas. Il ne bougea pas.

Mindy, toutefois, ne remarqua pas la belle jeune femme de type hispanique qui marchait quelques pas derrière elle, un peu à gauche.

Mindy trouva une cabine téléphonique près du magasin de disques qui ressemblait à n'importe quelle autre enseigne de la galerie marchande. Elle jeta un coup d'œil alentour, glissa une pièce dans le monnayeur et composa son numéro. Son index venait d'appuyer sur la dernière touche quand une main passa par-dessus son épaule et coupa la communication.

Mindy se retourna d'un bloc vers Esperanza.

— Eh !

— Raccrochez, lui dit Esperanza.

— Eh !

— Ouais, « eh ! ». Et maintenant, raccrochez ce téléphone.

— Genre, t'es qui, bordel ?

— Raccrochez, répéta Esperanza, ou je vous l'enfonce dans le nez.

Les yeux écarquillés, à la dérive, Mindy s'exécuta. Après une poignée de secondes, Myron les rejoignit. Il regarda fixement Esperanza.

— Dans le nez ? fit-il.

Elle haussa les épaules.

— Vous avez pas le droit de faire ça, genre ! s'écria Mindy.

— Faire quoi ? fit Myron.

— Genre..., commença Mindy avant de s'interrompre et d'essayer de comprendre ce qui lui arrivait. Genre, me forcer à raccrocher ?

— Aucune loi ne l'interdit, dit Myron en se tournant vers Esperanza. Vous connaissez une loi qui l'interdit, vous ?

— Qui interdit de raccrocher un téléphone ? appuya Esperanza avec une moue d'incompréhension exagérée. *No, señor.*

— Vous voyez bien ? Rien qui ne soit contraire à la loi. D'un autre côté, il existe un tas de lois qui répriment l'aide inconsciente et l'assistance consentie à un criminel. Lesquelles sont considérées comme des crimes. Sanctionnés par des peines de prison ferme, évidemment.

— J'ai aidé personne. Et vous m'impressionnez pas.

Myron se tourna vers Esperanza.

— Vous avez le numéro ?

Elle le lui donna.

— Remontons donc à la source.

Une fois de plus, le *cyber age* rendit cette tâche horriblement aisée. N'importe qui peut acheter ce genre de programme informatique au magasin du coin ou se le procurer sur un site Web. Ensuite il lui suffit de pianoter le numéro, et hop ! le tour est joué, vous obtenez le nom et l'adresse de la personne concernée.

Esperanza se servit d'un portable pour composer le numéro de la nouvelle secrétaire de MB Sports. Son nom, qui lui allait comme un gant, était Big Cindy. Avec ses deux mètres pour cent cinquante kilos, Big Cindy avait effectué toute sa carrière de lutteuse professionnelle sous le surnom de Big Chief Mama, et avait été la partenaire en double d'Esperanza « Petite Pocahontas » Diaz. Sur le ring, Big Cindy portait une tenue que Sid Vicious et sa copine Nancy auraient adorée : T-shirt lacéré sur justaucorps. Et sa marque de fabrique était un regard bien allumé rehaussé par un grondement de bête fauve. Dans la vie réelle, à dire vrai, elle était exactement la même.

En espagnol, Esperanza lui transmit le numéro.

Mindy réagit aussitôt :

— Eh, moi je me casse, et maintenant, genre.

Myron lui saisit le bras.

— Je crains que non.

— Eh ! T'as pas le droit, genre, de me tenir comme ça !

Myron crispa un peu plus les doigts sur son bras.

— Je vais crier au viol.

Myron leva les yeux vers le Placoplâtre du plafond.

— Devant un téléphone public, dans une galerie marchande. Sous cet éclairage au néon aveuglant. Et alors que je suis juste à côté de ma copine.

Mindy dévisagea Esperanza.

— C'est ta copine ?

— Eh oui.

Esperanza se mit à siffloter une vieille romance.

— Mais t'as pas le droit de me forcer à, genre, rester avec vous.

— J'ai un peu de mal à comprendre, Mindy. Vous m'avez l'air d'être une jeune fille plutôt gentille.

Elle était vêtue d'un pantalon élastique noir et d'un débardeur rouge trop juste. Au cou, une imitation très réussie de collier de chien. Aux pieds, des chaussures à semelles surcompensées.

— Mindy, ce gars vend de la drogue. Et il a tenté de me tuer.

Esperanza coupa sa communication téléphonique.

— C'est un bar, le Parker Inn.

— Vous savez où c'est ? demanda Myron à Mindy.

— Ouais.

— Allons-y.

Mindy essaya de se dégager.

— Laisse-moi, siffla-t-elle en étirant la dernière syllabe.

— Mindy, on n'est plus à la maternelle, là. Vous avez aidé quelqu'un coupable d'une tentative de meurtre. Sur ma personne.

— C'est toi qui le dis.

— Quoi ?

Il lâcha Mindy, qui se campa face à lui, poings sur les hanches, mâchant son chewing-gum d'un air redoutable.

— Alors, genre, comment je peux savoir que c'est pas toi le ripou, dans cette histoire, hein ?

— Je vous demande pardon ?

— Tu viens nous voir hier, genre, mystérieux et tout ça, non ? Et t'as rien du style, genre, badge de police, pas vrai ? Alors comment je peux être sûre que t'es pas, genre, après Tito ? Comment je sais que t'es pas un autre dealer qui veut lui piquer son territoire, hein ?

— Tito ? répéta Myron en interrogeant Esperanza du regard. Un néo-nazi qui s'appelle Tito ?

Esperanza eut un haussement d'épaules certainement fataliste.

— Aucun de ses potes ne l'appelle Tito, continua Mindy. C'est vachement trop long, tu comprends ? Ils préfèrent l'appeler Tit.

Myron et Esperanza échangèrent un regard, et firent la moue à l'unisson. Trop facile.

— Mindy, dit Myron d'un ton posé, je ne plaisantais pas, là. Tito n'est pas quelqu'un de gentil. En fait, il se pourrait bien qu'il ait participé à un kidnapping et qu'il ait estropié un garçon qui a votre âge. On a coupé un doigt à ce garçon, et on l'a envoyé à sa mère.

Ses lèvres se pincèrent d'une façon très laide.

— Oh ça, c'est, genre, dégueu.

— Aidez-moi, Mindy.

— T'es flic ?

— Non, dit Myron. J'essaie seulement de sauver la peau de ce garçon.

Elle agita la main en prenant des airs de grande dame lasse.

— Ben alors, vas-y, fais-le. T'avais pas besoin de moi.

— J'aimerais que vous veniez avec nous.

— Pourquoi ?

— Pour que vous ne cherchiez pas à avertir Tito.

— Je l'avertirai pas.

Myron prit un air ouvertement dubitatif.

— Vous savez aussi comment aller au Parker Inn. Ce qui nous fera gagner du temps.

— Hin-hin, pas question. Je vais pas avec vous.

— Si vous ne venez pas, je parlerai à Amber et Trish et toutes les autres de votre nouvel amoureux.

Mindy changea aussitôt d'attitude.

— C'est pas mon amoureux, d'abord. On a juste, genre, traîné un peu ensemble, une ou deux fois. C'est tout.

Myron sourit.

— Alors je mentirai. Juste un peu. Je dirai que vous avez couché avec lui.

— C'est même pas vrai ! s'écria-t-elle. C'est vraiment, genre, dégueu.

Myron eut une moue faussement désolée.

Elle croisa les bras et mâchonna à pleins maxillaires. Sa version de la résistance à une pression injuste. Qui ne dura pas.

— Bon, ça va, d'accord, je viens avec vous. Mais je veux pas que Tit me voie, d'accord ? Je reste dans la tire.

— Marché conclu, dit Myron.

Il soupira. Ils étaient maintenant à la recherche d'un petit taré surnommé Tit. Et après ?

Le Parker Inn était un bar fréquenté uniquement par des bouseux, des motards et des poufiasses. Le parking regorgeait de pick-up et de motos. Les portes toujours ouvertes vomissaient de la country music standard. Plusieurs consommateurs coiffés de casquette John Deere utilisaient le mur de la façade comme urinoir public. De temps en temps, l'un d'entre eux se tournait vers son voisin et l'arrosait copieusement. Jurons et rires gras fusaient. Chouette endroit.

Dans sa voiture garée de l'autre côté de la rue, Myron regarda Mindy dans le blanc des yeux et lui dit :

— Vous alliez *là* ?

— Bah, j'y suis passée, genre, deux ou trois fois. Pour le fun, tu comprends ?

— Ben tiens, fit-il. Et pourquoi ne pas vous être aspergée d'essence et avoir craqué des allumettes, plutôt ?

— Je t'emmerde, vu ? T'es mon père ou quoi, genre ?

Il leva les mains en signe de reddition. Elle avait raison. Cela ne le regardait pas.

— Vous apercevez le pick-up de Tito ?

Il n'arrivait pas à l'appeler Tit. Peut-être que s'il apprenait à mieux le connaître…

Mindy scruta le parking.

— Non.

Myron avait déjà fait la même chose.

— Vous savez où il habite ?

— Non.

Myron soupira.

— Il deale. Il a un tatouage représentant une croix gammée. Et il n'a pas de cul. Mais ne me dites pas que, en dehors de tout ça, Tito est un mec adorable.

— Je t'emmerde, OK ? s'écria Mindy. Va te faire foutre.

— Myron…, fit Esperanza sur le ton de la mise en garde.

Il leva de nouveau les mains en signe de paix. Ils restèrent un bon moment assis, à regarder ce qui se passait. Et rien ne se passait.

Mindy émit son soupir le plus sonore.

— Bon, je peux rentrer chez moi, maintenant ?

— J'ai une idée, dit Esperanza.

— Quoi ? lâcha Myron.

Esperanza retira de son jean les pans de son chemisier, et les noua sous sa poitrine, révélant un ventre plat et brun. Puis elle déboutonna le haut du vêtement jusqu'à obtenir un décolleté très suggestif. On pouvait maintenant voir qu'elle portait un soutien-gorge noir, remarqua Myron avec ce don de l'observation inné chez lui. Elle abaissa le rétroviseur et entreprit de se maquiller. Lourdement. Très lourdement, même. Elle ébouriffa un peu ses cheveux et roula l'ourlet de son pantalon. Quand elle eut fini, elle sourit à Myron.

— Vous allez entrer comme ça dans ce bouge ? fit-il, incrédule.

— Toutes les filles s'attifent de la sorte dans ce genre de bar.

— Mais aucune n'est aussi bien que vous, remarqua-t-il.

— Mon Dieu, un compliment !

— En tout cas, si nous devenons associés, pas question que vous arriviez avec cette allure aux réunions du conseil d'administration.

— Promis, dit Esperanza. Je peux y aller, maintenant ?

— D'abord, appelez-moi sur le portable, et laissez-le ouvert. Je veux pouvoir entendre tout ce qui se passe à l'intérieur.

Elle composa son numéro. Il lui prit l'appareil. Ils testèrent la connexion.

— Et ne jouez pas à Super Jamie. Voyez seulement s'il est là. Et si ça dégénère, vous mettez les voiles *pronto.*

— Compris.

— Et il nous faut un code. Quelque chose que vous direz si jamais vous avez besoin que je rapplique.

Esperanza feignit la plus grande concentration.

— Bon, si je dis « éjaculation précoce », ça signifie que j'ai besoin de votre aide.

— Façon de parler.

Esperanza et même Mindy soupirèrent.

Myron ouvrit la boîte à gants et y prit un pistolet. Il ne se referait pas prendre au dépourvu.

— Allez-y, dit-il.

Esperanza descendit de voiture et traversa la rue. Une Corvette noire avec des flammes peintes sur le capot et un petit compresseur qui en sortait démarra. Un primate chargé de chaînes en or fit vrombir le moteur et passa la tête par la portière. Il adressa un sourire libidineux à Esperanza et fit rugir une fois encore son moulin. Elle regarda froidement le conducteur, puis la voiture.

— Désolée d'apprendre ce qui est arrivé à ta queue, lâcha-t-elle.

La Corvette s'éloigna dans un crissement de pneus. Esperanza haussa les épaules et fit un petit signe à Myron. Elle avait de la repartie.

— Bon sang, cette fille est géniale, marmonna Myron.

— Elle est genre hyper cool, approuva Mindy. J'aimerais bien lui ressembler.

— Vous devriez avoir envie d'être comme elle, plutôt.

— Où est la différence ? Elle doit le faire grave, non ?

Esperanza entra dans le Parker Inn. La première chose qui la frappa fut l'odeur – combinaison immanquable de vieilles vomissures et de sueur – assez écœurante. Elle plissa le nez et avança dans la salle. Le plancher était saupoudré de sciure. L'éclairage était chiche, et provenait principalement des grandes lampes rondes fixées à la verticale de la table de billard. La clientèle était aux deux tiers masculine. Tout le monde était habillé de façon très laide, pour résumer.

Esperanza balaya l'endroit du regard. Puis elle dit, juste assez fort pour que Myron puisse l'entendre au téléphone :

— Il y a ici une petite centaine de gus qui correspondent à votre description. Autant me demander de trouver un implant mammaire dans le mensuel *Gros Nichons*.

Myron avait coupé le microphone de son portable, mais elle aurait parié qu'il riait comme une baleine. Le mensuel *Gros Nichons*. Pas mal, se dit-elle. Pas mal du tout.

Et maintenant ?

Les trois quarts des types la reluquaient ouvertement, mais elle y était habituée. Deux secondes et demie s'écoulèrent avant que l'un d'eux ne s'approche. Il avait une longue barbe filandreuse, lestée de fragments de bouffe. Il lui décocha un sourire partiellement édenté et la regarda en détail de la tête aux pieds, sans gêne aucune.

— J'ai une super langue, dit-il.

— Félicitations. Te manquent plus que les dents qui vont avec.

Elle passa devant lui et se dirigea vers le comptoir.

Deux secondes plus tard, un autre type bondit vers elle. Il portait un chapeau de cow-boy. Un chapeau de cow-boy, à Philadelphie… Qu'est-ce qui clochait dans cette association ?

— Eh, beauté, je te connais, toi, non ?

— Sûrement, répondit-elle en soupirant. Encore une phrase aussi irrésistible, et je vais commencer à me déshabiller.

L'autre hulula de rire comme si c'était la chose la plus drôle qu'il ait jamais entendue.

— Non, beauté, je suis sérieux, là… Oh, bordel ! C'est Petite Pocahontas ! La princesse indienne ! Tu es Petite Pocahontas, pas vrai ? Dis pas non, beauté. Oui, c'est bien toi ! Alors ça, je le crois pas !

Myron était probablement plié en quatre sur son siège.

— Content de te voir, dit Esperanza. Et merci de te souvenir de moi.

— Merde alors ! Bobbie, regarde un peu ! C'est Petite Pocahontas ! La princesse des rings !

— Où ça ? fit un autre type en rappliquant, le regard étonné, vague et joyeux tout à la fois. Putain de merde, tu as raison ! C'est elle ! C'est vraiment elle !

— Eh, merci, les gars, mais…

— Je me souviens de cette fois, quand t'as combattu contre Tatiana l'Ourse de Sibérie ! Tu te souviens ? Bordel, j'avais tellement la trique que j'ai failli casser la vitre de la télé avec !

Esperanza se promit d'oublier l'anecdote dès que possible.

Un énorme barman arriva derrière le comptoir. Il aurait pu figurer sur la double page centrale de *Cuirs et Motards*. Super costaud et super effrayant. Cheveux longs, balafre plus longue encore, tatouages de serpents qui ondulaient sur les jambons de ses avant-bras. Il lança un regard aux deux autres et *pouf !* ils disparurent.

Comme si ce regard les avait néantisés. Puis il tourna son attention vers Esperanza. Elle soutint son examen crânement. Ni l'un ni l'autre ne baissèrent les yeux.

— T'es qui, la môme ? gronda-t-il aimablement.

— C'est une nouvelle façon de demander ce que je veux boire ?

— Non.

L'affrontement oculaire se poursuivit une seconde encore. Il posa ses avant-bras de bûcheron sur le comptoir.

— T'es trop mignonne pour être une fliquette, dit-il. Et aussi pour venir traîner dans ce trou à pisse.

— Merci. Enfin, je suppose que je dois prendre ça comme un compliment. Et toi, tu es qui ?

— Hal. Ce trou à pisse m'appartient.

— Salut, Hal.

— Ouais, salut. Bon, qu'est-ce que tu viens chercher ici, hein ?

— Je viens chercher l'âme sœur.

— Nan, j'y crois pas, dit Hal en secouant la tête. T'irais voir dans le quartier des métèques, pour ça. Pour te trouver un mec de ta tribu, sans vouloir t'offenser.

Il se pencha vers elle, et Esperanza ne put s'empêcher de se demander s'il plairait à Big Cindy. Elle aimait les motards grand format.

— Laissons tomber ces conneries. Qu'est-ce que tu veux vraiment ?

Esperanza décida de tenter l'approche directe.

— Je cherche une petite frappe du nom de Tito. Les gens l'appellent Tit. Maigrichon, boule à zéro…

— Ouais, ouais, possible que je le connaisse. Combien ?

— Cinquante billets.

Hal émit un borborygme railleur.

— Tu veux que je te balance un client pour cinquante billets ?

— Cent, alors.

— Cent cinquante. Ce sac à merde me doit de la tune.

— Ça marche, dit-elle.

— Montre les biftons.

Esperanza sortit les billets de son portefeuille. Hal tendit la main pour les prendre, mais elle recula la sienne.

— Toi d'abord, dit-elle.

— Je sais pas où il crèche, dit Hal. Lui et ses potes tondus viennent ici tous les soirs sauf le mercredi et le samedi.

— Pourquoi pas le mercredi et le samedi ? demanda-t-elle.

— Ils vont peut-être au bingo le mercredi et à la messe le samedi. Ou bien ils se réunissent en cercle en criant « Heil Hitler » quand ils se dégorgent le poireau. Comment je saurais, hein ?

— Son vrai nom ?

— Aucune idée.

Elle survola la salle du regard.

— Un de ces types le saurait, d'après toi ?

— Non, fit Hal. Tit vient toujours avec ses crevures rasées et ils repartent ensemble. Ils parlent à personne. Ça doit être *verboten*.

— On dirait que tu ne l'aimes pas beaucoup.

— C'est un connard de taré. Ses potes aussi. Des dégénérés qui en veulent au monde entier de pas être comme eux.

— Alors pourquoi les laisses-tu traîner ici ?

— Parce que, à la différence de ces connards, moi, j'oublie pas qu'on est dans un pays libre. Ici, chacun fait ce qu'il veut. Tout le monde a le droit d'entrer ici et de consommer. Noir, Blanc, métèque, bridé, c'est du pareil au même pour moi. Même ces petits enfoirés.

Esperanza retint un sourire. On trouve parfois la tolérance dans les lieux les plus improbables.

— Quoi d'autre ?

— C'est tout ce que je sais. Aujourd'hui, c'est samedi. Ils viendront demain.

— Bon, dit Esperanza, et elle déchira en deux les trois billets de cinquante. Je te donnerai l'autre moitié demain.

Hal tendit sa grosse patte et la referma sur l'avant-bras d'Esperanza. Son regard se fit un peu plus menaçant.

— Joue pas à ça avec moi, beau cul, dit-il à voix basse. Il me suffit de gueuler « partouze » et tu te retrouves à poil sur la table de billard en cinq secondes. Tu me donnes les cent cinquante maintenant. Et la moitié de deux autres coupures de cinquante pour que je la ferme. Tu saisis ?

Elle sentait son cœur prêt à jaillir de sa cage thoracique tant il battait fort.

— Je saisis.

Elle lui donna les cent cinquante dollars, puis en sortit cent de plus, les déchira en deux et lui en donna une moitié.

— Allez, tire-toi, beau cul. Maintenant.

Il n'eut pas à le lui répéter.

20

Pour cette nuit, ils ne pouvaient rien faire d'autre. Approcher de la propriété des Squires aurait été risqué, pour le moins. Myron ne pouvait pas téléphoner aux Coldren, ni les contacter autrement. Il était trop tard pour appeler la veuve de Lloyd Rennart. Et enfin – ce qui était sans doute le plus important – Myron ne tenait plus debout.

Il passa donc la soirée au cottage, avec ses deux meilleurs amis au monde. Myron, Win et Esperanza s'écroulèrent chacun sur un des canapés, comme des horloges molles de Dalí. En T-shirts et shorts, ils se calèrent de leur mieux avec une armée de coussins. Myron but trop de Yoo-Hoo, Esperanza but trop de Coca light, et Win but presque trop de « pisse d'âne », comme il le disait lui-même (Win ne buvait jamais de vraie bière). Ils disposaient en abondance de bretzels, frites et autres crackers, et ils se firent livrer une pizza. Ils avaient éteint toutes les lumières. Seul le téléviseur grand écran était allumé. Récemment, Win avait enregistré une flopée d'épisodes de *The Odd Couple*. Ils visionnaient le quatrième. Ce qu'il y avait de bien avec ce feuilleton, se disait Myron, c'est qu'aucun épisode n'était mauvais. De combien d'autres feuilletons pouvait-on en dire autant ?

Myron mordit dans une part de pizza. Il en avait besoin. Il avait à peine fermé l'œil depuis sa rencontre avec les Coldren, qui lui semblait remonter à une éternité (en réalité, la veille seulement). Son cerveau était en compote et ses nerfs en pelote. Confortablement avachi sur son canapé, en compagnie de Win et Esperanza, leurs visages baignés de bleu par l'écran de télévision, Myron savourait un pur moment de détente.

— Ce n'est tout simplement pas vrai, insista Win.

— Absolument, approuva Esperanza avant d'avaler une poignée de chips.

— Je vous dis que Jack Klugman porte une moumoute, répéta Myron.

Mais Win n'en démordait pas.

— Oscar Madison ne porterait jamais de moumoute. Jamais, je maintiens. Felix, à la rigueur. Mais Oscar ? Impossible.

— Pourtant c'est bien une moumoute, fit Myron.

— Vous pensez à l'épisode précédent, dit Esperanza. Celui avec Howard Cosell.

— Mais oui, c'est ça ! s'exclama Win en claquant des doigts. Howard Cosell. Lui portait bien une moumoute.

Exaspéré, Myron leva les yeux au plafond.

— Je ne pensais pas du tout à Howard Cosell. Je sais encore différencier Howard Cosell de Jack Klugman. Et je vous le redis : Klugman porte une moumoute.

— Où est la ligne de raccord, alors ? dit Win d'un ton de défi en pointant l'index vers l'écran. Je ne vois pas de raccord ou de changement de teinte. Et en général, je suis doué pour voir les raccords.

— Je n'en vois pas non plus, ajouta Esperanza en scrutant l'image.

— Ça fait deux contre un, triompha Win.

— Très bien, soupira Myron. Ne me croyez pas si vous voulez.

— Il avait ses vrais cheveux dans *Quincy*, dit Esperanza.

— Non, s'entêta Myron.

— Deux contre un, lui rappela Win. La majorité l'emporte.

— Bon, restez dans l'erreur si ça vous chante.

Sur l'écran, Felix était campé devant un orchestre baptisé « Felix Unger et les Sophisticatos ». Ils jouaient un morceau rythmé en répétant sans arrêt la phrase *Stumbling all around*. Assez entraînant.

— Qu'est-ce qui vous rend si sûrs qu'il a une moumoute ? demanda Esperanza.

— *La Quatrième Dimension*, répondit Myron.

— Pardon ?

— *La Quatrième Dimension*. Jack Klugman a joué dans au moins deux épisodes.

— Ah oui…, dit Win, soudain émoustillé. Attends, ne me dis rien, voyons si je me souviens…

Il se tut, réfléchit en se tapotant les lèvres de l'index, puis :

— Celui avec le petit garçon, Pip. Interprété par ?

Il connaissait la réponse, naturellement. Avec Myron, c'était un petit jeu dont ils ne se lassaient pas.

— Bill Mumy, intervint Esperanza.

— Exact, dit Win. Bill Mumy dont le rôle le plus célèbre a été ?

— Will Robinson dans *Perdus dans l'espace*, répondit Esperanza sans hésiter.

— Vous vous souvenez de Judy Robinson ? dit Win avec un petit soupir de nostalgie. Une bien belle Terrienne, non ?

— A part ses tenues, remarqua Esperanza. Des pulls

en velours de chez Kmart pour voyager dans l'espace ? Qui a eu cette idée ?

— Et nous ne pouvons oublier le pétulant Dr Zachery Smith, ajouta Win. Le premier personnage de gay dans une série télé.

— Comploteur et pétochard, avec un zeste de pédophilie en prime, dit Esperanza.

Win prit une autre part de pizza. La boîte de livraison était blanche avec un lettrage rouge et vert soulignant la caricature classique d'un cuistot rondouillard qui se tordait la pointe de sa moustache entre le pouce et l'index. Il était inscrit sur la boîte (véridique !) :

Pizza peperoni ou anchois,
Quel que soit votre choix,
Au meilleur vous avez droit.
Telle est notre loi.

De la poésie culinaire à emporter.

— En revanche, je ne sais plus dans quel autre épisode de *La Quatrième Dimension* jouait M. Klugman, dit Win.

— Celui avec le joueur de billard, répondit Myron. Jonathan Winters était dedans aussi.

— Ah, mais oui ! fit Win, l'air pénétré. Je me souviens, maintenant. Le fantôme de Jonathan Winter joue au billard contre le personnage de M. Klugman. Par défi, ou un truc dans le genre.

— Bonne réponse.

— Bon, et quel rapport y a-t-il entre les épisodes de *La Quatrième Dimension* et la moumoute de M. Klugman ?

— Tu les as sur bande ?

Win marqua un temps.

— Il me semble que oui. J'ai enregistré la dernière nuit spéciale *La Quatrième Dimension*. Un de ces épisodes y est forcément.

— Il faut le trouver, décréta Myron.

A trois, ils passèrent près de vingt minutes à fouiller dans son impressionnante collection de cassettes avant de dénicher l'épisode avec Bill Mumy. Win l'introduisit dans le magnétoscope et retourna s'effondrer sur son canapé. Ils le regardèrent dans un silence quasi religieux.

— Que le diable me patafiole, c'est comme ça qu'on dit, non ? fit Esperanza après quelques minutes.

Un Jack Klugman en noir et blanc appelait « Pip », le surnom de son fils décédé, et ses suppliques torturées faisaient apparaître le tendre spectre de son passé. La scène était très émouvante, mais aussi sans grand rapport avec le reste de l'histoire. Le point important, bien sûr, était que cet épisode, alors même qu'il précédait *The Odd Couple* d'une dizaine d'années, montrait un Jack Klugman atteint d'un sévère début de calvitie.

Win prit un air désolé.

— Tu es fort, convint-il d'une voix assourdie. Très fort.

Il se tourna vers Myron.

— Face à toi, ô grand dragon, je ne suis qu'un humble petit scarabée.

La conversation débridée qui suivit ne fut pas plus sérieuse.

Ils rirent. Ils plaisantèrent. Ils se moquèrent les uns des autres. Aucun d'eux ne fit allusion à un kidnapping, aux Coldren, aux affaires courantes, aux questions d'argent, à l'éventuelle signature de Tad Crispin en bas d'un contrat de MB Sports, à un doigt coupé ou à un disparu âgé de seize ans.

Win s'assoupit le premier. Puis ce fut le tour d'Esperanza. Myron essaya de joindre Jessica une fois de plus, en vain. Rien d'étonnant. Elle avait souvent du mal à trouver le sommeil. Alors elle sortait pour marcher un peu, ce qui, disait-elle, « l'inspirait ». Il entendit sa voix sur le répondeur et quelque chose en lui se contracta. Quand le bip retentit, il laissa un message.

— Je t'aime, dit-il simplement. Je t'aimerai toujours.

Il raccrocha. Puis il alla dans sa chambre, se coucha et rabattit les couvertures sur son cou.

21

Quand Myron arriva au Merion Golf Club le lendemain matin, il se demanda brièvement si Linda Coldren avait parlé à Jack du doigt coupé. Mais elle l'avait fait, aucun doute sur ce point. Au troisième trou, Jack avait déjà perdu trois coups d'avance. Il avait un teint de cadavre, le regard aussi flou que la conscience d'un homme politique, et ses épaules étaient voûtées comme s'il portait des sacs de cent kilos invisibles.

Win se rembrunit.

— Je crois bien que cette histoire de doigt le chiffonne un tantinet.

Brillante intuition.

— Tous ces stages de sensibilisation que tu as suivis, ça commence à payer, grommela Myron.

— Je ne m'attendais pas à ce qu'il s'effondre aussi totalement.

— Win, un kidnappeur a tranché un doigt à son fils. C'est le genre de truc qui n'aide pas à se concentrer sur une petite baballe.

— Il faut croire, admit Win mais il ne paraissait pas franchement convaincu et il se mit à remonter le fairway. Crispin t'a montré les sommes, dans son deal avec Zoom ?

— Oui, dit Myron.

— Et ?

— Il s'est fait truander en beauté.

— Tu n'y peux pas grand-chose, à présent.

— J'y peux quelque chose, au contraire, affirma Myron. Et ça s'appelle renégocier les termes d'un contrat.

— Crispin a signé, lui rappela Win.

— Et alors ?

— Je t'en prie, ne me dis pas que tu veux qu'il dénonce ses engagements.

— Je n'ai jamais dit ça. J'ai dit qu'il fallait renégocier.

— Renégocier, répéta Win comme si ce mot avait un goût désagréable sur la langue. Comment se fait-il qu'un sportif qui n'a pas de bons résultats ne renégocie jamais ses contrats ? Comment expliques-tu qu'un joueur qui fait une saison catastrophique ne revoie jamais ses exigences à la baisse ?

— Un point pour toi, reconnut Myron. Mais, vois-tu, je garde en tête cette définition de mon boulot d'agent, et elle dit quelque chose comme : « Décroche le maximum de pognon pour ton client. »

— Et au diable la morale ?

— Waoh, où es-tu allé pêcher ça ? Il se peut que je cherche les failles légales dans les termes du contrat, mais je joue toujours selon les règles.

— Tu parles comme l'avocat défendant un criminel notoire, dit Win.

— Oooh, alors là, c'est un coup bas.

La foule des spectateurs était fascinée par le drame qui se déroulait devant ses yeux d'une façon presque gênante. C'était un peu comme être témoin d'un accident de voiture survenant au ralenti : vous étiez horrifié, vous ne pouvez détacher votre regard de la scène, et une partie de vous se réjouit presque du malheur qui s'abat sur un autre être humain. Bouche bée, les yeux ronds, vous vous interrogez sur ce qui va se produire, et vous en arrivez presque à espérer que le choc soit fatal. Jack Coldren agonisait lentement. Son cœur s'étiolait comme s'effritent des feuilles desséchées dans un poing qui se referme inexorablement. Vous êtes témoin de sa déchéance en direct. Et vous désirez qu'elle aille à son terme.

Au cinquième trou, Win et Myron rencontrèrent Norm Zuckerman et Esme Fong. Tous deux étaient sur les charbons ardents, surtout la jeune femme, mais il est vrai qu'elle avait beaucoup à perdre. Au huit, ils virent Jack rater un putt quasiment immanquable. Coup après coup, son avance fondait, passant d'irrattrapable à confortable, puis à très mince.

Au neuf, il réussit à endiguer un peu l'hémorragie. Il continuait à jouer sans génie aucun, mais avec encore trois trous à venir seulement, il bénéficiait toujours de deux coups d'avance. Tad Crispin mettait la pression, mais il aurait toujours fallu une gaffe énorme de la part de Jack Coldren pour que son rival l'emporte.

Elle se produisit.

Le seize. Le même destin qui avait ruiné les espoirs de Jack vingt-trois ans plus tôt. Les deux adversaires débutèrent avec panache, par un premier coup bien ajusté. Mais pour le suivant, Jack Coldren sombra. La balle atterrit dans la carrière.

La foule poussa un hoquet collectif. Myron resta muet d'horreur. Jack avait commis l'impensable. Une nouvelle fois.

Norm Zuckerman envoya son coude dans les côtes de Myron.

— Je suis trempé, dit-il d'un ton presque insouciant. Je le jure devant Dieu, je suis trempé jusque dans mes recoins les plus intimes. Vas-y, tu peux vérifier toi-même.

— Je te crois sur parole, Norm.

Myron se tourna vers Esme Fong, dont le visage s'éclaira soudain.

— Moi aussi, dit-elle.

Une invite beaucoup plus intéressante, mais que Myron déclina d'un petit sourire embarrassé.

Jack Coldren réagit à peine à son fiasco, comme si ses circuits internes s'étaient subitement débranchés. Il n'agitait pas le drapeau blanc, mais c'était tout juste.

Tad Crispin en profita. Il effectua un coup d'approche parfait qui lui offrit un putt à deux mètres cinquante et la tête du tournoi. Tandis qu'il se positionnait au-dessus de la balle, le silence dans l'assistance se fit assourdissant – pas seulement la foule, mais aussi la circulation au loin, les avions dans le ciel et même l'herbe, les arbres ; le monde entier paraissait s'être ligué contre Jack Coldren.

Moment de tension intense. Et Tad Crispin le négocia avec une classe indéniable.

Quand la balle disparut dans le trou, il n'y eut pas ces applaudissements polis qu'on entend habituellement dans toutes les compétitions de golf. La foule se déchaîna comme le Vésuve à ses heures les plus fumantes. La clameur se déversa sur le green telle une vague irrésistible, portant le jeune prodige vers l'extase et balayant le vieux cheval de retour. Tout le monde semblait l'avoir voulu ainsi. Tout le monde désirait couronner Tad Crispin et décapiter à la hache Jack Coldren. Le jeune homme séduisant contre le vétéran chafouin, un peu l'équivalent pour le golf du débat Nixon-Kennedy.

— C'est le roi de la tremblote, dit quelqu'un.

— Un cas désespéré de tremblote, oui, approuva un autre spectateur.

Myron tourna un regard interrogateur vers Win.

— La tremblote..., dit Win. Le dernier euphémisme à la mode pour dire qu'on craque sous la pression.

Myron voyait très bien. Il n'y avait pas d'insulte

plus grave envers un sportif. Vous pouviez manquer de talent, rater par manque de concentration ou être dans un mauvais jour – mais pas craquer. Ne jamais craquer. Ceux qui craquaient n'avaient rien dans le ventre. On pouvait même douter de leur virilité. Dire de quelqu'un qu'il craquait revenait à l'accuser de s'être retrouvé nu devant une femme désirable qui pointait le doigt vers son entrejambe en se tordant de rire.

Enfin, c'est du moins l'image qu'avait Myron de la chose.

Il aperçut Linda Coldren sous une tente d'où elle pouvait observer le trou dix-huit. Elle portait des lunettes de soleil et une casquette de baseball à la visière baissée. Myron leva les yeux vers elle. Elle ne le regarda pas. Son expression était celle de l'incompréhension, comme si elle réfléchissait à un problème d'arithmétique ardu ou bien cherchait à se remémorer le nom allant avec un visage familier. Pour une raison qu'il ne s'expliqua pas, cette attitude chiffonna Myron. Il prit soin de rester dans son champ de vision, en espérant qu'elle lui ferait un signe. Peine perdue.

Au dernier trou, Tad Crispin menait d'un coup. Les autres golfeurs avaient terminé pour la journée, et beaucoup étaient venus près du dix-huit pour assister au dernier acte de la plus grande débâcle d'un joueur sur un circuit.

Win se mit à jouer le speaker.

— Le dix-huit est à quatre cent soixante-quinze mètres, par quatre, commença-t-il. Le tee est dans la carrière. Il faut donc frapper pour atteindre la colline. Un coup de deux cents mètres.

— Je vois, dit Myron.

Vraiment ?

Tad passa le premier. Il effectua un drive propre et puissant. Le public fit la claque polie de circonstance. Puis ce fut au tour de Coldren. Son coup décrivit une courbe plus haute, et la balle parut vaincre les éléments contraires.

— Très joli coup, commenta Win. Super.

Myron se tourna vers Esme Fong.

— Que se passera-t-il s'ils finissent à égalité ? Il y aura prolongation ?

— Non, répondit la jeune femme. Dans d'autres tournois, oui. Mais pas pour un Open. On fait revenir les deux joueurs le lendemain et ils refont un tour complet.

— Les dix-huit trous ?

— Oui.

Le second coup de Tad le rapprocha du green.

— Bien joué, estima Win. Il est bien placé pour le par.

Jack choisit un fer et approcha de sa balle.

Win sourit à Myron.

— Tu reconnais ?

Myron plissa les yeux, et une impression de déjà-vu le submergea. Win conservait la photo sur la crédence au bureau. A peu près tous les ouvrages sur le golf contenaient ce cliché. Ben Hogan s'était tenu exactement au même endroit, aux environs des années 1950. Hogan avait choisi le fer 1 qui avait fait de lui le champion U.S. de l'année.

Pendant que Jack répétait posément son swing, Myron ne put que penser aux fantômes du passé et à l'étrangeté de ces situations semblables.

— Sa tâche est pratiquement impossible, dit Win.

— Pourquoi donc ?

— Le placement du drapeau est rude, aujourd'hui. Juste derrière ce bunker ouvert.

Un bunker ouvert ? Myron n'osa même pas poser la question.

Jack effectua un coup tout en longueur. Comme l'avait prédit Win, la balle atterrit vingt mètres trop court par rapport à sa cible. Pour son troisième coup, Tad Crispin prit la balle par en dessous et l'amena à une quinzaine de centimètres du trou. Un coup de toute beauté. A présent, Jack n'avait plus aucune chance de l'emporter. Au mieux, il pouvait obtenir une égalité. En admettant que son putt réussisse.

— Un putt à sept mètres trente, dit Win, clairement pessimiste. Aucune chance.

Il avait dit sept mètres trente – pas vingt ou quarante, non, trente. D'un simple coup d'œil, Win était capable de vous donner la distance exacte, alors qu'il se trouvait à cinquante mètres de là. Ah, ces golfeurs ! Ces gens-là ne sont pas faits du même métal que le commun des mortels, en admettant qu'ils soient humains.

Jack Coldren avança sur le green. Il se courba, ramassa sa balle, déposa une marque à la place, reprit la marque, déposa de nouveau la balle au même endroit. Myron soupira. Ces golfeurs, vraiment...

Jack regarda au loin, comme s'il s'apprêtait à expédier sa balle dans le New Jersey. Il cogitait. A sept mètres trente du trou, d'un diamètre ridicule. De quoi sortir sa calculette.

Myron, Win, Esme et Norm observaient en silence. On y était. Le coup décisif. Le moment où le matador enfonce enfin la longue lame effilée de sa muleta dans le garrot du taureau. Ou se fait embrocher.

Mais alors que Jack se concentrait sur son coup, une sorte de métamorphose s'empara de lui. Ses traits pleins de bonhomie se durcirent. Son regard se fit très concentré, aigu. Myron regarda derrière lui. Linda Coldren avait elle aussi remarqué la transformation. Un instant elle détourna son attention de son mari et ses yeux cherchèrent ceux de Myron, comme pour une confirmation muette. Avant qu'il puisse faire plus qu'affronter cet examen, elle avait porté son attention ailleurs.

Jack Coldren prit tout son temps. Il scruta le green sous tous les angles. Il s'accroupit, le club dressé devant lui, dans une pose qu'affectionnent tous les golfeurs. Il adressa quelques mots à Diane Hoffman. Mais une fois qu'il se focalisa sur la balle, il n'hésita plus. Le club partit en arrière comme le balancier d'un métronome, redescendit et frappa la balle sèchement.

La petite sphère blanche qui portait tous les rêves de Jack Coldren décrivit une trajectoire légèrement courbe. Pour Myron, le résultat ne faisait déjà plus aucun doute. Du geste de Jack, émanait un magnétisme indiscutable. Plusieurs secondes plus tard, qui parurent s'étirer à l'infini, la petite balle blanche tomba dans le trou avec un *cling !* net que tout le monde perçut. Pendant un moment il n'y eut que le silence, puis la foule réagit. Mais elle exprimait plus l'étonnement que la joie. Myron se surprit à applaudir à tout rompre.

Jack avait réussi. Il avait obtenu l'égalisation.

Dans la cacophonie de la foule, la voix de Norm Zuckerman lui parvint :

— C'est magnifique, Esme. Et demain, le monde entier sera rivé devant son poste de télé. Un coup de pub incroyable.

Esme paraissait abasourdie.

— Seulement si Tad gagne, dit-elle enfin.

— Que voulez-vous dire ?

— Et si Tad perd ?

— Eh, deuxième à l'U.S. Open ? dit Norm, l'air extatique. Ce n'est pas si mal, Esme. Pas mal du tout. Nous en étions là ce matin. Avant tout ce qui s'est passé aujourd'hui. Rien de perdu, rien de gagné.

Esme Fong fit la moue.

— Si Tad perd maintenant, il ne sera pas deuxième. Ce sera seulement le perdant du duel au sommet. Il aura été à égalité avec un revenant, et il aura perdu. C'est pire que tout.

Norm renifla bruyamment.

— Vous vous faites un peu trop de bile, Esme, dit-il, mais il paraissait moins sûr de lui, tout à coup.

La foule commença à se disperser, mais Jack Coldren n'avait pas bougé. Il restait planté au même endroit, son club en main. Il ne semblait pas vraiment savourer ce moment. Il ne bougea pas, même quand Diane Hoffman vint lui tapoter l'épaule pour le féliciter. Son visage perdit toute fermeté, et son regard redevint vague. Comme si l'effort fourni pour réussir ce coup l'avait vidé de toute énergie.

A moins qu'il n'y eût une autre raison à son attitude, se dit Myron. Quelque chose de plus profond. Peut-être que cet instant de pure magie avait procuré à Jack une révélation sur l'importance toute relative de ce tournoi. N'importe qui d'autre voyait en lui l'homme qui avait effectué le coup crucial de toute sa vie. Mais peut-être que Jack Coldren ne voyait qu'un homme planté là, seul, qui se contrefoutait de ce sport et ne se posait qu'une seule question : est-ce que son fils était encore vivant ?

Linda Coldren apparut à la limite du green. Elle s'évertua à paraître enthousiaste quand elle s'approcha de son mari et lui octroya le baiser rituel. Une équipe de télé la suivait à deux mètres à peine. Au téléobjectif, des appareils photo crépitaient et leurs flashs lançaient des éclairs. Un journaliste sportif arriva, micro tendu. Linda et Jack se débrouillèrent pour afficher un sourire à peu près convaincant.

Mais derrière ce sourire, Linda semblait très inquiète. Et Jack, complètement terrifié.

22

Esperanza avait concocté un plan.

— La veuve de Lloyd Rennart se prénomme Francine. C'est une artiste.

— Quel genre ?

— Je ne sais pas. Peinture, sculpture… Quelle différence cela fait-il ?

— Simple curiosité. Continuez.

— Je l'ai appelée et j'ai prétendu que vous étiez journaliste au *Coastal Star*. C'est une feuille de chou de la région de Spring Lake. Vous êtes censé faire une série d'articles sur les artistes du cru.

Myron approuva. Pas mal, comme idée. Les gens refusent rarement la chance d'être interviewés et donc de promouvoir leurs « œuvres ».

Win avait déjà fait remplacer les vitres de la Ford. Comment s'y était-il pris pour obtenir aussi vite ce résultat ? Myron n'en avait aucune idée. Les gens riches vivent sur une autre planète. Et ce n'était pas qu'une boutade, parfois. La preuve.

Le trajet dura deux heures. Il en était maintenant huit, dimanche soir. Demain Linda et Jack Coldren se délesteraient de l'argent de la rançon. Comment la livraison s'effectuerait-elle ? Un rendez-vous dans un lieu public ?

Un intermédiaire ? Pour la énième fois, il s'interrogea sur les rapports réels entre les parents et le fils. Il prit la photo de Chad, et il essaya d'imaginer l'expression de ce visage d'adolescent gâté quand on lui avait sectionné un doigt. Il se demanda aussi si le kidnappeur avait utilisé un couteau bien aiguisé, un couperet, une hache, une scie ou… quoi d'autre ?

Il se demanda ce qu'on pouvait ressentir dans ces moments-là.

Francine Rennart vivait à Spring Lake Heights, et non à Spring Lake. Grosse nuance. Spring Lake était située en bordure de l'océan Atlantique, et c'était la station balnéaire rêvée. Ensoleillement maximum, criminalité minimum, des gens hâlés partout mais quasiment pas de gens de couleur. En fait, l'ensemble constituait un gros problème. Cette ville de riches était surnommée la Riviera irlandaise. Ce qui, en clair, signifiait qu'il n'y existait aucun restaurant digne de ce nom. Aucun. Ici, l'idée qu'on se faisait de la grande cuisine était de la bouffe servie sur une assiette et non dans un panier, point à la ligne. Si vous étiez amateur d'exotisme, vous vous rendiez à l'épicerie « fine » chinoise dont le menu incluait des raretés comme le poulet *chow mein* ou, pour les plus aventureux, le poulet *lo mein*. C'était le problème avec ce genre de villes. Elles auraient eu grand besoin de quelques commerces exotiques – disons, juifs ou gays – pour épicer le menu et ajouter un peu de vie, et deux ou trois bistrots un rien branchés.

Bien entendu, ce n'était là que l'opinion de Myron.

Si Spring Lake ressemblait à un vieux film en noir et blanc – mais sans Noirs –, alors Spring Lake Heights représentait l'envers du décor, les coulisses du plateau en quelque sorte. Certes, il ne s'agissait pas de bidonvilles ou de visions aussi déplaisantes à l'œil de l'estivant. Le coin où habitaient les Rennart était une sorte de lotissement mêlant le camp de caravaning et ces maisons de style à peu près XVIIIe en vogue autour de 1967. L'Amérique profonde des banlieues.

Myron frappa à la porte. Une femme qu'il supposa être Francine Rennart repoussa la porte-écran. Son sourire était fendu en deux par un nez de taille impressionnante. La chevelure auburn était ondulée et non coiffée, comme si elle venait de retirer les bigoudis mais n'avait pas eu le temps de la peigner.

— Bonjour, dit Myron.

— Vous devez être du *Coastal Star.*

— Exact, répondit-il en tendant la main. Bernie Worley.

Myron Bolitar, roi de la fausse identité.

— Vous arrivez à point nommé, dit Francine. Je viens de commencer une nouvelle expo.

Les meubles du salon n'étaient pas recouverts de plastique, et c'était bien dommage. Canapé vert passé, balafré de bandes adhésives marron pour cacher les déchirures. Téléviseur couronné d'une antenne remontant à la préhistoire. Assiettes de collection aux murs. Un saut dans le temps et les arcanes du mauvais goût. Un peu inquiétant, chez une artiste.

— Mon atelier est à l'arrière, annonça-t-elle.

Elle le précéda dans une grande pièce rajoutée derrière la cuisine. L'endroit était très peu meublé, les murs blancs. Un canapé avec un ressort saillant au beau milieu occupait le centre de l'espace. Une chaise de cuisine était appuyée contre lui, ainsi qu'un tapis roulé. Il y avait aussi quelque chose qui ressemblait à une couverture drapée en un triangle approximatif sur le dessus du meuble. Quatre corbeilles de salle de bains étaient alignées contre le mur du fond. Myron se dit qu'il devait y avoir une fuite.

Il attendit que Francine Rennart lui propose de s'asseoir.

Elle ne le fit pas. Elle resta debout à côté de lui sur le seuil, et dit :

— Alors ?

Il sourit, tandis que son cerveau tournait à vide. Il n'était pas assez stupide pour répondre « Alors quoi ? » mais pas assez finaud pour comprendre ce qu'elle pouvait bien espérer de lui. Il resta donc planté là, avec son rictus idiot de présentateur météo attendant une page de pub qui ne vient pas.

— Ça vous plaît ? s'enquit-elle enfin.

— Hin-hin, éluda-t-il sans se départir de son sourire.

— Je sais que ce n'est pas pour tout le monde.

— Hmm.

Quel talent pour la repartie choc !

Elle scruta son visage un moment. Il affichait toujours cette crispation figée des zygomatiques.

— Vous n'y connaissez rien en art de l'installation, c'est ça ?

— Vous m'avez percé à jour, reconnut-il en changeant illico de stratégie. En fait, d'habitude je ne m'occupe pas de ce genre de sujets. Je suis journaliste sportif. C'est mon rayon. Mais Tanya, la patronne, elle avait besoin de quelqu'un pour ce reportage. Et quand Jennifer a téléphoné pour dire qu'elle était malade, eh bien, l'article m'est revenu. C'est un papier qui doit parler de tout un tas d'artistes du coin – peintres, sculpteurs…

Il ne trouvait aucune autre variété d'artistes, aussi s'arrêta-t-il là.

— Bref, peut-être que vous pourriez m'expliquer un peu ce que vous faites.

— Ma démarche concerne l'espace et les concepts. Tout est dans la création d'une ambiance.

— Je vois.

— Ce n'est pas de l'art au sens classique du terme, ça va bien au-delà. C'est l'étape suivante dans le processus d'évolution artistique.

— Je vois.

— Tout dans cette exposition a une raison d'être précise. La place du canapé. La texture du tapis. La couleur des murs. La façon dont le soleil filtre par les fenêtres. L'ensemble crée une ambiance spécifique.

Misère…

Myron désigna cette, hum, œuvre.

— Et comment faites-vous pour vendre ce genre d'œuvre ?

Elle fronça les sourcils.

— Ça ne se vend pas.

— Pardon ?

— L'art n'est pas une question d'argent, monsieur Worley. Les véritables artistes ne donnent pas une valeur pécuniaire à leur travail. Seuls les faux artistes agissent ainsi.

Ouais, comme Michel-Ange ou Vinci, ces faux artistes.

— Mais que faites-vous de cette œuvre ? demanda-t-il. Je veux dire, vous conservez simplement cette pièce telle quelle ?

— Non. J'en modifie les composantes. Ou je les change. Je crée quelque chose de nouveau.

— Et qu'advient-il de l'œuvre présente ?

— L'art n'est pas permanent. La vie est temporaire. Pourquoi en irait-il différemment de l'art ?

D'accord…

— Existe-t-il un nom pour cette sorte d'art ?

— L'art de l'installation. Mais nous ne prisons pas trop les étiquettes.

— Et depuis combien de temps vous adonnez-vous à l'art de l'installation ?

— J'y travaille depuis deux ans, au New York Art Institute.

Il s'efforça de ne pas trahir sa surprise.

— Vous suivez des cours pour cela ?

— Bien sûr. C'est un programme sanctionné par un concours.

Myron essaya d'imaginer la chose, n'y parvint pas, et renonça sans aucun état d'âme.

Ils finirent par revenir dans le salon. Myron s'assit sur le canapé. Avec précaution. Au cas où ce serait une composante artistique. Il attendit qu'elle lui propose des gâteaux secs. De l'art aussi, peut-être, mais plus comestible.

— Vous ne comprenez toujours pas, n'est-ce pas ?

Il haussa les épaules.

— Peut-être que si vous ajoutiez une table de poker et deux ou trois chiens…

Elle eut le bon goût de rire. Il en profita.

— Permettez que nous changions un peu d'angle d'attaque, dit Myron. Si nous parlions de Francine Rennart, la personne ?

Elle parut un peu méfiante, mais finit par dire :

— D'accord. Posez vos questions.

— Vous êtes mariée ?

— Non, répondit-elle avec la sècheresse d'une porte qui claque.

— Divorcée ?

— Non.

Bolitar l'intrépide reporter, ou l'art de provoquer des réponses détaillées.

— Je vois. Alors je suppose que vous n'avez pas d'enfant.

— Si. Un fils.

— Quel âge a-t-il ?

— Dix-sept ans. Il s'appelle Larry.

Un an de plus que Chad Coldren. Intéressant.

— Larry Rennart, donc ?

— Oui.

— Où suit-il ses études ?

— Ici même, à Manasquan High. Il va entrer en dernière année.

— Bravo, se risqua Myron, avant de croquer une infime parcelle d'un gâteau sec. Peut-être que je pourrais l'interviewer ?

— Mon fils ?

— Bien sûr. J'aimerais citer le fils de l'artiste, quelque chose sur sa fierté pour vous, comment il vous soutient dans votre démarche artistique, ce genre de choses, voyez ?

Bolitar le journaliste verse dans le pathétique.

— Il n'est pas à la maison.

— Oh ?

Il attendit qu'elle explique. Rien.

— Mais où est-il ? fit-il, en désespoir de cause. Chez son père, peut-être ?

— Son père est décédé.

Enfin, on y arrivait…

— Oh, mince, je suis désolé. Je ne cherchais pas à… Je veux dire, vous êtes si jeune. Je n'avais même pas imaginé la possibilité que vous soyez…

— Ce n'est pas grave, dit Francine Rennart.

— Je suis très gêné, vraiment.

— Aucune raison de l'être.

— Vous êtes veuve depuis longtemps ?

Elle inclina la tête de côté, regard méfiant, lèvres pincées.

— Pourquoi cette question ?

— Pour les éléments de base.

— Les éléments de base ?

— Oui. Je pense que c'est crucial pour bien saisir Francine Rennart l'artiste. Je veux comprendre en quoi le veuvage peut vous affecter, et influencer votre expression artistique.

Bolitar, maître incontesté du quitte ou double.

— Je ne suis veuve que depuis peu.

Du menton, Myron désigna le… hum…, l'atelier.

— Et donc, quand vous avez créé cette œuvre, est-ce que la mort de votre mari a eu une influence sur le résultat ? La couleur des corbeilles, peut-être ? Ou la façon dont vous avez roulé ce tapis ?

— Non, pas vraiment.

— Comment est mort votre mari ?

— Pourquoi voulez-vous…

— Comme je vous l'ai dit, je pense que c'est important pour mieux mettre en perspective le message artistique. Etait-ce un accident, par exemple ? Le genre de décès qui vous fait réfléchir au destin. Les suites d'une longue maladie ? Voir l'être aimé qui souffre…

— Il s'est suicidé.

Myron fit mine d'être frappé d'horreur.

— Je suis désolé, bredouilla-t-il.

Elle respirait curieusement, à présent, par petits halètements muets. Myron sentit son cœur se serrer. « Calme-toi, se dit-il. Cesse de te focaliser uniquement sur Chad Coldren, et souviens-toi que cette femme aussi a souffert. Elle a été mariée à cet homme. Elle l'a aimé, elle a partagé son quotidien avec lui et ils ont eu un enfant ensemble. »

Et après tout ça, il avait choisi de mettre fin à sa vie plutôt que de la passer avec elle ?

Myron déglutit sans bruit. Jouer avec les émotions de cette femme était injuste, au mieux. Et déprécier sa démarche artistique parce qu'il ne la comprenait pas était tout bonnement cruel. Myron ne s'aimait pas trop, à cet instant précis. Il envisagea de prendre congé. Après tout, les chances que Rennart ait un lien quelconque avec le kidnapping semblaient plus que minces. Mais il ne pouvait pas non plus oublier un gamin de seize ans amputé d'un doigt.

— Vous avez été mariés longtemps ?

— Presque vingt ans, dit-elle à mi-voix.

— Je ne voudrais pas me montrer indiscret, mais puis-je vous demander son nom ?

— Lloyd. Lloyd Rennart.

Myron plissa les yeux comme s'il cherchait à se remémorer quelque chose.

— C'est bizarre, mais ce nom ne m'est pas inconnu…

Francine Rennart haussa les épaules.

— Il était copropriétaire d'une taverne à Neptune City. Le Rusty Nail.

— Mais bien sûr ! dit Myron. Ça me revient, maintenant. Il y était souvent, n'est-ce pas ?

— Oui.

— Bon sang, mais je l'ai rencontré là-bas. Lloyd Rennart. Je me souviens, oui. Il enseignait le golf, n'est-ce pas ? A un haut niveau, pendant quelque temps.

Le visage de Francine Rennart se ferma comme une porte de coffre-fort.

— Comment savez-vous cela ?

— Le Rusty Nail. Et je suis passionné de golf. Nul avec un club, mais je suis toutes les compétitions. Votre mari a été le caddie de Jack Coldren, non ? Il y a longtemps. Nous en avons parlé un peu.

— Qu'a-t-il dit ? demanda-t-elle d'un ton très froid.

— Ce qu'il a dit ?

— Sur le fait d'être caddie.

— Oh, pas grand-chose, en fait. Nous parlions surtout de nos joueurs préférés. Nicklaus, Trevino, Palmer. Et des parcours les plus célèbres. Le Merion, surtout.

— Non, dit-elle.

— Pardon ?

— Lloyd ne parlait jamais de golf, affirma-t-elle.

Bolitar le Rusé s'étale en beauté.

Francine Rennart le dévisageait.

— Vous ne pouvez pas être envoyé par la compagnie d'assurance. Je n'ai rien demandé… (Après un moment de réflexion, elle ajouta :) Attendez une seconde. Vous avez dit que vous étiez journaliste sportif. C'est pour ça que vous êtes ici. Jack Coldren fait son retour dans le circuit, alors vous voulez faire un papier du style « Que sont-ils devenus ? ».

Myron secoua la tête. La honte rosit ses joues. « Arrêtons ces conneries », pensa-t-il. Il inspira à fond et dit :

— Non.

— Alors qui êtes-vous ?

— Je m'appelle Myron Bolitar et je suis agent sportif.

Cette confession parut la déconcerter, ce qui pouvait se comprendre.

— Mais que me voulez-vous, à la fin ?

Il chercha les mots appropriés, mais aucun ne l'était.

— Je n'en suis pas sûr moi-même. Ce n'est probablement rien, une perte de temps. Vous avez raison. Jack Coldren fait son grand retour. Mais c'est comme si… comme si son passé le hantait. Des choses terribles lui arrivent, ainsi qu'à sa famille. Et j'ai seulement pensé…

— Pensé quoi ? coupa-t-elle. Que Lloyd était revenu d'entre les morts pour réclamer vengeance ?

— Il désirait se venger ?

— Ce qui s'est passé au Merion, dit-elle, c'était il y a très longtemps. Avant que je le rencontre.

— Il s'était fait une raison ?

Francine Rennart ne répondit pas immédiatement.

— Il lui a fallu longtemps, dit-elle. Lloyd n'a pas pu trouver d'emploi dans le milieu du golf, après ça. Jack Coldren était toujours le petit prodige, et personne ne voulait lui déplaire. Lloyd a perdu tous ses amis. Il s'est mis à boire. A trop boire… Et puis il y a eu l'accident.

Myron restait muet, attentif.

— Il a perdu le contrôle de sa voiture, dit-elle d'un ton devenu mécanique. Il a percuté un autre véhicule à l'arrêt. A Narberth, près de son ancien domicile.

Elle s'interrompit, regarda Myron au fond des yeux.

— Sa première femme est morte dans la collision.

Myron sentit un frisson désagréable courir entre ses omoplates.

— J'ignorais, dit-il à voix basse.

— C'est arrivé il y a très longtemps, monsieur Bolitar. Nous nous sommes rencontrés peu après l'accident. Nous sommes tombés amoureux. Il a cessé de boire. Il a acheté la taverne juste après – je sais, je sais, ça peut paraître absurde, un alcoolique tout juste repenti qui tient un débit de boissons. Mais pour lui, ça a marché. Nous avons acheté cette maison. Je… Je pensais que tout irait bien.

Myron laissa passer quelques secondes, puis demanda :

— Votre mari a-t-il donné volontairement le mauvais club à Jack Coldren ?

La question ne parut pas la surprendre. Elle tira sur les boutons de son chemisier et prit son temps avant de répondre.

— A la vérité, je n'en sais rien. Il n'a jamais parlé de ça. Même avec moi. Mais il y avait quelque chose. De la culpabilité, peut-être.

Elle lissa sa jupe de ses deux mains, posément.

— Mais tout ça n'a aucun sens, monsieur Bolitar. Même si Lloyd avait de la rancœur envers Jack, il est mort.

Myron chercha une façon diplomatique de poser la question, mais il n'y en avait pas :

— A-t-on retrouvé son corps, madame Rennart ?

Ses mots firent l'effet d'un crochet de boxeur poids lourd.

— C'était… c'était une crevasse très profonde, balbutia Francine Rennart. Il n'y avait aucun moyen de… La police a dit qu'ils ne pouvaient envoyer personne au fond. C'était trop dangereux. Mais Lloyd n'aurait pas pu survivre. Il a laissé un mot, et ses vêtements. J'ai encore son passeport…

— Bien sûr, dit-il platement, je comprends.

Mais quand il sortit de chez elle, il était sûr d'une chose : il ne comprenait rien du tout.

23

Tito le Nazillon ne se montra jamais au Parker Inn.

Myron était assis dans sa voiture, de l'autre côté de la rue. Comme toujours, il détestait planquer. Il n'avait pas encore cédé à l'ennui, cette fois, mais le visage ravagé par le chagrin de Francine Rennart continuait de le hanter. Il s'interrogeait sur les effets à long terme de sa visite. Cette femme avait réussi tant bien que mal à vivre avec sa douleur, qu'elle avait enfermée dans un réduit de son esprit, et puis Myron était arrivé et avait fait sauter les gonds de la porte. Oh, oui, il avait bien essayé de la réconforter. Mais que pouvait-il vraiment faire ?

L'heure de la fermeture approchait. Toujours aucun signe de Tito. Ses deux potes – Pire et Connard –, c'était autre chose. Ils étaient là depuis dix heures et demie. A une heure du matin, ils ressortirent. Pire se déplaçait avec des béquilles, arrière-goût du coup de talon vicieux de Myron sur son genou. Myron sourit. Petite victoire, certes, mais il faut savoir savourer.

Connard avait le bras passé autour du cou d'une fille. La teinture de ses cheveux était tout sauf réussie et en gros, elle semblait du genre à s'intéresser à des crânes rasés tatoués. Ou, pour présenter les choses autrement, elle aurait pu être invitée régulièrement au *Jerry Springer Show*.

Les deux nazillons firent halte pour uriner contre le mur extérieur. Connard le fit sans lâcher le cou de sa copine. Seigneur. Les consommateurs venaient se soulager en si grand nombre contre ce mur que sa base devait baigner continuellement dans la pisse, se dit Myron. Les deux compères se séparèrent. Connard alla s'écrouler sur le siège avant droit d'une Ford Mustang, tandis que Teinture Loupée s'installait derrière le volant. Pire rejoignit en sautillant son propre destrier mécanique, une moto. Il accrocha les béquilles au flanc de l'engin. Les deux véhicules partirent dans des directions opposées.

Myron décida de suivre Pire. Dans le doute, file le plus nul.

Il resta à bonne distance et prit toutes les précautions d'usage. Il préférait encore le perdre que d'être repéré. Mais la filature ne dura pas longtemps. Trois pâtés de maisons plus loin, Pire se gara et se dirigea vers une bicoque délabrée. La peinture de la façade pelait, une des colonnes supportant le perron avait complètement cédé, et l'avant-toit penchait dangereusement. Les vitres des deux fenêtres à l'étage étaient fracassées. Myron ne voyait qu'une seule raison possible pour expliquer que ce trou n'ait pas été condamné : l'inspecteur de l'urbanisme n'avait pas pu s'arrêter de rire assez longtemps pour remplir l'ordre de démolition.

Bon, et maintenant ?

Il attendit une heure que quelque chose se passe. Il ne se passa rien. Il avait vu une lumière apparaître puis s'éteindre dans une des chambres. C'était tout. La nuit tournait au fiasco intégral.

Que devait-il faire ?

Il n'avait pas la réponse à cette question. Alors il modifia un peu la question.

Qu'aurait fait Win ?

Win aurait évalué les risques. Win aurait gardé constamment à l'esprit qu'il s'agissait d'une situation désespérée, avec un garçon de seize ans amputé d'un doigt en guise d'avertissement. Le sortir de là était une priorité absolue.

Myron hocha la tête. Il était temps de la jouer à la façon de Win.

Il descendit de voiture. Tout en prenant soin de rester hors de vue, il contourna la ruine. Le jardinet baignait dans l'obscurité. Il traversa une pelouse qui lui parut assez grande pour cacher des Vietcongs, et trébucha à deux ou trois reprises, sur un bloc de ciment et une poubelle. Il se cogna deux fois le menton en s'étalant. Il dut se maîtriser pour ne pas jurer.

La porte de derrière était condamnée par une large planche de contre-plaqué. Mais la fenêtre juste à gauche était ouverte. Myron jeta un œil à l'intérieur. Ténèbres. Il grimpa précautionneusement dans la cuisine.

La puanteur des déchets agressa ses narines. Des mouches bourdonnaient dans le noir. Un moment il craignit de découvrir un cadavre, mais cette odeur était différente, et rappelait plutôt celle qui s'élève en été de la benne à ordures derrière une supérette. Il fit le tour des autres pièces, sur la pointe des pieds, en évitant les trous nombreux qui parsemaient le plancher. Aucun signe d'un otage. Pas de garçon de seize ans ligoté. Personne, en fait. Myron se guida aux ronflements et monta dans la chambre où il avait vu de la lumière plus tôt. Pire était étendu sur le dos. Endormi, l'air heureux.

Ce qui allait changer.

Myron bondit dans les airs et retomba lourdement sur le genou blessé du nazillon. Les yeux de Pire s'ouvrirent tout grands, sa bouche aussi, mais Myron l'empêcha de crier d'un coup sec dans les dents. Il se plaça vivement sur la poitrine de l'autre, qui se retrouva cloué au lit.

Puis il sortit son flingue et en colla le canon sur la joue de Pire.

— Tu cries et t'es mort, lui confia-t-il.

Pire écarquilla un peu plus les yeux. Un filet de sang coulait du coin de ses lèvres. Il ne cria pas. N'empêche, Myron n'était pas très content de lui. « Tu cries et t'es mort ? » Il aurait quand même pu trouver mieux que ça.

— Où est Chad Coldren ?

— Qui ça ?

Myron enfonça le canon de son arme dans la bouche sanglante du nazillon, heurtant les dents et l'étouffant à moitié.

— Mauvaise réponse.

Pire gardait le silence. Ce petit con n'était pas une lopette. Ou alors, peut-être bien qu'il ne pouvait rien dire parce que Myron avait enfourné le canon d'une arme dans sa bouche. Très malin, Bolitar. La mine toujours sinistre, Myron retira le canon au ralenti.

— Où est Chad Coldren ?

Pire poussa un hoquet, inspira frénétiquement.

— Je le jure, je sais pas de quoi tu parles.

— Donne-moi ta main.

— Hein ?

— Ta main. Vite.

Vengeance leva une de ses mains. Myron lui saisit le poignet, la retourna et choisit le majeur. Il le replia vers la paume en appuyant. La douleur fit tressaillir le crâne rasé.

— Je n'ai pas besoin d'une lame, moi, lui susurra Myron. Je peux le péter juste comme ça.

— Je sais pas de quoi tu parles ! réussit à geindre le skinhead. Je le jure !

Myron accentua un peu la pression. Il ne voulait pas lui briser le doigt. Pire tressauta encore un peu sous lui. Souris un peu, se dit Myron. C'est comme ça que Win fait. Il a juste ce soupçon de sourire. Presque rien. Vous voulez que votre victime vous croie capable de tout, que vous êtes d'une froideur absolue, que vous prenez plaisir à ce que vous faites, même. Mais qu'elle ne pense pas que vous êtes complètement dingue ou un barjot qui la torturera, qu'elle parle ou pas. Tout est dans la nuance.

— Je t'en prie...

— Où est Chad Coldren ?

— Ecoute, j'étais là-bas quand il t'a sauté dessus, d'accord ? Tit m'avait promis cent biftons pour lui donner un coup de main. Mais je connais pas de Chad Coldren, moi.

— Où est Tit ?

— A sa crèche, sûrement. Je sais pas.

Sa crèche ? Un néo-nazi qui utilise un argot aussi vieillot ? Ironie de l'existence.

— D'habitude, il ne vient pas traîner avec vous au Parker Inn, le soir ?

— Ouais, mais là, il s'est pas pointé.

— Il aurait dû venir ?

— Je suppose que oui. Mais c'est pas comme si on s'était filés rencard.

Myron eut un petit rictus de déplaisir.

— Il habite où ?

— Dans Mountainside Drive. En bas de la rue. Troisième baraque sur la gauche après le tournant.

— Si tu m'as menti, je reviens te découper les yeux en rondelles.

— Je mens pas. Mountainside Drive.

Du canon de son arme, Myron désigna la croix gammée tatouée.

— Pourquoi tu as ça ?

— Quoi ?

— La svastika, sombre con.

— Je suis fier de ma race, voilà pourquoi.

— Tu veux envoyer tous les « youpins » à la chambre à gaz ? Et lyncher tous les « négros » ?

— C'est pas ça, répondit l'autre, qui soudain reprenait un peu d'assurance en abordant ce terrain familier. Nous, on est pour la race blanche. Y en a marre de se faire envahir par les négros. Et marre aussi de se faire piétiner par les juifs.

— Ouais, par un juif en tout cas, en ce moment.

Dans la vie, il ne faut pas se refuser ces menues satisfactions.

— Tu sais ce que c'est, du ruban adhésif ?

— Ouais.

— Mince, et moi qui croyais tous les nazis dépourvus de culture générale. Où est le tien ?

Les yeux de Pire s'étrécirent, comme s'il réfléchissait réellement. Myron pouvait presque entendre grincer les rouages rarement sollicités de sa cervelle. Puis :

— J'en ai pas.

— Ah, ça c'est vraiment pas de chance. J'allais m'en servir pour te ligoter, histoire que tu ne puisses pas prévenir Tito. Mais si tu n'as pas de ruban adhésif, je vais être obligé de te tirer une balle dans chaque genou. Tu m'excuses, hein ?

— Attends !

Myron utilisa presque tout le rouleau.

Tito occupait le siège conducteur de sa camionnette aux roues monstrueuses.

Et il était mort.

Deux balles dans son crâne rasé, sans doute tirées de très près. Beaucoup de sang. Il ne restait plus grand-chose de sa tête. Pauvre Tito. Lui qui n'avait jamais eu de cul, voilà qu'il n'avait quasiment plus de tête. Myron ne rit pas. L'humour macabre n'était pas trop sa tasse de thé.

Il garda son calme, probablement parce qu'il était toujours dans l'état d'esprit emprunté à Win. Aucune lumière dans la maison. Les clefs du véhicule étaient toujours dans le contact, attachées à un trousseau avec celles de la maison. Myron les prit et déverrouilla la porte d'entrée. Un tour rapide des pièces lui confirma ce qu'il avait pressenti : personne à l'intérieur.

Etape suivante ?

Ignorant le sang et la cervelle éparpillée, Myron retourna à la camionnette et la fouilla. C'était assez peu ragoûtant. Il repassa en mode Win. « Ce n'est que du protoplasme », se dit-il. De l'hémoglobine, des plaquettes et des enzymes, plus d'autres trucs qu'il avait oubliés depuis son dernier cours de biologie à l'école. Le blocage Win fonctionna assez pour qu'il ose passer les mains sous les sièges et dans les plis du capitonnage. Ses doigts effleurèrent une quantité impressionnante de débris. Parcelles de vieux sandwichs, d'emballages de hamburgers, miettes de tailles et de formes diverses.

Rognures d'ongles.

Myron regarda le cadavre et secoua la tête. Un peu tard pour lui apprendre la propreté, tant pis.

Puis il tomba sur le bon filon.

C'était en or, décoré d'un insigne de golf. Les initiales C.B.C. étaient gravées à l'intérieur. Chad Buckwell Coldren.

Une bague.

Tout d'abord, Myron pensa que Chad Coldren avait eu la présence d'esprit de retirer sa bague et de la laisser là en guise d'indice. Comme dans les films. Avec ce bijou, le jeune homme envoyait un message. S'il avait bien joué son rôle, Myron aurait dû pousser un sifflement bas, faire sauter la bague dans sa paume et marmonner, d'un ton admiratif : « Malin, le gosse. »

La seconde pensée qui lui vint refroidit très largement son enthousiasme.

Le doigt sectionné déposé dans la voiture de Linda Coldren était l'annulaire. Celui on l'on mettait sa bague.

24

Que faire ?

Contacter la police ? Se défiler discrètement ? Envoyer un appel anonyme ? Quoi ?

Myron était paumé. Avant tout, il devait penser à Chad Coldren. Quel risque ferait-il courir à l'adolescent s'il alertait la police ?

Aucune idée.

Bon sang, rien n'était simple. Il n'était même pas censé s'occuper encore de cette affaire. Il aurait dû s'en retirer complètement. Mais à présent il était dedans jusqu'au cou, et il lui fallait prendre des décisions. Que faire après la découverte d'un cadavre ? Et Pire ? Il ne pouvait pas le laisser ligoté et bâillonné indéfiniment. Si cet abruti était pris de nausées et s'étouffait ?

D'accord, Myron, alors réfléchis. D'abord, tu ne dois surtout pas – répète : *surtout pas* – alerter la flicaille. Quelqu'un d'autre finira bien par découvrir le corps. Ou alors, il pouvait toujours passer un appel anonyme d'une cabine. Envisageable. Mais la police n'enregistrait-elle pas tous les appels qu'elle recevait, de nos jours ? Ils auraient sa voix sur bande. Il pouvait la déguiser, changer le phrasé et l'accentuation. Parler d'un ton un peu plus grave. Ajouter un accent, ou quelque chose. Et pourquoi pas concourir pour l'Oscar du meilleur doublage ?

Une petite minute.

Un léger retour en arrière s'imposait. Remonter le temps d'une heure, et voir comment se présentaient les choses. Myron s'était introduit chez quelqu'un. Il avait physiquement agressé cette personne, l'avait menacée des pires sévices et l'avait laissée saucissonnée et bâillonnée avec du ruban adhésif. Tout ça dans le seul but de retrouver Tito. Peu après cet incident, si la police recevait un appel anonyme et trouvait Tito mort dans son véhicule…

Qui ferait un suspect idéal ?

Myron Bolitar, agent sportif des golfeurs rongés par l'inquiétude.

Mauvais, tout ça.

Comment réagir ? Quoi qu'il fasse à ce stade – qu'il tuyaute ou pas la police –, il serait suspect. On interrogerait Pire, qui parlerait de Myron, et Myron deviendrait un assassin potentiel très crédible. L'équation était d'une simplicité redoutable.

La question demeurait donc la même : que faire ?

Il n'avait pas le temps de s'inquiéter des conclusions possibles de la police. Pas plus qu'il ne devait s'inquiéter de son propre sort. Pour l'instant, il devait se concentrer sur Chad Coldren. Quelle était la meilleure solution pour épargner au maximum l'adolescent ? Difficile à dire. *A priori*, bien sûr, le mieux était de se faire très discret.

Bon, d'accord, c'était logique.

La réponse était donc : ne pas alerter les flics. Laisser le cadavre de Tito là où il était. Replacer la bague entre les coussins des sièges, au cas où les flics en auraient besoin comme preuve plus tard. Bien, tout ça prenait presque des allures de plan, un plan qui semblait le meilleur pour protéger Chad tout en respectant le souhait de ses parents.

Et Pire ?

D'un coup de voiture, Myron revint à la masure du skinhead. Il trouva celui-ci exactement là où il l'avait laissé : sur son lit, momifié dans ses bandelettes adhésives. Et l'air plus mort que vif. Myron le secoua. L'autre sursauta, et son visage prit une jolie teinte verdâtre. Myron lui ôta son bâillon.

Pire toussa un peu, puis aspira l'air avec avidité.

— J'ai un gars à moi dehors, dit-il en retirant un peu plus de ruban adhésif. S'il te voit bouger de cette fenêtre, tu feras l'expérience de souffrances que bien peu de gens ont endurées. On se comprend ?

Pire opina du chef avec véhémence.

Faire l'expérience de souffrances que bien peu de gens ont endurées. Quelle platitude...

Il n'y avait pas de téléphone dans la maison. Un souci de moins. Après quelques autres mises en garde lugubres saupoudrées des habituels clichés sur la torture – dont le préféré de Myron : « Avant que j'en aie terminé avec toi, tu m'imploreras de t'achever » –, il laissa le nazillon se soulager dans ses rangers.

Personne dehors. La voie était libre, comme elle se doit de l'être. Myron remonta en voiture en pensant aux Coldren. Que leur arrivait-il en ce moment même ? Le kidnappeur avait-il déjà appelé ? Leur avait-il donné ses instructions pour la remise de la rançon ? Comment la mort de Tito risquait-elle d'influer sur les événements à venir ? Chad avait-il encore payé le prix fort, ou avait-il réussi à s'échapper ? Peut-être avait-il pu se saisir d'une arme pour descendre un des ravisseurs...

Peut-être. Mais peu probable. Il était plus plausible d'imaginer que quelque chose avait raté. Quelqu'un avait perdu le contrôle de la situation. Quelqu'un avait pété les plombs.

Il stoppa la voiture. Il fallait qu'il avertisse les Coldren.

D'accord, Linda Coldren lui avait donné pour instruction très claire de se tenir à l'écart. Mais c'était avant qu'il ne découvre le cadavre de Tito. Comment pourrait-il rester tranquillement bras croisés et les laisser dans l'ignorance ? Quelqu'un avait coupé un doigt à leur fils. Et ce quelqu'un avait sans aucun doute assassiné un des kidnappeurs. Un enlèvement « simple » – si une telle chose existait – avait complètement déraillé. Dans le sang.

Il se devait de les prévenir de ce qu'il avait appris.

Mais comment ?

Il engagea la Ford dans Golf House Road. Il était déjà tard, pas loin de deux heures du matin. Personne ne serait encore debout. Myron coupa quand même les phares et roula à un train de sénateur. Il arrêta la voiture en douceur, entre deux maisons. Si par malchance l'un de leurs occupants souffrait d'insomnie et regardait par la fenêtre, il pourrait penser que le véhicule appartenait à un visiteur des voisins. Il sortit et se dirigea à pas lents vers le domicile des Coldren.

Il s'en rapprocha en se débrouillant pour être le moins visible possible. Bien évidemment, les Coldren ne dormiraient pas. Jack essayerait peut-être, pour la forme, mais Linda sûrement pas. Pour l'instant, c'était sans grande importance.

Comment allait-il entrer en contact avec eux ?

Il ne pouvait pas leur passer un coup de fil, pas plus que se pointer à la porte d'entrée et sonner tel un livreur de pizzas insomniaque. Et il ne pouvait pas non plus lancer des petits cailloux contre une fenêtre, comme un amoureux transi dans une mauvaise comédie romantique. Quelle solution lui restait-il ?

Aucune, à première vue.

Il passa de buisson en buisson. Il en connaissait certains de sa précédente errance dans le coin. Il les salua, leur adressa quelques mots aimables. Il décrivait une courbe qui le rapprochait peu à peu de la maison des Coldren. Il n'avait toujours aucune idée de ce qu'il allait faire, mais quand il fut assez près pour distinguer de la lumière dans le salon, une idée lui vint.

Un mot.

Il lui suffisait d'écrire quelques lignes pour les avertir de sa découverte, leur recommander la plus extrême prudence, et leur offrir aussi ses services. Comment faire parvenir ce message chez eux ? Hmm… Il pouvait faire un avion en papier et le lancer par une fenêtre ouverte. Mouais, avec son talent naturel, ça marcherait forcément. Myron Bolitar, le pionnier juif de l'aéronautique de papier. Quoi d'autre ? Envelopper une pierre avec le message, peut-être ? Et ensuite ? Briser une vitre ?

Les événements se chargèrent de résoudre ce problème.

Il entendit un bruit qui venait de sa droite. Des pas. Dans la rue. A deux heures du matin.

Il s'accroupit prestement derrière un de ses bons amis buissons. Les pas se rapprochaient. Et accéléraient. Quelqu'un arrivait en courant.

Il resta dans la même position, tandis que son cœur commençait à s'emballer. Les pas se firent plus sonores, pour soudain s'arrêter. Myron risqua un œil sur le côté du buisson. Son champ de vision était limité par d'autres massifs.

Il retint sa respiration. Et attendit.

Les pas reprirent. Plus lentement, cette fois. Sans hâte, la démarche naturelle de quelqu'un qui se promène. Myron passa la tête de l'autre côté du buisson. Rien. Il avança à croupetons, puis se redressa lentement, centimètre par centimètre, malgré la douleur dans son genou. Il serra les dents. Ses yeux arrivèrent enfin au niveau du sommet du buisson. Myron regarda au-delà et vit enfin.

Linda Coldren.

Elle était vêtue d'un ensemble de sport bleu et de chaussures de course. Sortie pour un petit jogging ? L'heure paraissait assez curieuse pour ce genre d'activité. Mais allez savoir. Jack tapait dans des balles de golf. Myron faisait des paniers. Peut-être que Linda était une adepte du jogging nocturne.

Il ne le pensait pas.

Elle avait presque atteint le haut de l'allée. Il fallait que Myron la contacte. Avec les ongles, il arracha un caillou du sol et le lança vers elle. La jeune femme se figea et regarda autour d'elle, avec cet air tendu que peut avoir un cerf interrompu alors qu'il se désaltère au bord d'un étang. Myron lança un autre caillou. Elle tourna la tête vers son buisson. Il lui adressa un petit signe de la main. Quelle subtilité... Mais si elle se sentait assez en sécurité pour oser quitter la maison – si le kidnappeur ne voyait pas d'inconvénient à ce qu'elle s'offre une petite balade sous la lune – alors marcher vers un buisson ne devrait pas la paniquer non plus. Le raisonnement ne valait pas tripette, mais il se faisait tard pour tout le monde, et surtout pour Myron.

Et si elle n'était pas sortie pour courir un peu, que fabriquait-elle dehors ?

A moins que...

A moins qu'elle soit allée déposer la rançon quelque part.

Mais non, on était encore dimanche soir. Les banques n'avaient pas rouvert. Et elle ne pouvait pas rassembler cent mille dollars sans passer à sa banque. Elle l'avait elle-même précisé, non ?

A pas comptés, Linda Coldren avança vers le buisson. Myron fut presque tenté de mettre le feu audit buisson, pour ensuite adopter une voix de basse tonnante et dire : « Viens à moi, Moïse. » Non, ce n'était pas l'idée la plus drôle de l'année, à la réflexion.

Quand elle ne fut plus qu'à trois mètres environ,

Myron se redressa suffisamment pour qu'elle voie son visage. Les yeux de la jeune femme s'agrandirent subitement.

— Partez d'ici tout de suite ! murmura-t-elle.

Myron ne perdit pas de temps. Du même ton, il répondit :

— J'ai trouvé le type de la cabine téléphonique raide mort. Deux balles en pleine tête. La bague de Chad se trouvait dans son véhicule. Mais aucun signe de votre fils.

— Allez-vous-en !

— Je voulais seulement vous prévenir. Soyez très prudents. Ils ne plaisantent pas.

Elle scruta les alentours d'un regard nerveux. Puis elle hocha la tête et tourna les talons.

— Quand devez-vous livrer la rançon ? tenta Myron. Et où est Jack ? Exigez de voir Chad de vos propres yeux avant de leur donner quoi que ce soit.

Mais si elle l'avait entendu, Linda n'en montra aucun signe. Elle remonta en hâte l'allée, ouvrit la porte et disparut à l'intérieur.

25

Win ouvrit la porte de la salle de bains.

— Tu as de la visite, ma poule.

Myron resta visage pressé contre l'oreiller. Les amis qui ne frappaient pas avant d'entrer ne le surprenaient plus vraiment.

— Qui est-ce ? grogna-t-il.

— Des représentants de l'ordre.

— Les flics ?

— Oui.

— En uniforme ?

— Oui.

— Une idée de ce qu'ils veulent ?

— Non, désolé.

Myron se frotta les yeux énergiquement et passa les premières fringues qu'il trouva. Il glissa les pieds dans une paire de Top-Sliders, sans enfiler de chaussettes. Digne de Win. Un brossage de dents succinct, pour l'haleine plus que pour l'hygiène dentaire à long terme. Il mit une casquette de baseball plutôt que de discipliner sa tignasse avec un peu d'eau. Ce couvre-chef d'un rouge éclatant portait la mention CEREALES TRIX devant, et LAPIN IDIOT derrière. Un cadeau de Jessica. Rien que pour ça, Myron l'adorait.

Les deux officiers en uniforme patientaient dans le salon, avec cet air détaché propre aux flics. Ils étaient jeunes et pétaient la santé. Le plus grand des deux prit la parole :

— Monsieur Bolitar ?

— C'est moi, oui.

— Nous aimerions que vous veniez avec nous.

— Où ça ?

— L'inspecteur Corbett vous donnera tous les détails dès notre arrivée.

— Un petit indice pour la route, peut-être ?

Deux visages de pierre devant lui.

— Nous préférons ne rien dire, monsieur.

Myron prit un air résigné.

— Alors allons-y.

Il prit place sur la banquette arrière de la voiture de patrouille, tandis que les deux uniformes occupaient l'avant. Ils roulèrent à bonne allure, mais sans utiliser la sirène. Le portable de Myron sonna.

— Vous permettez que je réponde ? demanda-t-il.

— Bien sûr, monsieur, répondit Grand Flic.

— Sympa de votre part, dit-il avant de répondre. Allô ?

— Vous êtes seul ?

C'était Linda Coldren.

— Non.

— Ne dites à personne que je vous appelle. Pouvez-vous venir chez nous au plus vite ? C'est très urgent.

— Comment ça, vous ne pouvez pas livrer avant jeudi ?

De l'art d'égarer les soupçons des oreilles indiscrètes…

— Moi non plus, je ne peux pas vous parler librement pour l'instant. Je vous demande seulement de venir ici aussi rapidement qu'il vous sera possible. Et ne dites rien à personne. S'il vous plaît. Faites-moi confiance.

Elle raccrocha.

— Très bien, mais en ce cas, je préfère avoir des croissants gratuits. Vous m'entendez ?

Myron éteignit lui aussi son portable, avant de regarder par la vitre. Le chemin que les flics empruntaient lui était familier. Il avait pris le même pour se rendre au Merion. Quand ils atteignirent l'entrée du club sur Ardmore Avenue, Myron remarqua l'armada de camionnettes de chaînes de télévision et les voitures de police.

— Bon Dieu, maugréa Grand Flic.

— Tu te doutais que ça ne resterait pas calme très longtemps, fit Petit Flic.

— Ça va faire l'ouverture des infos, approuva le premier.

— Vous ne voulez pas me mettre au parfum, les gars ? demanda Myron.

Le plus petit des deux uniformes tourna la tête vers lui.

— Non, monsieur, dit-il avant de reporter son attention sur ce qui se passait devant leur voiture.

— Pas de problème, soupira Myron.

Mais il avait comme un mauvais pressentiment.

La voiture de patrouille franchit au pas le barrage des camionnettes de télé. Les journalistes se pressèrent contre les portières pour voir à l'intérieur. Des flashs éblouirent Myron. Un policier leur fit signe d'avancer. Les reporters se décollèrent peu à peu des vitres, comme des ventouses qui cèdent. La voiture s'arrêta dans le parking du club. Il y avait déjà au moins une dizaine d'autres véhicules de police, de patrouille ou banalisés.

— Veuillez nous suivre, dit Grand Flic.

Myron obtempéra. Ils traversèrent le fairway du dix-huit. Un tas d'officiers en tenue sillonnaient l'endroit, tête baissée, et ramassaient des trucs indéfinis qu'ils plaçaient dans des sacs plastique à scellés.

Tout ça sentait très mauvais, pas de doute.

Quand ils arrivèrent au sommet de la petite colline, Myron put voir que plusieurs dizaines de policiers formaient un cercle parfait autour de la célèbre carrière. Certains prenaient des photos. Photos de scène de crime. D'autres étaient penchés vers le sol. Quand l'un d'entre eux se redressa, Myron vit ce qu'il avait observé avec autant d'attention.

Il sentit ses genoux se dérober sous lui.

— Oh non…

Au centre de la carrière – dans ce lieu qui lui avait coûté le tournoi vingt-trois ans plus tôt – gisait le corps sans vie de Jack Coldren.

Les uniformes se tournèrent vers Myron pour jauger sa réaction. Il ne leur montra rien.

— Que s'est-il passé ? réussit-il à demander.

— Veuillez attendre ici, monsieur.

Grand Flic redescendit au bas de la colline, tandis que Petit Flic restait comme un cerbère auprès de Myron. Grand Flic s'entretint brièvement avec un homme en civil que Myron soupçonnait fort d'être l'inspecteur Corbett. Ce dernier leva les yeux vers lui pendant que le policier lui parlait. Il fit un signe de tête à l'attention de Petit Flic.

— Veuillez me suivre, monsieur.

Toujours sous le choc, Myron descendit la pente jusqu'à la carrière. Il ne pouvait détacher son regard du cadavre. Du sang coagulé collait les cheveux de Jack Coldren comme un paquet de gel bon marché. Le corps était tordu en une position impossible. Bon Dieu. Le pauvre.

L'inspecteur en civil accueillit Myron avec une poignée de main vigoureuse.

— Monsieur Bolitar, merci beaucoup d'être venu. Inspecteur Corbett.

Myron eut un signe de tête distrait.

— Que s'est-il passé ?

— Un des gardiens du golf l'a découvert ce matin à six heures.

— Il a été tué par balle ?

Corbett eut un sourire en biais. Il avait à peu près le même âge que Myron, et appartenait franchement à la catégorie « menus ». Pas seulement petit. Un tas de flics n'étaient pas très grands. Mais lui avait une ossature très fine, à la limite du souffreteux. Il dissimulait son modeste physique sous un imper. Pas terrible en été. Il avait dû abuser des rediffs de *Columbo*.

Myron contempla le corps figé. Il se sentait presque pris de vertige. Jack était mort. Pourquoi ? Comment cela s'était-il produit ? Et pourquoi la police avait-elle tenu à l'interroger ?

— Où est Mme Coldren ? s'enquit-il.

Corbett échangea un regard avec les deux officiers, puis se tourna vers Myron.

— Pourquoi voulez-vous le savoir ?

— Je veux simplement m'assurer qu'elle n'a rien.

— Eh bien, en ce cas, fit Corbett en croisant les bras, vous auriez dû demander : « Comment va Mme Coldren ? », ou : « Mme Coldren n'a rien ? », et non pas « Où est Mme Coldren ? ». Enfin, si vous vous intéressez vraiment à sa santé.

Myron dévisagea Corbett de longues, très longues secondes.

— Mince. Vous… Êtes… Très… Fort…

— Inutile de vous montrer sarcastique, monsieur Bolitar. Vous me semblez très concerné par la santé de Mme Coldren.

— Je le suis.

— Un ami ?

— Oui.

— Un ami proche ?

— Je vous demande pardon ?

— Une fois encore, je ne voudrais pas paraître trop

brusque dans les circonstances présentes, dit Corbett en écartant les mains. Mais vous l'avez, comment dire, sautée ?

— Vous avez perdu la tête ?

— Ce qui veut dire oui ?

On se calme, Myron. Corbett tentait seulement de le déstabiliser. Myron connaissait bien ce petit jeu. Il aurait été idiot de tomber dans un piège aussi grossier.

— La réponse est : non. Nous n'avons jamais eu de rapport sexuel, de quelque sorte que ce soit.

— Vraiment ? Comme c'est bizarre.

Il croyait le piéger avec ce « Comme c'est bizarre ». Myron résista à l'envie de lui répondre : « Bizarre ? Vous avez dit bizarre ? »

— Voyez-vous, plusieurs témoins vous ont vus ensemble à diverses reprises, ces derniers jours. Sous une tente dans l'allée des sponsors, en particulier. Vous y êtes restés seuls tous deux pendant plusieurs heures d'affilée. Dans une sorte d'intimité, pour ainsi dire. Vous êtes bien sûr que vous n'avez pas échangé quelques baisers ?

— Certain, lâcha Myron, glacial.

— Non, bien sûr, vous ne vous êtes pas embrassés et vous n'avez pas…

— Non, nous ne nous sommes pas embrassés ni rien de ce genre.

— Hum, je vois, je vois, fit Corbett en feignant de réfléchir à cela. Où vous trouviez-vous la nuit dernière, monsieur Bolitar ?

— Je suis suspect, inspecteur ?

— Nous ne faisons que bavarder entre amis, monsieur Bolitar. Rien de plus.

— Vous avez une estimation pour l'heure du décès ? dit Myron.

Corbett se fendit d'un autre sourire poli typique du flic-à-qui-on-ne-la-fait-pas.

— Une fois encore, loin de moi l'idée de me montrer impoli, mais je préfère me concentrer sur votre personne, pour l'instant, dit-il avant d'ajouter, d'un ton un peu plus sec : Où étiez-vous la nuit dernière ?

Myron se souvint de l'appel de Linda sur son portable. Manifestement, la police l'avait déjà interrogée. Leur avait-elle parlé du kidnapping ? Probable que non. D'une façon comme d'une autre, ce n'était pas à lui de vendre la mèche. Pour l'instant, il était dans le flou. Une parole de travers pouvait coûter très cher à Chad. Le mieux, c'était encore de se tirer d'ici *pronto*.

— J'aimerais voir Mme Coldren.

— Pour quelle raison ?

— Pour m'assurer qu'elle va bien.

— C'est très attentionné de votre part, monsieur Bolitar. Très noble. Mais j'aimerais que vous répondiez d'abord à ma question.

— J'aimerais voir Mme Coldren d'abord.

Corbett le gratifia d'un regard de flic soupçonneux.

— Vous refusez de répondre à ma question ?

— Non. Mais pour l'instant ma priorité est le bien-être de ma cliente potentielle.

— Votre cliente ?

— Mme Coldren et moi sommes en pourparlers pour qu'éventuellement je devienne son agent par l'intermédiaire de MB Sports.

— Je vois, fit Corbett en se caressant le menton. Ce qui explique pourquoi vous êtes restés aussi longtemps attablés sous cette tente.

— Inspecteur, je me ferai une joie de répondre à toutes vos questions, mais plus tard. Pour l'instant, je tiens à m'assurer que Mme Coldren va bien.

— Elle va bien, monsieur Bolitar.

— J'aimerais le vérifier par moi-même.

— Vous ne me faites pas confiance ?

— Là n'est pas la question. Mais si je dois devenir

son agent sportif, alors je dois être à sa disposition avant toute autre chose.

Corbett eut un haussement de sourcils un rien exagéré.

— Vous me racontez un tas de foutaises, Bolitar.

— Je peux y aller, maintenant ?

Corbett eut un geste ample de la main.

— Vous n'êtes pas en état d'arrestation… (Il se tourna vers les deux uniformes :) Veuillez escorter M. Bolitar au domicile des Coldren. Et faites en sorte que personne ne l'importune en chemin.

Myron sourit.

— Merci, inspecteur.

— Ne vous méprenez pas…

Alors que Myron s'éloignait, Corbett le héla :

— Oh, encore une chose…

Plus de doute possible, il avait trop regardé *Columbo.*

— Cet appel téléphonique que vous avez reçu sur votre portable dans la voiture de patrouille, il provenait de Mme Coldren ?

Myron ne répondit pas.

— Aucun problème. Nous vérifierons auprès de l'opérateur.

Corbett lui adressa le geste de la main préféré de Columbo.

— Bonne journée.

26

Il y avait quatre autres voitures de police devant le domicile des Coldren. Myron marcha seul jusqu'à la porte et y frappa. Une femme noire qu'il n'avait jamais vue lui ouvrit.

Elle le détailla de la tête aux pieds.

— Jolie casquette, dit-elle. Entrez donc.

Elle pouvait avoir cinquante ans et portait un ensemble de bonne coupe. Sa peau café au lait luisait comme du cuir plissé par endroits. Son visage arborait une expression proche de la somnolence, yeux mi-clos, moue lasse.

— Victoria Wilson, se présenta-t-elle.

— Myron Bolitar.

— Oui, je sais.

Sa voix aussi suintait l'ennui.

— Il y a quelqu'un d'autre ici ?

— Seulement Linda.

— Je peux la voir ?

Victoria Wilson acquiesça au ralenti. Myron s'attendait presque à ce qu'elle étouffe un bâillement.

— Vous êtes de la police ? demanda Myron.

— C'est tout le contraire. Je suis l'avocate de Mme Coldren.

— Vous n'avez pas perdu de temps…

— Je vais être très claire, dit-elle du ton d'une serveuse qui vous énumère les derniers plats encore disponibles en fin de soirée. La police pense que Mme Coldren a tué son mari. Ils pensent aussi que vous avez participé au meurtre, d'une façon encore indéterminée.

Myron la regarda fixement, les yeux ronds.

— C'est une blague, hein ?

Expression de plus en plus somnambulique.

— Est-ce que j'ai l'air de plaisanter, monsieur Bolitar ?

La question ne se posait même pas, en effet.

— Linda n'a pas d'alibi solide pour la nuit dernière, poursuivit-elle. Et vous ?

— On ne peut pas vraiment dire ça, non.

— Bien, alors laissez-moi vous exposer ce que la police sait déjà, fit l'avocate avec une langueur exaspérante, et elle dressa l'index dans ce qui semblait être un effort surhumain. Premier point, ils ont un témoin oculaire, un des gardiens, lequel a vu Jack Coldren pénétrer dans l'enceinte du Merion vers une heure du matin. Le même témoin a également aperçu Linda Coldren qui faisait de même, une demi-heure plus tard. Et il a vu la même Linda Coldren quitter le terrain de golf peu après. En revanche, il n'a jamais vu Jack Coldren repartir.

— Ce qui ne signifie pas que…

— Deuxième point, fit-elle en déployant le majeur, dans la plus pure tradition « Peace », ce qui ne semblait pas trop lui correspondre. Quoique. – La police a reçu un rapport vers deux heures du matin spécifiant que votre voiture, monsieur Bolitar, était garée sur Golf House Road. La police voudra bien entendu savoir ce que vous faisiez en un tel endroit et à une telle heure.

— Comment savez-vous tout ça ? s'étonna Myron.

— Je connais du monde au sein des forces de police, dit-elle avec lassitude. Puis-je poursuivre ?

— Je vous en prie.

— Troisième point. (L'annulaire, cette fois.) Jack Coldren consultait un avocat spécialisé dans les procédures de divorce. De fait, il avait commencé à constituer un dossier pour entamer ladite procédure.

— Linda était au courant ?

— Non. Mais dans son dossier, M. Coldren affirmait être au courant d'une infidélité récente de son épouse.

Myron prit l'air offusqué.

— Eh ! Me regardez pas comme ça !

— Monsieur Bolitar ?

— Oui ?

— Je me borne à récapituler les faits. Et j'apprécierais beaucoup que vous ne m'interrompiez plus. Quatrième point. (Le petit doigt rejoignit les trois autres au garde-à-vous.) Samedi dernier, lors du tournoi de golf, plusieurs témoins ont affirmé que Mme Coldren et vous étiez plus que simplement amicaux l'un envers l'autre.

Myron attendit. Victoria Wilson abaissa la main. Jamais elle n'avait redressé le pouce.

— C'est tout ? demanda Myron.

— Non. Mais c'est tout ce dont nous pourrons discuter pour l'instant.

— J'ai rencontré Linda pour la première fois de ma vie vendredi.

— Et vous êtes en mesure de le prouver ?

— Bucky peut en témoigner. C'est lui qui nous a présentés.

Soupir.

— Le propre père de Linda Coldren. Un témoin insoupçonnable, en effet.

— J'habite à New York.

— Soit à deux heures de transports en commun de Philadelphie. Continuez.

— J'ai une amie, Jessica Culver. Je vis avec elle.

— Et aucun homme n'a jamais trompé sa petite amie jusqu'à aujourd'hui. Témoignage incontestable.

Myron était désemparé.

— Donc vous suggérez…

— Je ne suggère rien, l'interrompit Victoria Wilson de son lent débit. Je vous expose seulement ce que pense la police : que Linda a tué Jack. La raison pour laquelle il y a autant de voitures de police autour de cette maison est qu'ils veulent avoir la certitude que nous ne déménagerons rien avant qu'ils aient leur mandat de perquisition. Ils ont été très clairs : pas de Kardashian dans cette affaire.

Kardashian. Comme dans l'affaire O.J. Simpson. Ce type avait changé à jamais le vocabulaire légal aux Etats-Unis.

— Mais enfin…, commença Myron, avant de s'interrompre. C'est quand même ridicule. Où est Linda ?

— A l'étage. J'ai informé la police qu'elle était trop ébranlée par le chagrin pour leur parler, au moins pour l'instant.

— Vous ne comprenez pas. Linda ne devrait même pas faire partie des suspects. Une fois qu'elle vous aura tout raconté, vous saisirez ce que je veux dire.

Une ébauche de bâillement. Enfin.

— Elle m'a tout raconté.

— Même au sujet du…

— Kidnapping ? termina Victoria Wilson pour lui. Oui.

— Alors, vous ne pensez pas que ces circonstances particulières la disculpent d'entrée ?

— Non.

Myron en perdait son latin.

— Et la police est au courant du kidnapping ?

— Bien sûr que non. Nous n'en dirons rien. Pour l'instant.

Myron grimaça.

— Mais quand ils l'apprendront, ils ne s'occuperont plus que de ça. Et ils sauront que Linda ne peut pas être impliquée dans l'assassinat de son mari.

Victoria Wilson lui tourna le dos.

— Montons au premier, dit-elle.

— Vous n'êtes pas d'accord avec moi ? insista Myron.

Elle ne répondit pas. Ils gravirent les marches, l'un derrière l'autre. A mi-chemin, Victoria dit :

— Vous êtes avocat.

Ça ne sonnait pas comme une question, mais Myron crut quand même bon de préciser :

— Je n'exerce pas.

— Mais vous êtes inscrit au barreau.

— A New York.

— Pas mal. Je veux que vous soyez conseiller juridique associé dans cette affaire. Je peux vous obtenir une dérogation à effet immédiat.

— Je ne fais pas dans le droit pénal.

— Ce n'est pas indispensable. Je veux simplement que vous travailliez sur le dossier pour Mme Coldren.

— D'accord. Ainsi je ne pourrai pas déposer à la barre, dit-il. Et ma fonction m'interdira de révéler tout ce que je pourrai entendre.

Victoria Wilson, toujours aussi lasse :

— Vous n'êtes pas né de la dernière pluie, dit-elle en faisant halte devant la porte d'une chambre et en s'adossant contre le mur. Allez-y. J'attendrai dehors.

Myron frappa doucement à la porte. La voix de Linda lui dit d'entrer. Ce qu'il fit. Elle se tenait à l'autre bout de la pièce, devant la fenêtre donnant sur le jardin à l'arrière de la maison.

— Linda ?

— Je passe une très mauvaise semaine, Myron, lui dit-elle sans se retourner.

Elle eut un rire bref. Sans joie.

— Ça va aller ? s'enquit-il.

— Moi ? Je ne me suis jamais sentie aussi bien. Merci de vous en soucier.

Il avança vers elle, sans trop savoir ce qu'il devait dire.

— Les kidnappeurs ont rappelé, pour la rançon ?

— Oui, la nuit dernière, répondit-elle. C'est Jack qui leur a parlé.

— Qu'ont-ils dit ?

— Je l'ignore. Il est sorti en hâte juste après avoir raccroché. Il ne m'a rien dit.

Myron s'efforça de se représenter la scène. Le téléphone sonne, Jack répond. Ensuite il sort en trombe, sans rien dire. Tout ça ne collait pas trop.

— Ils se sont manifestés depuis ?

— Non, pas encore.

Myron prit un air concentré, même si elle ne le voyait pas.

— Et qu'avez-vous fait ?

— Fait ?

— La nuit dernière. Après que Jack est sorti d'ici en hâte.

Linda Coldren croisa les bras.

— J'ai attendu quelques minutes, en pensant qu'il allait se calmer, dit-elle. Comme il ne revenait pas, je suis allée à sa recherche.

— Jusqu'au Merion, dit Myron.

— Oui. Jack aime s'y promener. Pour réfléchir et être seul.

— Vous l'avez vu, là-bas ?

— Non. Je l'ai cherché pendant quelque temps. Ensuite je suis revenue ici. C'est alors que je vous ai rencontré.

— Et Jack n'est jamais revenu, conclut-il.

Dos toujours tourné, Linda Coldren secoua la tête.

— Qu'est-ce qui vous a mis la puce à l'oreille, Myron ? Le corps dans la carrière ?

— J'essayais simplement de me rendre utile.

Elle pivota enfin pour lui faire face. Ses yeux étaient rougis, ses traits tirés. Elle était d'une beauté incroyable.

— J'ai seulement besoin que quelqu'un m'aide, dit-elle, avec une ébauche de haussement d'épaules et une amorce de sourire. Et vous êtes là. C'est bien.

Myron réprima une envie soudaine de la rejoindre.

— Vous ne vous êtes pas du tout reposée ?

Elle hocha la tête.

— J'ai attendu ici le retour de Jack. Quand la police a frappé à la porte, je me suis dit que c'était en rapport avec Chad. Ça va vous paraître horrible, mais quand ils m'ont dit ce qui était arrivé, j'en ai presque été soulagée.

Le téléphone sonna.

Linda virevolta à une vitesse phénoménale. Elle regarda Myron. Il resta comme deux ronds de flan.

— C'est sûrement les médias, dit-il.

— Non. Pas sur cette ligne.

Elle tendit la main vers l'appareil, enfonça le bouton de mise en communication et décrocha le combiné.

— Allô ? dit-elle.

Une voix répondit. Elle eut un petit hoquet horrifié et retint à grand-peine un cri. Sa main vola jusqu'à sa bouche. Des larmes mouillèrent ses yeux. La porte s'ouvrit brusquement. Victoria Wilson entra dans la pièce, aussi aimable qu'un ours arraché à son hibernation.

Linda les regarda tous deux.

— C'est Chad, dit-elle. Il est libre.

27

Victoria Wilson prit immédiatement la direction des opérations.

— Nous allons le chercher, décréta-t-elle. Vous restez en ligne avec lui.

Linda commença à secouer la tête d'un air buté.

— Mais je veux...

— Faites-moi confiance sur ce coup, ma chérie. Si c'est vous qui y allez, tous les flics et les journalistes vous suivront. Myron et moi pouvons les semer s'il le faut. Je ne veux pas que la police parle à votre fils avant moi. Vous restez ici, tranquillement. Et vous ne dites rien. Si la police débarque avec un mandat, vous les laissez entrer sans opposer la moindre résistance. Et surtout, *vous ne dites rien*. Quoi qu'il arrive. Nous sommes bien d'accord ?

Vaincue, Linda acquiesça docilement.

— Bon. Il se trouve où ?

— Sur Porter Street.

— Très bien. Dites-lui que Tante Victoria arrive. Nous prendrons soin de lui.

Linda l'agrippa par le bras, et leva vers elle un visage implorant.

— Vous allez le ramener ici, n'est-ce pas ?

— Pas directement, ma chérie, dit Victoria d'une voix toujours aussi dépassionnée. La police va surveiller les environs, et je ne veux pas de ça. Sa venue soulèverait trop de questions. Mais vous le verrez très bientôt.

Sur ce, l'avocate lui tourna le dos. On ne discutait pas avec cette femme.

Dans la voiture, Myron se permit quand même de lui demander :

— Comment avez-vous connu Linda ?

— Ma mère et mon père étaient domestiques chez les Buckwell et les Lockwood, répondit-elle. J'ai grandi sur leurs propriétés.

— Mais à un moment, vous avez suivi des études de droit ?

Elle se renfrogna.

— Vous voulez écrire ma biographie ?

— Je me renseigne, rien de plus.

— Pourquoi ? Vous n'en revenez pas qu'une Noire d'un certain âge soit l'avocate d'une Blanche descendant d'une famille riche ?

— Franchement ? fit Myron. Oui.

— Je ne vous en veux pas. Mais nous n'avons pas le temps de discuter de tout ça maintenant. Vous avez des questions vraiment importantes à me poser ?

— Oui, dit Myron qui conduisait. Qu'est-ce que vous ne me dites pas ?

— Rien que vous ayez réellement besoin de savoir.

— Je suis un des avocats en charge de cette affaire, vous vous souvenez ? J'ai besoin de tout connaître du dossier.

— Plus tard. Pour l'instant, occupons-nous de ce garçon.

Une fois encore, ce ton à la fois nonchalant et péremptoire.

— Vous êtes sûre que nous faisons ce qui convient ?

interrogea Myron. Ne rien dire du kidnapping à la police, vous pensez que c'est la bonne solution ?

— Nous pourrons toujours leur en parler plus tard, répliqua Victoria Wilson. C'est l'erreur que commettent la plupart des avocats de la défense. Ils croient qu'ils doivent se débrouiller pour s'en sortir au mieux dès la première phase. Mais c'est une stratégie dangereuse. On peut toujours discuter plus tard.

— Je ne suis pas sûr d'être d'accord avec vous.

— Je vais vous dire une bonne chose, Myron. Si nous avons besoin d'un vrai pro pour négocier un accord par la bande, je vous laisserai carte blanche. Mais pour le moment, nous avons à nous sortir d'une affaire criminelle, alors laissez-moi m'en charger, d'accord ?

— La police veut m'interroger.

— Vous ne lâchez rien. C'est votre droit le plus strict. Vous n'avez pas à leur dire un mot.

— A moins qu'ils ne m'assignent à comparaître.

— Même dans ce cas de figure. Vous êtes l'avocat de Linda Coldren. Vous ne dites rien.

Myron fit la moue.

— Ça ne vaut que pour tout ce qui a été dit après que vous m'avez demandé d'être avocat associé dans cette affaire. Ils peuvent m'interroger sur tout ce qui s'est passé avant.

— Erreur, dit Victoria Wilson dans un soupir presque distrait. Quand Linda Coldren vous a demandé votre aide pour la première fois, elle savait que vous étiez avocat au barreau. Par conséquent, tout ce qu'elle a pu vous dire relève de la confidentialité existant entre un avocat et sa cliente.

Myron ne put retenir un sourire.

— C'est un peu tiré par les cheveux.

— Mais parfaitement légal. Quoi que vous puissiez avoir envie de faire, moralement et légalement vous n'êtes pas autorisé à parler à qui que ce soit.

Elle était très forte.

Myron accéléra un peu. Personne ne les suivait. La police et les médias étaient restés agglutinés autour du domicile des Coldren. Toutes les stations de radio ne parlaient que de ça. Les présentateurs ne cessaient de répéter la déclaration faite par Linda Coldren : « Nous sommes tous affligés par cette tragédie. Merci de nous laisser pleurer le disparu dans l'intimité. »

— C'est vous qui avez rédigé cette déclaration ? demanda Myron.

— Non. Linda l'avait déjà mise au point avant que je n'arrive.

— Pourquoi ?

— Elle pensait que cela lui donnerait un peu de répit avec les médias. Elle a compris son erreur, depuis.

Ils arrivèrent dans Porter Street. Myron scruta les trottoirs.

— Là, dit Victoria Wilson.

Myron l'aperçut. Chad Coldren était recroquevillé sur le sol. Il tenait toujours le portable dans une main, mais il n'était pas en communication. Son autre main disparaissait sous un énorme pansement. Myron lutta contre une vague nausée et accéléra un peu. La voiture fit un bond en avant. Il l'arrêta au niveau de l'adolescent. Chad regardait droit devant lui.

L'expression indifférente de Victoria Wilson laissa enfin apparaître quelque trace d'humanité.

— Je m'en charge, dit-elle.

Elle descendit de voiture et marcha jusqu'à l'adolescent. Elle s'accroupit et le serra dans ses bras. Puis elle lui prit le téléphone, dit quelques mots et coupa. Elle aida Chad à se relever, en lui caressant les cheveux et en murmurant des paroles de réconfort. Tous deux s'installèrent sur la banquette arrière. Le garçon posa la tête sur l'épaule de l'avocate. Tout en continuant de lui débiter des propos rassurants à voix basse, elle adressa un petit signe à Myron, qui démarra.

Pendant le trajet, Chad ne parla pas. Personne ne le lui demanda. Victoria indiqua à Myron comment rejoindre son bureau dans Bryn Mawr. Le médecin attitré des Coldren – un vieil ami de la famille aux cheveux argentés, du nom de Henry Lane – avait son cabinet là aussi. Il défit le bandage de Chad et examina sa main pendant que Myron et Victoria attendaient dans la pièce contiguë. Myron faisait les cent pas. Victoria feuilletait un magazine.

— Nous devrions l'emmener à l'hôpital, dit Myron.

— Le Dr Lane décidera si c'est nécessaire, répondit-elle en bâillant à demi avant de tourner une page.

Myron essayait d'y voir clair dans les derniers développements de l'affaire. Avec toute l'agitation entourant les accusations de la police et la découverte de Chad, il en avait presque oublié Jack Coldren. Jack était mort, et Myron avait du mal à comprendre. L'ironie de la situation ne lui échappait pas : l'homme avait enfin une chance de se racheter et il finissait mort à l'endroit même qui avait bousillé sa vie vingt-trois ans plus tôt.

Le Dr Lane apparut sur le seuil de la pièce. Il représentait l'archétype du médecin. Marcus Welby sans le début de calvitie.

— Chad va mieux, à présent. Il parle.

— Sa main ? demanda Myron.

— Un spécialiste devra l'examiner. Mais il n'y a pas d'infection ni de complication autre.

Victoria Wilson se leva de son siège.

— J'aimerais m'entretenir avec lui.

Lane accepta d'un petit hochement de tête.

— Je vous recommanderais bien d'y aller en douceur, Victoria, mais je sais que vous n'écoutez jamais.

Elle esquissa une sorte de rictus qui n'avait rien d'un

sourire, mais qui ressemblait quand même à un signe de vie.

— Vous allez devoir rester ici, Henry. La police voudra savoir ce que vous avez pu entendre.

Le médecin acquiesça de nouveau.

— Je comprends.

L'avocate se tourna vers Myron.

— C'est moi qui mènerai la conversation.

— Entendu.

Quand ils entrèrent dans la pièce voisine, Chad contemplait fixement sa main enveloppée dans un pansement propre, comme s'il espérait que son doigt manquant se mette à repousser.

— Chad ?

Il leva lentement les yeux vers eux. Des larmes y brillaient. Myron se souvint de ce que Linda avait dit sur l'amour de l'adolescent pour le golf. Un autre rêve réduit en cendres. Le jeune homme ne pouvait s'en rendre compte mais, à cet instant précis, lui et Myron étaient des âmes sœurs.

— Qui êtes-vous ? lui demanda-t-il.

— C'est un ami, répondit Victoria du même ton parfaitement détaché. Il s'appelle Myron Bolitar.

— Je veux voir mes parents, Tante Vee.

Elle s'assit face à lui.

— Il s'est produit beaucoup de choses, Chad. Je ne tiens pas à en parler pour le moment. Tu vas devoir me faire confiance, d'accord ?

— D'accord.

— J'ai besoin de savoir ce qui t'est arrivé. Tout. Depuis le début.

— Un type m'a agressé au volant, répondit-il.

— Il était seul ?

— Oui.

— Continue. Dis-moi ce qui s'est passé.

— J'étais arrêté à un feu, et d'un coup ce type a

ouvert la portière passager et s'est assis à côté de moi. Il portait un passe-montagne, et il m'a fourré un flingue sous le nez. Il m'a dit de continuer à rouler.

— D'accord. Quel jour était-ce ?

— Jeudi.

— Où étais-tu mercredi soir ?

— Chez mon ami Matt.

— Matthew Squires ?

— Oui.

— Bon, très bien, dit Victoria sans jamais quitter son visage des yeux. Et où te trouvais-tu quand cet inconnu est monté dans ta voiture ?

— A deux ou trois pâtés de maisons de l'école.

— C'est arrivé avant ou après les cours d'été ?

— Après. J'étais sur le chemin du retour.

Myron restait silencieux. Il se demandait pourquoi Chad mentait.

— Où cet homme t'a-t-il emmené ?

— Il m'a ordonné de faire le tour du pâté de maisons. Nous nous sommes arrêtés sur un parking. C'est là qu'il m'a mis quelque chose sur la tête. Un sac quelconque, je ne sais pas au juste. Ensuite il m'a obligé à me coucher sur la banquette arrière, et il a pris le volant. J'ignore où nous sommes allés. Je n'ai jamais rien vu. Ensuite, je me suis retrouvé dans une pièce, je ne sais où. J'avais le sac sur la tête pendant tout ce temps, et donc je n'ai rien vu.

— Tu n'as jamais vu le visage de cet homme ?

— Jamais.

— Et tu es certain qu'il s'agissait d'un homme ? Est-ce que ça aurait pu être une femme ?

— Il a parlé à plusieurs reprises. C'était un homme. En tout cas, un d'entre eux était un homme.

— Il n'était donc pas seul ?

— Non. Le jour où il a fait ça…

Il leva sa main bandée devant son visage, l'air totalement ailleurs. Quand il reprit la parole, ce fut d'un ton aussi monocorde que celui de l'avocate :

— J'avais ce sac sur la tête, et les mains menottées derrière le dos. Le sac m'irritait, alors je me frottais le menton contre l'épaule, pour me soulager. Enfin bref, l'homme est entré dans la pièce et m'a retiré les menottes. Ensuite il a saisi ma main et l'a plaquée sur la table. Il n'a rien dit. Il ne m'a pas prévenu. Il a seulement mis ma main à plat sur la table. Je n'ai rien vu de ce qu'il faisait. J'ai entendu un coup sourd, et j'ai eu cette sensation bizarre. Même pas de la douleur, au début. Je ne comprenais pas ce qui se passait. Et puis il y a eu cette impression d'humidité chaude. Le sang, je suppose. La douleur est arrivée quelques secondes plus tard. Je me suis évanoui. Quand je suis revenu à moi, ils m'avaient bandé la main. Elle m'élançait atrocement. Le sac était toujours sur ma tête. J'ai entendu quelqu'un entrer dans la pièce, et on m'a donné des cachets. Ça a un peu dissipé la douleur. Et j'ai entendu des voix. Deux. On aurait dit une dispute.

Chad Coldren s'interrompit, comme s'il était hors d'haleine. Myron observait Victoria Wilson. Elle n'eut pas un geste de réconfort envers l'adolescent.

— Les voix étaient masculines toutes les deux ? interrogea-t-elle.

— En fait, il y en avait une qui m'a paru plutôt celle d'une femme. Mais j'étais dans les vapes. Je ne pourrais pas le jurer.

Chad regarda de nouveau sa main, plia les doigts. Comme pour vérifier que ceux qui lui restaient étaient bien là.

— Ensuite, que s'est-il passé, Chad ?

Il répondit sans lever les yeux.

— Il n'y a pas grand-chose d'autre à dire, Tante Vee. Ils m'ont gardé dans les mêmes conditions pendant quelques jours, je ne sais pas combien. Ils m'ont nourri avec des pizzas et des sodas. Un jour, ils ont apporté un téléphone, et ils m'ont obligé à appeler au Merion et à demander Papa.

« Quand le kidnappeur avait exigé la rançon », songea Myron. Son deuxième coup de fil.

— Ils m'ont aussi forcé à hurler.

— Comment ça ?

— Le type est entré dans la pièce. Il m'a dit de crier, et que ça avait intérêt à être un cri vraiment effrayant, sinon il ferait en sorte que je crie pour une bonne raison. Alors j'ai essayé différents cris pendant, je ne sais pas, peut-être dix minutes. Jusqu'à ce qu'il soit satisfait.

« Le hurlement entendu lors de l'appel passé depuis le centre commercial », se dit Myron. Celui durant lequel Tito avait exigé cent mille dollars.

— C'est à peu près tout, Tante Vee.

— Comment t'es-tu échappé ? demanda-t-elle.

— Je ne me suis pas échappé. Ils m'ont laissé partir. Un peu avant quelqu'un m'a guidé jusqu'à une voiture. J'avais toujours le sac sur la tête. On a roulé un peu. Et puis la voiture s'est arrêtée, on a ouvert la portière et on m'a poussé dehors. Et après, j'étais libre.

Victoria se tourna vers Myron. Celui-ci lui rendit son regard. Puis l'avocate eut un lent hochement de tête, comme pour l'autoriser à donner son avis.

— Il ment.

— Quoi ? s'exclama Chad.

Myron reporta son attention sur lui.

— Tu mens, Chad. Et le pire, c'est que la police ne va pas mettre longtemps à s'en rendre compte.

— Qu'est-ce que vous racontez ? balbutia l'adolescent en cherchant du regard le soutien de Victoria. Mais qui est ce type ?

— Tu t'es servi de ta carte bancaire à dix-huit heures

dix-huit jeudi pour effectuer un retrait à un distributeur situé dans Porter Street, dit Myron.

Les yeux de Chad s'agrandirent.

— Ce n'était pas moi. C'est ce salopard qui m'a enlevé. Il m'a pris mon portefeuille et…

— C'est sur la bande vidéo de la caméra de surveillance, Chad.

Il ouvrit la bouche, mais aucun son n'en sortit. Puis :

— Ils m'ont forcé à le faire, fit-il d'une voix faible.

— J'ai visionné la bande, Chad. On te voit sourire. Tu es détendu, heureux. Et tu n'es pas seul. Par ailleurs, tu as passé la soirée dans un motel cradingue qui se trouve tout près du distributeur.

L'adolescent baissa la tête.

— Chad, fit Victoria, et elle n'avait pas l'air contente. Regarde-moi, mon garçon.

Lentement, il leva les yeux vers elle.

— Pourquoi me mens-tu ?

— Ça n'a rien à voir avec ce qui s'est passé après, Tante Vee.

L'avocate restait imperturbable.

— Parle, Chad. Tout de suite.

Il regarda encore le sol à ses pieds, puis sa main bandée.

— Tout s'est passé comme je l'ai dit, sauf que, c'est vrai, le type ne m'a pas agressé à un feu rouge. Il a frappé à la porte de la chambre, au motel. Il était armé. Tout le reste, c'est la vérité.

— Quand est-ce arrivé ?

— Vendredi matin.

— Alors pourquoi m'as-tu menti ?

— J'ai promis, dit-il. Je voulais la laisser en dehors de tout ça, c'est tout.

— Qui donc ? insista Victoria.

Chad parut surpris de la question.

— Alors vous ne savez pas ?

— C'est moi qui ai la bande, intervint Myron, en décidant de jouer un petit coup de bluff. Je ne la lui ai pas encore montrée.

— Tante Vee, il ne faut pas la mêler à toute cette histoire. Ça pourrait lui créer de gros problèmes.

— Mon garçon, tu vas m'écouter très attentivement, maintenant. Je pense que c'est tout à ton honneur de vouloir protéger ta petite amie. Mais je n'ai pas de temps à gaspiller avec ces enfantillages.

Le regard de Chad passa de Myron à l'avocate.

— Je veux voir ma mère. S'il vous plaît.

— Tu la verras. Bientôt. Mais d'abord tu vas me parler de cette fille.

— Je lui ai promis de la laisser en dehors de tout ça.

— Si je peux éviter que son nom apparaisse dans cette affaire, je le ferai.

— Je ne peux pas, Tante Vee.

— Laissez tomber, Victoria, dit Myron. S'il ne veut rien dire, nous pouvons toujours visionner la bande tous ensemble. Ensuite nous appellerons la fille. A moins que la police ne la trouve en premier. Eux aussi vont se procurer une copie de l'enregistrement, et ils ne se soucieront pas de l'épargner.

— Vous ne comprenez pas, s'entêta l'adolescent, passant de Victoria à Myron, pour revenir à l'avocate. Je lui ai promis. Elle risque d'avoir de très gros ennuis.

— Nous parlerons à ses parents, si besoin est, affirma Victoria. Nous ferons ce que nous pourrons.

— Ses parents ? répéta Chad, l'air dérouté. Je ne m'inquiète pas à cause de ses parents. Elle est assez grande…

Il se tut subitement.

— Avec qui étais-tu, Chad ?

— J'ai juré de ne jamais rien dire, Tante Vee.

— Bon, soupira Myron, inutile de perdre plus de temps, Victoria. Laissons la police l'identifier.

— Non ! s'écria Chad. Elle n'avait rien à voir avec le

reste, d'accord ? Nous étions ensemble. Elle est sortie un moment, et c'est alors que le type m'a enlevé. Elle n'y est pour rien.

— Qui, Chad ? lâcha Victoria.

Il parla à contrecœur, mais sa voix était claire :

— Elle s'appelle Esme Fong. Elle travaille dans cette boîte, Zoom.

28

Tout ça commençait à prendre tournure. Et une tournure très moche.

Myron n'attendit pas d'avoir la permission. Il sortit de la pièce et parcourut le couloir au pas de course. Il était temps d'avoir une petite discussion avec une certaine Esme Fong.

Son cerveau en ébullition reconstituait un scénario plausible. Esme Fong fait la connaissance de Chad Coldren alors qu'elle négocie le contrat Zoom avec sa mère. Elle séduit l'adolescent. Pourquoi ? Par jeu, peut-être. Aucune importance.

Quoi qu'il en soit, Chad passe la nuit de mercredi à jeudi avec son copain Matthew. Et jeudi, il se rend à un rendez-vous galant avec Esme à Court Manor Inn. En chemin, ils retirent un peu de liquide à un distributeur proche. Ils s'envoient en l'air, tout va pour le mieux. C'est ensuite que les choses deviennent intéressantes.

Esme Fong n'a pas seulement signé un contrat avec Linda Coldren, elle a aussi réussi à accrocher Tad Crispin, le prodige de la petite balle blanche. Tad joue merveilleusement bien pour sa première participation à l'U.S. Open. Après un tour, il est en deuxième position. Etonnant. Une publicité d'enfer. Mais si Tad pouvait l'emporter, coiffer au poteau le vétéran Jack Coldren qui a une avance énorme sur lui, Zoom bénéficierait d'un lancement de rêve dans le monde du golf. Qui se chiffrerait en millions de dollars de profits.

Des millions.

Et Esme a dans sa manche le fils de Coldren qui bave devant elle comme un brave toutou.

Alors que fait l'ambitieuse Mlle Fong ? Elle engage Tito pour enlever le gamin. Ce qu'il fait sans problème. Elle veut saper le moral de Jack. Le distraire de la compétition. Quel meilleur moyen qu'en kidnappant son fils ?

Cette théorie semblait très bien tenir la route.

Myron étudia ensuite d'autres aspects plus étranges de cette affaire. Tout d'abord, le fait qu'aucune rançon n'ait été demandée pendant aussi longtemps prenait soudain tout son sens. Esme Fong n'était pas une experte en enlèvements, et elle ne voulait pas du versement d'une rançon – qui ne ferait que compliquer les choses. Voilà pourquoi les premiers appels des ravisseurs étaient aussi bizarres. Elle avait tout simplement oublié de fixer une somme. Par ailleurs, Myron se souvenait de l'allusion de Tito à une « petite pétasse bridée », lors d'un des coups de fil. Comment savait-il qu'Esme se trouvait chez les Coldren ? C'était très simple. Esme en personne lui avait dit qu'elle se rendait à leur domicile. Résultat : les Coldren avaient été terrorisés, et convaincus d'être surveillés continuellement.

Ouais. Tout collait à merveille. Tout s'était déroulé selon le plan d'Esme Fong. A un détail près.

Jack Coldren continuait de jouer beaucoup trop bien.

Il avait maintenu son avance durant le deuxième tour. Le kidnapping l'avait sans nul doute ébranlé, mais il n'avait pas perdu pied comme prévu. Il menait toujours largement. Il fallait donc prendre des mesures radicales pour inverser la vapeur.

Myron s'engouffra dans l'ascenseur et appuya sur le bouton du rez-de-chaussée. Il se demanda comment elle s'y était prise. Peut-être était-ce l'idée de Tito, ce qui aurait expliqué la dispute entendue par Chad. En tout cas, quelqu'un avait décidé de faire quelque chose qui, à coup sûr, déstabiliserait définitivement Jack.

Amputer Chad d'un doigt.

Qu'elle ait été d'accord ou pas, que l'idée soit venue d'elle ou de Tito, Esme Fong en avait tiré avantage. Elle avait accès aux clefs de la voiture de Linda. Rien de plus facile que d'aller déposer une enveloppe sur le siège avant. Qui aurait prêté attention à une jolie jeune femme bien vêtue en train d'ouvrir une portière de voiture de luxe dans cet endroit ?

Le doigt coupé avait eu les effets escomptés. Jack s'était écroulé. Tad Crispin avait rattrapé son retard. Exactement ce que désirait Esme. Hélas, Jack avait encore un atout dans sa manche. Il avait réussi un putt de rêve au dix-huit, et obtenu l'égalisation. Un véritable cauchemar pour Esme. Elle ne pouvait pas courir le risque que Tad Crispin perde lors de l'ultime confrontation avec son rival.

Un échec aurait été désastreux.

Il aurait entraîné un manque à gagner de plusieurs millions de dollars pour Zoom. Et peut-être même ruiné toute la campagne.

Bon sang, toutes les pièces du puzzle s'imbriquaient parfaitement.

Et à bien y repenser, Myron n'avait-il pas entendu Esme formuler cette vision des choses en opposition à celle, plus béate, de Norm Zuckerman ? Et une fois acculée, était-il si difficile d'imaginer qu'elle ait décidé de jouer son va-tout ? Qu'elle ait téléphoné à Jack la nuit dernière ? Arrangé un rendez-vous sur le parcours ? Insisté pour qu'il vienne seul, et tout de suite, s'il voulait revoir son fils vivant ?

Et *boum !*

Jack refroidi, il n'y avait plus aucune raison valable de retenir le fils plus longtemps. Elle l'avait donc relâché.

La porte de l'ascenseur coulissa. Myron sortit de la cabine. D'accord, il restait quelques zones d'ombre. Mais après son entrevue avec Esme Fong, il serait en mesure de les éclairer. Il poussa la porte vitrée et sortit sur l'aire de stationnement. Des taxis attendaient le client au bord de la rue. Il avait à moitié traversé le parking quand une voix le héla.

— Myron ?

Il stoppa net. Un élancement soudain lui transperça le cœur. Il n'avait entendu cette voix qu'une seule fois, dix ans plus tôt. Au Merion.

29

Myron s'était transformé en statue.

— Je constate que vous avez fait la connaissance de Victoria, dit Cissy Lockwood.

Il tenta de hocher la tête, sans y parvenir.

— Je l'ai contactée dès que Bucky m'a annoncé le meurtre. Je savais que son aide serait précieuse. Victoria est la meilleure dans sa partie. Demandez à Win.

De nouveau il essaya d'acquiescer. Un léger mouvement, cette fois.

La mère de Win s'approcha de lui.

— J'aimerais vous dire quelques mots en privé, Myron.

Il retrouva enfin l'usage de la parole.

— Le moment n'est pas très bien choisi, madame Lockwood.

— Non, j'imagine que non. Mais ça ne demandera pas longtemps.

— Vraiment, il faut que j'y aille…

C'était une très belle femme. Ses cheveux d'un blond cendré étaient à peine marqués de gris, et elle avait ce même port royal que sa nièce Linda. En revanche, c'est Win qui avait hérité de ce visage qu'on eût dit en porcelaine. La ressemblance était troublante.

Elle avança d'un pas encore, sans jamais le quitter des yeux. Elle était curieusement habillée, d'une chemise d'homme trop grande et pendante sur un justaucorps moulant de fitness. Annie Hall faisant les boutiques de fringues pour bébé. Il ne s'était pas attendu à ce spectacle, mais il avait autre chose en tête que les problèmes de mode vestimentaire, pour l'instant.

— C'est à propos de Win, dit-elle.

Myron retint une grimace.

— Alors cela ne me concerne pas.

— C'est très vrai, d'une certaine façon. Mais cela ne vous dédouane pas pour autant de vos responsabilités, n'est-ce pas ? Win est votre ami. Je m'estime heureuse que mon fils ait un ami aussi attentionné que vous.

Myron ne répondit pas.

— J'en sais long sur vous, Myron. Je fais surveiller Win par des détectives privés depuis quelques années déjà. Ma manière de rester proche de lui. Bien évidemment, Win est au courant. Il n'en a jamais parlé, mais on ne peut dissimuler ce genre de choses à quelqu'un de la trempe de mon fils, vous n'êtes pas d'accord ?

— En effet, dit Myron. On ne peut pas.

— Vous allez souvent au domaine, si je ne me trompe, dit-elle. Dans le cottage.

— Oui.

— Vous y avez déjà séjourné ?

— Oui.

— Avez-vous jamais vu les écuries ?

— Seulement de loin, répondit-il.

Elle lui sourit.

— Vous n'y êtes jamais entré ?

— Non.

— Cela ne me surprend guère. Win ne monte plus. Il fut un temps où il adorait les chevaux. Plus encore que le golf.

— Madame Lockwood…

— Je vous en prie, appelez-moi Cissy.

— Je suis un peu embarrassé de devoir entendre ça, dit Myron.

Le regard de Cissy se durcit subtilement.

— Et je suis moi-même quelque peu embarrassée de vous le dire. Mais il le faut.

— Win ne souhaiterait pas que je l'entende.

— C'est bien dommage, mais Win ne peut pas toujours obtenir ce qu'il veut. J'aurais dû apprendre cette leçon il y a longtemps. Enfant, il ne voulait pas me voir. Jamais je ne l'y ai contraint. J'ai écouté les experts qui m'ont affirmé que mon fils finirait par se rapprocher de moi, et que lui imposer ma présence serait contre-productif. Mais ils ne connaissaient pas Win. Et quand j'ai cessé de suivre leurs conseils, il était déjà trop tard. Non que leurs conseils aient eu beaucoup d'importance. Si je les avais ignorés, ça n'aurait sans doute rien changé.

Quelques secondes s'écoulèrent dans un parfait silence.

Elle se tenait très droite, le cou souple et tendu. Mais elle n'était pas à l'aise. Ses doigts ne cessaient de s'ouvrir et se refermer, comme si elle résistait au désir de serrer les poings. Un nœud se forma au creux de l'estomac de Myron. Il savait ce qui allait suivre. La seule chose qu'il ne savait pas, c'était comment réagir.

— L'histoire est simple…, dit-elle en préambule, d'un ton presque rêveur.

Elle ne regardait plus Myron, mais au loin, derrière lui, sans qu'il sache ce qu'elle fixait ainsi.

— Win avait huit ans. A l'époque, j'en avais vingt-sept. Je me suis mariée jeune. Je n'ai pas suivi d'études supérieures. Je n'avais d'ailleurs pas le choix. Mon père m'a dit ce que je devais faire. Je n'avais qu'une amie, une seule personne à qui je pouvais me confier. C'était Victoria. Elle est toujours mon amie la plus chère, un peu comme vous pour Win.

La bouche de Cissy Lockwood se crispa, et elle ferma les yeux un instant.

— Madame Lockwood ?

Elle rouvrit lentement les yeux, souffla sans bruit.

— Je m'égare, dit-elle en se reprenant. Veuillez m'excuser. Je ne suis pas ici pour vous raconter l'histoire de ma vie. Uniquement un épisode…

Encore un instant de concentration, puis :

— Jack Coldren m'a dit qu'il avait emmené Win pour lui donner une leçon de golf. Mais ça ne s'est jamais produit. Ou peut-être qu'ils ont terminé bien plus tôt que prévu. Quoi qu'il en soit, Jack n'était pas avec Win. Son père, si. Je ne sais pourquoi, Win et son père ont fini par se rendre aux écuries. Je m'y trouvais quand ils sont arrivés. Je n'y étais pas seule. Pour être tout à fait précise, j'étais en compagnie du maître de manège de Win.

Elle s'interrompit. Myron prit garde de ne pas intervenir.

— Il faut que je vous fasse un dessin ? dit-elle.

— Non.

— Aucun enfant ne devrait voir ce que Win a vu ce jour-là. Et pis encore, aucun enfant ne devrait voir l'expression de son père dans de semblables circonstances.

Myron dut fournir un réel effort pour rester impassible.

— Il n'y a pas que cela, bien sûr. Mais je n'en parlerai pas maintenant. Mais depuis cet instant, Win ne m'a plus jamais adressé la parole. Et il n'a jamais pardonné à son père, non plus. Oui, à son père. Il aurait pu se mettre à me détester, en conservant toute son affection pour Windsor II. Mais il n'en a pas été ainsi. Il en a voulu à son père autant qu'il m'en a voulu. Il a pensé que son père était un faible. Que par son attitude, il avait permis que cela se produise. C'est complètement ridicule, mais c'est ainsi qu'il a vu les choses.

Myron serra les lèvres. Il n'avait aucune envie d'en entendre plus. Il aurait voulu s'enfuir, rejoindre Win et le serrer dans ses bras, faire comprendre à son ami qu'il devait pardonner. Il songea à l'expression étrange de Win quand celui-ci avait tourné les yeux vers les écuries, hier matin.

Bon sang. Win.

Quand il prit la parole, ce fut d'une voix plus tranchante qu'il ne l'aurait souhaité :

— Pourquoi me racontez-vous ça ?

— Parce que je suis en train de mourir, répondit-elle.

Myron dut chercher appui contre le flanc d'une voiture.

— Une fois encore, je vais vous exposer la situation le plus succinctement possible, dit-elle avec une voix d'un calme effrayant. Ça a atteint le foie. Onze centimètres de long. Mon abdomen gonfle pour cause d'insuffisances rénale et hépatique.

Ce qui expliquait sa tenue ample…

— Nous ne parlons pas de mois, ajouta-t-elle, mais de semaines. Peut-être moins.

— Il existe des traitements, dit Myron, maladroit comme toujours dans ce genre de situation. Des protocoles novateurs.

Elle repoussa la remarque d'un simple mouvement de tête.

— Je ne suis pas idiote, Myron. Je ne me fais pas d'illusions. Il n'y aura pas de réconciliation touchante avec Win. Je le connais. Cela ne se produira pas. Mais il reste une affaire en suspens, et, une fois que je ne serai plus là, il n'aura plus aucune chance de la régler. Ce sera fini. Je ne sais ce qu'il fera de l'occasion qui se présente à lui. Rien, probablement. Mais je veux qu'il sache. Pour qu'il puisse décider en toute connaissance de cause. C'est sa dernière chance, Myron. Je ne pense pas qu'il la saisira. Pourtant il le devrait.

Sur ces mots elle fit demi-tour et s'éloigna. Myron la suivit du regard jusqu'à ce qu'elle disparaisse au coin de la rue. Alors il héla un taxi.

— On va où, m'sieus ?

Il donna au chauffeur l'adresse d'Esme Fong. Puis il se laissa aller contre la banquette. Il regardait à travers la vitre sans rien voir. La ville défilait dans un brouillard silencieux.

30

Quand il s'estima capable de parler sans que sa voix le trahisse, il appela Win sur son portable.

Après une courte entrée en matière, Win déclara :

— C'est con pour Jack.

— D'après ce que je crois savoir, c'était un de tes bons amis.

Win se racla la gorge.

— Myron ?

— Quoi ?

— Tu ne sais rien. Souviens-t'en.

Très vrai.

— On peut dîner ensemble ce soir ?

Win hésita.

— Bien sûr.

— Au cottage. Six heures et demie ?

— Entendu.

Win coupa la communication. Myron essaya de se sortir cette histoire de la tête. Il avait d'autres sujets plus pressants sur lesquels s'agiter les neurones.

Esme Fong faisait les cent pas devant l'entrée de l'hôtel Omni, au coin de Chestnut Street et de la Quatrième. Elle portait un ensemble blanc et des bas assortis. Des jambes de tueuse. Elle se tordait les mains.

Myron descendit du taxi.

— Pourquoi attendez-vous ici ? demanda-t-il.

— Vous avez insisté pour me voir seul à seule, répliqua-t-elle. Et Norm est là-haut.

— Vous partagez la même chambre ?

— Non, mais nous avons des suites communicantes.

Myron nota le détail. Le motel pouilleux s'expliquait mieux, à présent.

— Pas beaucoup d'intimité, hein ?

— Non, pas vraiment, dit-elle avec un sourire hésitant. Mais ça va. J'aime bien Norm.

— Je n'en doute pas.

— De quoi s'agit-il, Myron ?

— Vous avez appris la nouvelle, pour Jack Coldren ?

— Bien sûr. Nous avons été atterrés, Norm et moi. Complètement atterrés.

— Mouais. Venez. Marchons un peu.

Ils remontèrent la Quatrième. Myron avait été tenté de rester dans Chestnut Street, mais ils seraient passés devant Independence Hall et ç'aurait tenu un peu trop du cliché pour son goût. La Quatrième s'étendait quand même dans un quartier de style colonial. De la brique partout. Les trottoirs, les murets et les murs, les bâtiments au symbolisme historique évident, tout se ressemblait. Des frênes bordaient la rue. Ils tournèrent à droite dans des jardins où trônait la Second Bank of United States. Sur la plaque commémorative figurait le portrait du premier président de l'établissement. Un ancêtre de Win. Myron chercha un air de ressemblance, sans le trouver.

— J'ai tenté de joindre Linda, dit Esme. Mais ça sonne occupé tout le temps.

— Vous avez essayé sur la ligne de Chad ?

Quelque chose passa sur ses traits et disparut aussitôt.

— La ligne de Chad ?

— Il a sa propre ligne dans la maison, expliqua Myron. Vous devez le savoir, non ?

— Pourquoi le saurais-je ?

— Bah, je pensais que vous connaissiez Chad personnellement.

— C'est le cas, répondit-elle d'une voix toute en prudence. Enfin, je suis venu chez eux à maintes reprises.

— Ah, bien sûr, oui. Et quand avez-vous vu Chad pour la dernière fois ?

Elle effleura son menton d'une main.

— Je ne pense pas qu'il était là quand je suis venue vendredi soir, fit-elle, toujours avec la même circonspection. Je ne sais pas au juste. Il y a quelques semaines, je suppose.

Myron imita le son d'un buzzer de jeu télé.

— Mauvaise réponse.

— Je vous demande pardon ?

— Je ne saisis pas bien, Esme.

— Quoi ?

Myron continuait de marcher, la jeune femme à sa hauteur.

— Vous avez quoi, vingt-quatre ans ? dit-il.

— Vingt-cinq.

— Vous êtes intelligente. Talentueuse. Une carrière déjà brillante. Du charme. Mais un adolescent… qu'est-ce que ça veut dire ?

Elle stoppa subitement.

— De quoi parlez-vous ?

— Vous ne le savez vraiment pas ?

— Je n'en ai pas la moindre idée.

Il plongea son regard dans le sien.

— Vous. Chad Coldren. Court Manor Inn. Ça vous aide un peu, là ?

— Non.

Myron ne chercha pas à dissimuler son scepticisme.

— Esme, allons…

— C'est Chad qui vous a raconté ça ?

— Esme…

— Il vous a menti, Myron. Mon Dieu, vous savez comment sont les adolescents. Comment pouvez-vous croire une chose pareille ?

— Les photos, Esme.

La surprise amollit soudain les traits de la jeune femme.

— Quoi ?

— Vous vous êtes arrêtés tous les deux à un distributeur bancaire près du motel, vous vous rappelez ? Il y a une caméra de surveillance. Votre visage apparaît très nettement sur la bande.

C'était du bluff, bien sûr, mais très bien présenté. Elle parut se recroqueviller sur elle-même progressivement. Elle jeta un regard éperdu autour d'elle puis alla s'écrouler sur un banc tout proche. Elle se tourna face à un bâtiment de style évidemment colonial à la façade cachée par un échafaudage. Pour Myron, un échafaudage constituait une injure à toute esthétique architecturale. Un peu comme les poils aux aisselles d'une femme ravissante. Ça n'aurait pas dû avoir d'importance, mais ça en avait.

— S'il vous plaît, n'en parlez pas à Norm, dit-elle d'une voix distante. Je vous en prie.

Myron choisit le mutisme. Très déstabilisant, le mutisme, parfois.

— J'ai été complètement idiote. Je le sais. Mais ça ne devrait pas me coûter ma place, quand même.

Myron s'assit à côté d'elle.

— Dites-moi ce qui s'est passé.

Elle tourna vers lui un regard étonné.

— Pourquoi ? En quoi cela vous concerne-t-il ?

— J'ai mes raisons.

— Quelles raisons ? fit-elle d'une voix qui avait retrouvé

un peu de mordant. Ecoutez, je ne suis pas spécialement fière de moi, d'accord. Mais de quel droit me jugez-vous ?

— Très bien. Je vais donc aller poser la question à Norm. Peut-être que lui pourra m'aider.

De nouveau, elle parut déboussolée.

— Vous aider en quoi ? Je ne comprends pas. Pourquoi me faites-vous ça ?

— J'ai besoin de certaines réponses. Et je n'ai pas le temps d'expliquer pourquoi.

— Que voulez-vous que je vous dise ? Que je me suis conduite comme la dernière des imbéciles ? C'est vrai, je le reconnais. Je pourrais vous dire que je me sentais trop seule, même dans cet hôtel de luxe. Que Chad m'a fait l'effet d'être un jeune homme charmant, séduisant malgré son âge, et que je n'ai pas pensé que ça irait plus loin qu'une passade. Mais en fin de compte, ça ne change pas grand-chose. Je me suis trompée. Je suis désolée, d'accord ?

— Quand avez-vous vu Chad pour la dernière fois ?

— Pourquoi vous n'arrêtez pas de me poser cette question ? contra Esme.

— Répondez ou je vais voir Norm, je vous le jure.

Elle scruta son visage. Il adopta son expression la plus indéchiffrable, celle qu'il avait apprise auprès de vieux flics revenus de tout, et surtout en étudiant l'air avenant des employés des péages autoroutiers du New Jersey. Après quelques secondes, elle craqua.

— A ce motel.

— Court Manor Inn ?

— C'est possible. Je ne me souviens pas du nom.

— Quel jour était-ce ?

Elle réfléchit un instant.

— Vendredi matin. Chad dormait encore.

— Vous n'avez plus eu de contact avec lui depuis ?

— Non, aucun.

— Vous n'aviez pas prévu un autre rendez-vous pour vous amuser ensemble de nouveau ?

Elle prit un air maussade.

— Non, pas vraiment. Je pensais qu'il profitait de l'occasion pour se payer juste un peu de bon temps, tout comme moi, mais une fois que nous avons été seuls au motel, je me suis rendu compte qu'il commençait à tomber amoureux. Je ne m'y attendais pas du tout. Et franchement, ça m'a inquiétée.

— Pourquoi ?

— J'ai craint qu'il aille en parler à sa mère. Chad m'a juré qu'il ne lui dirait jamais rien, mais qui sait ce qu'il aurait pu faire pour se venger de moi si je décevais ses attentes ? Et comme je n'ai plus eu signe de vie de sa part, je me suis sentie soulagée.

Myron épiait sur son visage le moindre signe qui aurait trahi un mensonge. Il n'en détecta pas. Ce qui ne signifiait pas qu'elle disait la vérité.

Mal à l'aise, Esme se dandina sur le banc, puis croisa les jambes.

— Je ne comprends toujours pas pourquoi vous me posez toutes ces questions.

Elle fronça les sourcils, parut réfléchir un moment, et soudain son visage s'éclaira. Il crut voir une lueur dans ses yeux. Elle redressa les épaules et lui fit face.

— Est-ce que ça a un rapport avec l'assassinat de Jack ?

Fidèle à sa tactique, Myron ne répondit pas.

— Oh, mon Dieu..., souffla-t-elle. Vous ne croyez quand même pas que Chad a quelque chose à voir avec cette horreur ?

Myron laissa passer quelques secondes. Il était temps de jouer le va-tout.

— Non, dit-il. Mais je n'en suis pas aussi sûr, en ce qui vous concerne.

La confusion revint brouiller l'expression de la jeune femme.

— Quoi ?

— Je pense que vous avez kidnappé Chad.

Elle leva les deux mains, comme pour se rendre.

— Vous avez perdu la tête ? Kidnappé ? Il était complètement d'accord, vous pouvez me croire. Bon, c'est vrai, il est très jeune. Mais vous pensez que je l'ai amené dans ce motel sous la menace d'une arme ?

— Ce n'est pas ce que j'ai dit, lui rappela Myron.

Incompréhension chez la belle, de nouveau.

— Alors que voulez-vous dire ?

— Après votre départ du motel, vendredi. Où êtes-vous allée ?

— Au Merion. C'est là que je vous ai rencontré le soir, vous vous souvenez ?

— Et la nuit dernière ? Où étiez-vous ?

— Ici.

— Dans votre suite ?

— Oui.

— A quelle heure ?

— A partir de huit heures.

— Quelqu'un peut le confirmer ?

— Pourquoi aurais-je besoin d'un témoin pour le confirmer ? répliqua-t-elle sèchement.

Myron afficha de nouveau son masque de dur. Même des gaz n'auraient pas pu le pénétrer. Esme finit par pousser un soupir résigné.

— Je suis restée avec Norm jusqu'à minuit environ. Nous avons travaillé.

— Et ensuite ?

— Je suis allée me coucher.

— Le veilleur de nuit de l'hôtel pourrait-il confirmer que vous n'avez plus quitté votre suite après minuit ?

— Je pense que oui. Il se prénomme Miguel. Un garçon très gentil.

Miguel. Il demanderait à Esperanza de vérifier. Si l'alibi tenait, son petit scénario génial était bon pour la poubelle.

— Qui d'autre était au courant, pour Chad Coldren et vous ?

— Personne, dit-elle. En tout cas, de mon côté je n'en ai parlé à personne.

— Et Chad ? Il en a parlé à quelqu'un ?

— J'ai comme l'impression qu'il vous en a parlé, au minimum, remarqua-t-elle avec un à-propos certain. Il se peut qu'il se soit confié à quelqu'un d'autre, mais s'il l'a fait, je ne suis pas au courant.

Myron réfléchit à ce qu'il savait. La silhouette vêtue de noir qui sortait de la chambre de Chad, au premier étage… Matthew Squires. Myron se remémorait sa propre adolescence. S'il avait réussi à coucher avec une femme plus âgée de la classe d'Esme Fong, il n'aurait pas manqué de s'en vanter. Surtout si la nuit précédente il avait dormi chez son meilleur ami.

Une fois de plus, on en revenait au rejeton Squires.

— Où serez-vous si j'ai besoin de vous contacter ? demanda Myron.

De sa poche, elle sortit une carte de visite.

— Mon numéro de portable est inscrit en bas, précisa-t-elle.

— Au revoir, Esme.

Il se leva.

— Myron ?

— Oui ?

— Vous avez l'intention de parler à Norm ?

Elle semblait se soucier de sa réputation et de son emploi bien plus que d'un enlèvement et d'un meurtre. Une diversion habile ? Impossible de le savoir.

— Non, fit-il. Je ne lui dirai rien.

En tout cas, pas dans l'immédiat.

31

L'Académie épiscopale. L'*alma mater* de Win.

Esperanza était venue chercher Myron devant chez Esme Fong et l'avait véhiculé jusque-là. Elle se gara de l'autre côté de la rue. Elle coupa le moteur et se tourna vers lui.

— Suite du programme ? demanda-t-elle.

— Je ne sais pas trop. Matthew Squires est ici. Nous pouvons attendre la coupure du déjeuner. Essayer d'entrer.

— Ça, c'est un vrai plan, approuva Esperanza d'un ton moqueur. Un vrai plan pourri.

— Vous avez une meilleure idée ?

— Nous pouvons entrer maintenant. En prétendant que nous sommes des parents d'élèves venus voir l'établissement.

Myron pesa le pour et le contre.

— Vous pensez que ça marchera ?

— On peut tenter le coup. Ce sera toujours mieux que de nous rouler les pouces ici.

— Oh, avant que j'oublie. Il faudrait vérifier l'alibi d'Esme. Le veilleur de nuit de l'hôtel s'appelle Miguel.

— Miguel, répéta-t-elle. Vous me refilez ça parce que je suis hispanique, n'est-ce pas ?

— En très grande partie, oui.

Ce qui ne posait aucun problème à Esperanza.

— A propos, j'ai passé un coup de fil au Pérou, ce matin.

— Et ?

— J'ai parlé au shérif du coin. Il m'a dit que Lloyd Rennart s'était effectivement suicidé.

— Et le corps ?

— L'endroit est surnommé *El Garganta del Diablo.* La Gorge du Diable. On ne retrouve jamais aucun corps. Il semblerait que ce soit un site très prisé des candidats au suicide.

— Super. Vous pensez pouvoir creuser un peu le passé de Rennart ?

— Du genre ?

— Comment s'est-il offert le bar à Neptune City ? Et la maison de Spring Lake Heights ? Ce genre de détails.

— Pourquoi voulez-vous savoir tout ça ?

— Lloyd Rennart était le caddie d'un golfeur débutant. Il ne devait pas gagner des fortunes.

— Et donc ?

— Donc il a peut-être touché le gros lot juste après le fiasco de Jack à l'U.S. Open.

Esperanza comprenait très bien ce qu'il sous-entendait.

— Vous pensez que quelqu'un aurait payé Rennart pour faire perdre Coldren ?

— En fait, non, reconnut Myron. Mais c'est une éventualité qu'on ne peut pas négliger, malgré tout.

— Après tout ce temps, il ne va pas être facile de remonter la piste.

— Faites de votre mieux. Par ailleurs, Rennart a été impliqué dans un accident grave il y a vingt ans, à Narberth. C'est une petite ville pas très loin d'ici. Sa première femme a péri dans le carambolage. Voyez ce que vous pouvez apprendre là-dessus.

— Par exemple ?

— Savoir s'il avait bu. S'il a été accusé de quoi que ce soit. S'il y a eu d'autres accidents mortels.

— Pourquoi ?

— Il a pu se faire des ennemis. La famille de sa première femme, par exemple, qui aurait voulu se venger.

Esperanza fronça les sourcils.

— Alors ils auraient attendu vingt ans, suivi Lloyd Rennart jusqu'au Pérou pour le pousser du haut d'un à-pic ? Et ensuite ils seraient revenus ici, auraient kidnappé Chad Coldren et tué son père ? Vous voyez ce que je veux dire ?

— Oui, vous avez raison, dut reconnaître Myron. Mais je tiens quand même à ce que vous rassembliez tout ce que vous pourrez trouver sur Lloyd Rennart. Je pense qu'il y a un lien entre tout ça, à un niveau ou un autre. Il faut juste découvrir lequel.

— Moi, il m'échappe, dit Esperanza en coinçant une boucle rebelle derrière son oreille. Il me semble qu'Esme Fong fait une suspecte bien plus présentable.

— D'accord avec vous. Mais ça ne mange pas de pain. Fouinez dans cette direction. Et il y a le fils, Larry Rennart. Dix-sept ans. Voyez si vous pouvez apprendre ce qu'il fabrique.

Elle haussa les épaules.

— Comme vous voudrez, mais je parie que ce sera une perte de temps, fit-elle avant de désigner l'école. Vous voulez qu'on y aille maintenant ?

— Oui.

Alors qu'ils allaient se mettre en mouvement, une main énorme tapota doucement à la vitre de la portière. Le son fit sursauter Myron. Il regarda à l'extérieur. Le colosse noir avec la coupe à la Nat King Cole rencontré devant Court Manor Inn lui souriait. « Nat » lui fit signe de baisser la vitre, et Myron s'exécuta.

— Eh, content de vous rencontrer de nouveau, dit

Myron. Vous avez oublié de me donner les coordonnées de votre barbier.

L'autre s'esclaffa en sourdine. Il joignit les pouces, mains ouvertes, et effectua un mouvement de gauche à droite comme un directeur photo qui cherche le bon cadrage sur un plateau de cinéma.

— Vous, avec ma coiffure ? dit-il avec une moue dubitative. Honnêtement, je vois mal ça.

Il se pencha à la portière et tendit la main à l'intérieur vers Esperanza.

— Je m'appelle Carl, fit-il.

— Esperanza, répondit-elle en lui serrant la main.

— Oui, je sais.

Esperanza le regarda très attentivement.

— Je vous connais, non ?

— En effet.

Elle claqua des doigts.

— Mais oui ! Mosambo, la Terreur du Kenya !

— La Terreur du Kenya, hein ? dit Myron.

— Carl a été lutteur professionnel, expliqua-t-elle. Nous nous sommes retrouvés sur le ring, une fois. A Boston, non ?

Carl monta à l'arrière et se pencha en avant jusqu'à ce que sa tête soit entre l'épaule droite d'Esperanza et la gauche de Myron.

— C'était à Hartford, lâcha-t-il. Au Civic Center.

— Equipes mixtes, dit Esperanza.

— C'est exact, approuva Carl avec un sourire aimable. Soyez un amour, Esperanza, et faites démarrer le moulin. Roulez direct jusqu'au troisième feu.

— Ça ne vous dérange pas de nous affranchir ? dit Myron.

— Bien sûr. Vous voyez la bagnole derrière nous ?

Myron jeta un œil dans le rétroviseur extérieur droit.

— Celle avec les deux affreux à l'avant ?

— Ouais. Ils sont avec moi. Et ils ne rigolent pas, Myron. Ils sont jeunes. Beaucoup trop portés sur la violence gratuite. Vous savez comment sont les jeunes, de nos jours. *Boum-boum*, et je parle après. Tous les trois, nous sommes censés vous escorter jusqu'à une destination inconnue. Je devrais vous menacer d'un flingue en ce moment même. Mais bon, nous sommes copains, pas vrai ? Je ne trouve pas indispensable d'en faire des tonnes. Alors démarrez gentiment. Les affreux suivront.

— Avant toute chose, dit Myron, vous voyez un inconvénient à ce qu'Esperanza prenne congé ?

Carl eut un petit rire bas.

— Ce serait un peu sexiste, vous ne trouvez pas ?

— Pardon ?

— Si Esperanza était un homme – tiens, votre copain Win, par exemple –, est-ce que vous auriez un geste aussi galant ?

— Ce n'est pas impossible, répondit Myron.

Esperanza roula des yeux.

— Moi, je ne le pense pas, Myron, reprit Carl. Et croyez-moi sur parole, ce serait une très mauvaise initiative. Ces jeunes affreux, derrière, ils voudraient savoir ce qui se passe. Ils la verraient descendre de bagnole, et ça les démangerait d'agir. Ils sont très susceptibles, et ils adorent faire mal. Surtout aux femmes. Et la présence d'Esperanza avec nous est une sorte de police d'assurance. Tout seul, Myron, vous tenteriez peut-être quelque chose de très bête. Mais avec Esperanza toute proche, ça calme vos ardeurs, je parie.

La jeune femme coula un regard à Myron. Il lui fit signe d'obéir. Elle démarra.

— Tournez à gauche après le troisième feu, dit Carl.

— Dites-moi un truc, fit Myron. Est-ce que Reginald Squires est aussi dingue qu'on le raconte ?

Toujours penché en avant, Carl s'adressa à Esperanza.

— Est-ce que je dois me montrer impressionné par ses facultés de déduction ?

— Oui, lui répondit Esperanza. Sinon, il sera terriblement déçu.

— C'est bien ce que je pensais. Et pour répondre à votre question, Squires n'est pas aussi dingue que ça – tant qu'il prend son traitement.

— Très réjouissant, dit Myron.

Les jeunes affreux ne les lâchèrent pas d'un pneu pendant les quinze minutes que dura le trajet. Myron ne fut nullement surpris quand Carl dit à Esperanza de tourner dans Green Acres Road. Alors qu'ils approchaient de l'entrée de la propriété, les grilles s'ouvrirent. Ils remontèrent une large allée tout en courbes douces à travers un bois de belle taille. Huit cents mètres plus loin, ils débouchèrent sur un vaste espace dégagé au centre duquel se dressait un bâtiment rectangulaire, qui faisait un peu penser à un gymnase scolaire.

La seule entrée visible était la porte d'un garage, qui s'ouvrit elle aussi à leur approche. Carl ordonna à Esperanza de faire entrer le véhicule, puis de stopper et de couper le moteur. Derrière eux, la voiture des affreux fit de même.

La porte du garage bascula lentement. Aucun éclairage à l'intérieur du bâtiment. Tout était plongé dans une obscurité totale.

— Exactement comme le manoir hanté du Train Fantôme, commenta Myron.

— Donnez-moi votre feu, Myron.

Carl avait son masque de joueur de poker. Myron lui tendit son arme.

— Sortez.

— Mais j'ai peur du noir, protesta Myron.

— Vous aussi, Esperanza.

Ils descendirent tous trois de voiture. Derrière eux, les deux affreux les imitèrent. Leurs mouvements éveillèrent des échos sourds, et Myron en déduisit qu'ils se trouvaient dans une salle très grande. L'éclairage intérieur des voitures procura une lumière des plus chiches, qui ne dura pas. Myron ne put rien discerner avant que les portières ne claquent.

Noir absolu, de nouveau.

Myron contourna la voiture à tâtons et trouva Esperanza. Elle lui prit la main. Ils s'immobilisèrent et attendirent.

Un faisceau lumineux qui rappelait celui d'un phare ou d'un projecteur lors d'une première au cinéma les frappa en pleine face. Myron ferma aussitôt les yeux, puis les abrita derrière sa main levée avant de les rouvrir très légèrement. Un homme vint se camper devant la source lumineuse. Son corps projetait une ombre géante sur le mur derrière Myron, et rappela à ce dernier le signal de Batman.

— Personne n'entendra vos cris, déclara l'homme.

— Ce n'est pas une réplique de film, ça ? fit Myron. Mais je crois que le texte exact est : « Personne ne vous entendra crier. » Notez, je peux me tromper.

— Des gens sont morts en ce lieu, rugit la voix. Je m'appelle Reginald Squires. Vous allez me dire tout ce que je veux savoir. Ou bien vous et votre amie serez mes prochaines victimes.

Oh non… Myron regarda Carl à la dérobée. Le colosse noir était un modèle de stoïcisme. Myron se tourna vers la lumière.

— Vous êtes riche, n'est-ce pas ?

— *Très* riche, corrigea Squires.

— Alors vous pourriez peut-être vous offrir un dialoguiste un peu moins tarte.

Myron regarda de nouveau Carl. Celui-ci fit discrètement

« non » de la tête. Un des deux jeunes affreux s'avança. Dans la lumière crue, Myron vit son sourire déjanté. Il se tint prêt.

L'autre serra le poing et le balança en direction du visage de Myron. Une esquive du buste, et le coup rata sa cible. Myron saisit le poignet au vol, plaqua son avant-bras contre le coude de l'autre et pressa sur l'articulation dans le mauvais sens. L'affreux n'avait pas le choix. Il tomba à genoux. Myron accentua un peu sa prise. Son adversaire voulut se dégager. Erreur. Myron lui écrasa le nez d'un coup de genou. Quelque chose céda dans un petit craquement assez répugnant.

Le second affreux sortit son arme et la pointa sur Myron.

— Assez ! s'écria Squires.

Myron lâcha l'affreux qui se répandit sur le sol comme du sable mouillé coulant d'un sac éventré.

— Vous payerez pour cela, monsieur Bolitar ! fit la voix amplifiée de Squires. Robert ?

— Monsieur Squires ? dit le malfrat au flingue.

— Cogne la fille. Cogne-la fort.

— Oui, monsieur Squires.

— Eh, s'interposa Myron, frappez-moi, plutôt. C'est quand même moi qui ai fait le malin.

— Et ce sera votre châtiment, dit Squires avec un calme qu'il devait juger terrifiant. Cogne la fille, Robert. Maintenant.

L'affreux Robert s'approcha d'Esperanza.

Carl s'avança dans la lumière.

— Permettez-moi de le faire.

— Je ne pensais pas que c'était ton genre, Carl.

— Ce n'est pas mon genre, monsieur Squires. Mais Robert risque de l'amocher sérieusement.

— Et c'est précisément ce que je veux.

— Non, je veux dire, il va laisser des marques, ou lui

casser quelque chose. Vous souhaitez qu'elle souffre. Et la souffrance, c'est mon domaine d'expertise.

— J'en suis conscient, Carl. C'est pourquoi je te paie aussi bien.

— Alors laissez-moi faire mon boulot. Je peux la frapper sans laisser de trace ni causer de dommage permanent. Je sais contrôler mes coups. Je sais où frapper pour faire très mal.

L'ombre qu'était M. Squires réfléchit une seconde à cette alléchante proposition.

— Tu rendras cela douloureux ? demanda-t-il. Horriblement douloureux ?

— Si vous insistez, dit Carl sans enthousiasme excessif, mais d'un ton déterminé.

— J'insiste. Maintenant. Je veux qu'elle ait très mal.

Carl s'avança vers Esperanza. Myron voulut se mettre entre eux, mais Robert lui colla le canon de son arme sur la tempe. Il ne pouvait rien faire, sinon lancer un regard furieux à Carl.

— Ne faites pas ça, gronda-t-il.

Carl l'ignora. Il se plaça face à Esperanza. Elle le toisa d'un air de défi. Sans attendre il la frappa à l'estomac.

La puissance du coup lui fit décoller les pieds du sol. Elle poussa un soupir étouffé et se plia au niveau de la taille comme un vieux portefeuille. Son corps retomba lourdement sur le ciment. Elle se recroquevilla en boule pour se protéger, les yeux exorbités, la bouche ouverte pour essayer d'aspirer un peu d'air que ses poumons refusaient. Carl la considéra sans aucune trace d'émotion. Puis il se tourna vers Myron.

— Espèce d'enfoiré, grinça ce dernier.

— C'est votre faute, dit Carl.

Esperanza continuait de se tordre sur le sol, en proie à une douleur manifeste. Elle n'arrivait toujours pas à respirer. Myron sentait tout son propre corps électrisé par une rage impuissante. Il fit un pas vers elle, mais de nouveau Robert le stoppa en lui plaquant son arme sur le cou.

La voix de Reginald Squires tonna de nouveau dans le grand local vide.

— Vous allez m'écouter maintenant, monsieur Bolitar.

Myron serra les dents en s'efforçant de se maîtriser. Tous ses muscles étaient tétanisés par la fureur. A cet instant, chaque parcelle de son être ne vivait que pour la vengeance. En silence, il regarda Esperanza qui, après un moment, réussit tant bien que mal à se mettre à quatre pattes. Elle gardait la tête baissée. Un haut-le-cœur sonore lui échappa. Puis un autre, plus bruyant encore.

Le son éveilla quelque chose en Myron.

Il fouilla dans sa mémoire. Un souvenir en rapport avec toute la scène qui venait de se dérouler sous ses yeux, cette façon dont elle s'était cassée en deux, comment elle avait roulé au sol… Tout lui paraissait soudain étrangement familier. Comme s'il l'avait déjà vu. Mais c'était impossible. Quand aurait-il pu… Il se figea quand la réponse s'imposa à lui.

Sur le ring.

Nom de Dieu ! songea-t-il. Elle simulait !

Il regarda Carl. L'ombre d'un sourire jouait aux commissures de ses lèvres.

Le fils de pute. Du chiqué !

Reginald Squires s'éclaircit la voix.

— Vous avez porté un intérêt malsain à mon fils, monsieur Bolitar, dit-il. Seriez-vous une sorte de pervers ?

Myron faillit lui balancer un truc ironique, mais il se retint à temps.

— Non.

— Alors si vous me disiez ce que vous lui voulez ?

Myron plissa les yeux face au projecteur. Il ne voyait toujours rien de plus que le contour de la silhouette de Squires. Que pouvait-il répondre ? Ce type était un cinglé trois étoiles, le doute n'était pas permis. Alors comment s'en sortir ?

— Vous avez entendu parler de l'assassinat de Jack Coldren, dit-il.

— Bien sûr.

— Je travaille sur cette affaire.

— Vous essayez de découvrir qui a tué Jack Coldren ?

— Oui.

— Mais Jack a été abattu la nuit dernière, remarqua Squires. Et vous avez posé des questions sur mon fils samedi.

— C'est une longue histoire, éluda Myron.

Les mains de l'ombre s'écartèrent du corps.

— Mais nous avons tout notre temps, monsieur Bolitar. Tout notre temps.

Comment Myron avait-il deviné que ce fondu prononcerait cette phrase ?

N'ayant plus grand-chose à perdre, il raconta à Squires ce qu'il savait du kidnapping. Enfin, la majeure partie de ce qu'il savait. Il insista à plusieurs reprises sur le fait que Chad avait été enlevé alors qu'il se trouvait à Court Manor Inn. Il avait une bonne raison de souligner ainsi ce détail. Question d'ego. Et Reginald Squires – l'ego en question – réagit comme il l'avait espéré.

— Vous voulez dire que Chad Coldren a été kidnappé dans *mon* motel ? s'écria-t-il.

Son motel. Myron l'avait déjà compris. C'était la seule explication à l'intervention dissuasive de Carl devant l'établissement, pour sauver la mise de ce pauvre clown endimanché de Stuart Lipwitz.

— C'est exact, dit Myron.

— Carl ?

— Monsieur Squires ?

— Tu étais au courant de ce kidnapping ?

— Non, monsieur Squires.

— Eh bien, je pense qu'il faut réagir ! rugit Squires.

Personne ne peut se permettre de faire ça sur *mon* territoire. Vous m'entendez ? Personne.

Ce type avait vraiment regardé trop de films de gangsters.

— Celui qui a fait ça est mort, continua-t-il à écumer. Retrouvez-le pour moi. Je veux le voir mort. M-O-R-T. Vous comprenez ce que je vous dis là, monsieur Bolitar ?

— Mort, répéta Myron pour prouver qu'il suivait.

L'ombre pointa un doigt démesuré sur lui.

— Trouvez-le pour moi. Trouvez qui a osé faire ça et ensuite appelez-moi. Je me chargerai du reste. Vous m'avez bien compris, monsieur Bolitar ?

— Je vous appelle. Vous vous chargez du reste.

Excellent élève, le Myron.

— Partez. Trouvez-moi ce fumier.

— C'est comme si c'était fait, monsieur Squires.

Eh, il n'y a pas de raison, on peut jouer aussi à deux aux plus mauvaises répliques du cinéma.

— Mais j'aurais besoin d'aide.

— Quel genre d'aide ?

— Avec votre permission, j'aimerais parler à votre fils Matthew. Pour découvrir ce qu'il sait sur tout ça.

— Qu'est-ce qui vous fait croire qu'il sait quoi que ce soit ?

— C'est le meilleur ami de Chad. Il a peut-être entendu ou vu quelque chose. Je ne sais pas, monsieur Squires, mais j'aimerais vérifier.

Un court silence suivit, avant que Squires ne prenne sa décision.

— Allez-y. Carl va vous ramener à son école. Matthew vous parlera sans retenue.

— Merci, monsieur Squires.

Le projecteur s'éteignit, et l'obscurité les avala. A tâtons, Myron regagna leur voiture. En titubant de façon très convaincante, Esperanza le rejoignit. Carl suivit. Tous trois montèrent dans le véhicule.

Myron se retourna et regarda le colosse noir, qui à lui seul occupait les deux tiers de la banquette arrière.

— Euh… à mon avis, il avait oublié de prendre ses médicaments, aujourd'hui, dit Carl.

32

— Chad m'a dit qu'il avait, genre, levé une meuf plus âgée.

— Il t'a donné son nom ?

— Nan, mec, répondit Matthew Squires. Seulement qu'elle était chop-suey.

— Chop-suey ?

— Ben ouais, chinoise quoi.

Bon sang…

Myron était assis face à Matthew Squires. L'ado était dans le plus pur style petit bourge puant. Cheveux longs et raides, qui retombaient sur les épaules, avec la raie au milieu du crâne. Il n'aurait pas déparé dans la Famille Addams. Une acné généreuse, pour ne pas dire envahissante. Un mètre quatre-vingts au moins, pour soixante kilos tout mouillé. Myron se demanda comment ce gosse avait vécu sa jeunesse sous la houlette hallucinée de son père, le bon M. Spot.

Carl se tenait debout, sur sa droite. Esperanza avait pris un taxi pour aller vérifier l'alibi d'Esme Fong et accessoirement fouiner dans le passé de Lloyd Rennart.

— Chad t'a dit où il devait la voir ?

— Sûr, mec. Ce boxon est comme qui dirait la propriété de mon vieux, quoi.

— Et Chad savait que ton père est le propriétaire légal de Court Manor ?

— Meuh nan. Ensemble, on cause pas des investissements de mon vieux ni d'aucun de ces trucs. Ce serait pas correct, si tu me suis.

Myron et Carl échangèrent un regard où se lisait l'infinitude de leur détresse devant la jeunesse actuelle.

— Tu es allé avec Chad à Court Manor ?

— Nan. Je m'y suis pointé plus tard, tu vois. Je me suis dit que mon pote voudrait faire la fête, après la tringle, genre. Comme pour fêter ça, quoi, tu vois.

— Et à quelle heure es-tu arrivé là-bas ?

— Dix heures et demie, onze, peut-être. Dans ces eaux-là, quoi.

— Tu as vu Chad ?

— Nan. Tout est devenu, genre, hyper zarbi tout de suite, quoi. Je l'ai pas vu du tout.

— Comment ça, « zarbi » ?

Matthew marqua un temps d'hésitation. Carl se pencha vers lui. La prévenance faite homme, enrobée d'un tas de muscles.

— C'est OK, Matthew. Ton père veut que tu nous racontes toute l'histoire. Dans les moindres détails. Il a bien insisté là-dessus, et tu connais ton père…

L'adolescent acquiesça. Quand son menton arriva au point le plus bas du mouvement de tête, ses cheveux se rejoignirent en rideau devant son visage. Assez laid, comme effet.

— Bon, d'accord, alors voilà comment ça s'est passé : je gare ma Benz dans le parking devant le motel, et qui je vois, genre ? Le vieux de Chad.

Myron fut saisi d'une sensation très désagréable.

— Jack Coldren ? Tu as vu Jack Coldren ? Devant Court Manor Inn ?

— Ouais, quoi. Il était assis dans sa tire, tu vois ? Juste à côté de la Honda de Chad. Et putain, mec, il avait l'air d'avoir les boulons. Moi, je voulais pas d'emmerdes, tu vois, genre ? Alors j'ai tracé.

Myron fit de son mieux pour ne pas montrer sa stupéfaction. Jack Coldren à Court Manor Inn. Alors que son fils se trouve dans une chambre, à jouer au docteur avec Esme Fong. Et le lendemain matin, Chad se fait kidnapper…

Qu'est-ce qui s'était réellement passé, bon sang ?

— Vendredi soir, dit Myron, j'ai vu quelqu'un sortir par la fenêtre de la chambre de Chad. C'était toi ?

— Ouais.

— Tu peux me dire ce que tu étais venu faire là ?

— Je voulais voir si Chad était chez ses vieux, quoi. C'est comme ça qu'on fait tout le temps. Je grimpe jusqu'à sa fenêtre, genre, tu vois ?

— Oui, je vois.

Il n'y avait plus grand-chose à tirer de Matthew. Quand ils en eurent terminé avec lui, Carl raccompagna Myron à sa voiture.

— Sacré sac de nœuds, commenta le Noir.

— On peut dire ça comme ça, oui.

— Vous appellerez quand vous aurez du nouveau ?

— On peut envisager ça comme ça, oui.

Myron ne prit pas la peine de lui révéler que Tito était déjà froid. Inutile.

— Joli spectacle, à propos. Le faux coup de poing dans le ventre d'Esperanza.

Carl s'autorisa un sourire.

— Nous sommes des professionnels. Je suis déçu que vous ayez éventé notre petit stratagème.

— Si je n'avais pas déjà vu Esperanza combattre sur le ring, je n'aurais rien soupçonné. Très joli boulot. Vous pouvez en être fier.

— Merci.

Carl tendit la main, que Myron serra sans hésiter,

avant de remonter en voiture et de démarrer aussi sec. Nouvelle destination, chauffeur ?

Le domicile des Coldren, évidemment.

Il était toujours chaviré par cette dernière révélation : Jack Coldren s'était rendu à Court Manor Inn. Il avait forcément reconnu la voiture de son fils garée là. Comment diable faire coller ces derniers éléments avec le reste ? Jack suivait-il Chad ? Possible. N'était-il là que par pure coïncidence ? Douteux. Quelles autres explications plausibles restait-il ? Pourquoi Jack Coldren aurait-il filé son propre fils ? Et depuis où l'avait-il suivi ? La maison des Squires ? Où était la logique, dans tout ça ? L'homme passe la journée à jouer – très bien d'ailleurs – pour le titre à l'U.S. Open, puis il vient planquer devant la propriété des Squires pour guetter le départ de son fils ?

Non.

Ne quittez pas, nous recherchons votre correspondant...

Et si l'on supposait que Jack Coldren n'avait pas suivi son fils, mais Esme Fong ?

Un déclic se produisit entre les oreilles de M. Bolitar, Myron de son prénom.

Peut-être que Jack Coldren avait également une liaison avec Esme Fong. Son mariage battait de l'aile comme un oiseau manchot. Pas impossible du tout qu'Esme Fong soit du genre collectionneuse. Si elle avait séduit le fils, pourquoi pas le père ? Mais tout ça menait à quoi ? Bon, Jack l'aurait suivie parce qu'il était jaloux ? Il aurait découvert sa liaison avec Chad ? Et puis ?

Et demeurait la question à cent mille dollars, justement : en quoi tout ce scénario pouvait-il expliquer l'enlèvement de Chad et le meurtre de Jack Coldren ?

Myron arrivait à la maison des Coldren. Les médias avaient été tenus à l'écart, mais il y avait maintenant une douzaine de flics au moins qui trimballaient des cartons à l'extérieur. Comme le craignait Victoria, la police avait obtenu son mandat de perquisition.

Myron gara sa voiture au coin de la demeure et revint à pied jusqu'à la porte d'entrée. Diane Hoffman, le caddie de Jack, était assise, seule, sur le trottoir en face. Il se remémora la dernière fois où il l'avait vue chez les Coldren : dans le jardin à l'arrière de la maison, en pleine prise de bec avec Jack. Il se souvint également qu'elle avait été une des très rares personnes à être au courant du kidnapping. N'était-elle pas là quand Myron l'avait évoqué pour la première fois devant Jack, sur le parcours ?

Elle méritait un petit entretien.

Diane Hoffman tirait goulûment sur une cigarette. Les mégots jonchant le sol indiquaient qu'elle faisait le pied de grue depuis déjà un certain temps. Myron s'approcha.

— Salut, dit-il. Nous nous sommes déjà vus, l'autre jour.

Elle leva les yeux vers lui, aspira une longue bouffée et souffla sans hâte la fumée devant elle.

— Je me souviens, oui.

Sa voix éraillée avait le charme envoûtant de vieux pneus crissant sur l'asphalte.

— Toutes mes condoléances, dit-il encore. Jack et vous deviez être très proches.

Un autre brasillement de tabac.

— Mouais.

— Caddie et golfeur. Ce doit être une relation assez forte, non ?

Elle braqua un regard méfiant sur lui.

— Mouais.

— Presque comme un mari et sa femme. Ou des associés en affaires.

— Quelque chose comme ça, mouais.

— Et ça vous arrivait de vous disputer ?

Elle prit un air franchement hostile, juste une seconde, puis elle éclata d'un rire qui se termina sur une quinte de toux. Quand enfin elle retrouva l'usage de la parole, ce fut pour dire :

— Et pourquoi ça vous intéresse ?

— Parce que je vous ai vus avoir… des mots, dirons-nous.

— Quoi ?

— Vendredi soir. Vous étiez tous les deux dans le jardin, à l'arrière de la maison. Vous n'avez pas été très tendre avec lui. Vous avez même jeté votre cigarette par terre, sous le coup de la colère.

Diane Hoffman laissa tomber celle qu'elle fumait et l'écrasa sous sa semelle. Un sourire fugitif effleura ses lèvres.

— Vous vous prenez pour Sherlock Holmes, monsieur Bolitar ?

— Non. Je vous pose simplement une question.

— Et je peux très bien vous répondre de vous mêler de vos oignons, n'est-ce pas ?

— En effet.

— Très bien. Alors allez-y.

Le sourire s'épanouit sur son visage. Un sourire qui n'avait rien de particulièrement sympathique.

— Mais d'abord, pour que vous ne perdiez pas votre temps, je vais vous dire qui a tué Jack. Et aussi qui a kidnappé le gosse, si vous voulez.

— Vous avez toute mon attention.

— La salope qui habite ici, fit-elle en désignant du pouce la maison derrière elle. Celle qui vous fait triquer.

— Elle ne me fait pas triquer, désolé.

— A d'autres ! ironisa Diane Hoffman.

— Qu'est-ce qui vous rend si sûre que la coupable est Linda Coldren ?

— Je la connais, cette salope.

— Explication assez peu convaincante.

— Pas de bol, hein, le tombeur ? C'est votre dulcinée qui l'a fait. Et vous voulez savoir pourquoi Jack et moi nous nous engueulions ? Je vais vous le dire. Je lui ai dit qu'il était con de ne pas prévenir la police pour le kidnapping. Il m'a répondu que Linda et lui pensaient que c'était mieux comme ça. (Elle eut un rictus carrément déplaisant.) Linda et lui ? Mon cul, oui !

Myron l'observa très attentivement. Une fois de plus, quelque chose ne collait pas.

— Vous pensez que c'est Linda qui ne voulait pas appeler la police ?

— Evidemment ! C'est elle qui a enlevé le gosse. Tout ça n'est qu'une mise en scène.

— Pourquoi aurait-elle fait ça ?

— Demandez-le-lui, rétorqua-t-elle avec le sourire espiègle d'un crotale prêt à mordre. Peut-être qu'à vous, elle le dira.

— Pour l'instant, c'est à vous que je pose la question.

— Ah, mais ce n'est pas aussi facile, Apollon. Je vous ai dit qui est coupable. C'est déjà pas mal, non ?

Il était grand temps d'adopter une autre tactique.

— A propos, depuis combien de temps étiez-vous le caddie attitré de Jack ?

— Un an.

— Et quelles sont vos qualifications pour tenir ce poste, si je puis me permettre ? En clair, pourquoi Jack vous a-t-il choisie ?

Elle eut un reniflement assez porcin.

— Aucune espèce d'importance. Jack n'écoutait jamais ses caddies. Plus depuis le vieux Lloyd Rennart.

— Vous l'avez connu ? Lloyd Rennart ?

— Non.

— Alors pourquoi Jack vous a-t-il engagée ?

Elle ne répondit pas.

— Vous couchiez ensemble ?

Diane Hoffman partit d'un autre rire se terminant en toux. Avec une prépondérance nette de la toux.

— Ça risquait pas, fit-elle sans cesser de s'esclaffer. Avec ce vieux Jack, ça risquait pas.

Myron entendit quelqu'un prononcer son prénom. Il se retourna. C'était Victoria Wilson. L'expression toujours ailleurs, mais le signe qu'elle lui faisait traduisait une certaine urgence. Bucky se tenait auprès d'elle. Le vieil homme donnait l'impression que le moindre courant d'air risquait de l'emporter au loin.

— Feriez mieux de courir là-bas comme un bon chien-chien, le tombeur, ironisa Hoffman. Je crois que votre dernière conquête va avoir besoin d'aide.

Sans la saluer, il prit la direction de la maison. Il n'avait pas fait trois pas que l'inspecteur Corbett lui sautait sur le poil.

— J'aurais besoin de vous dire un mot, monsieur Bolitar.

Myron le dépassa sans ralentir.

— Dans une minute.

Quand il arriva devant Victoria Wilson, celle-ci fut on ne peut plus directe :

— Plus un mot aux flics. Allez rejoindre Win et ne bougez plus.

— Je ne raffole pas du style sergent-chef dans les rapports humains, rétorqua-t-il.

— Désolée si je froisse votre ego de mâle, dit-elle d'un ton qui démentait subtilement ce propos. Mais je sais très exactement ce que je fais.

— La police a trouvé le doigt ?

Victoria Wilson croisa les bras. Impressionnante, dans cette posture.

— Oui.

— Et ?

— Et rien.

Myron questionna Bucky du regard. Le regard du pauvre vieux se défila, avant de chercher celui de Victoria Wilson.

— Ils ne vous ont pas questionnées à ce sujet ? insista Myron.

— Ils l'ont fait. Et nous avons refusé de répondre.

— Mais le doigt pourrait la disculper…

Avec un soupir difficile à interpréter, l'avocate se détourna.

— Rentrez, Myron. Je vous appellerai s'il y a du nouveau.

33

L'heure était venue d'affronter Win.

Myron passa en revue plusieurs approches possibles pendant qu'il conduisait. Aucune ne lui parut convenir, mais il ne pouvait pas reculer. Win était son ami. Quand le moment serait venu, Myron délivrerait le message, et Win en ferait ce qu'il voudrait.

Le plus épineux, bien sûr, était de déterminer s'il fallait seulement délivrer le message ? Myron savait que le refoulement n'était jamais positif, et tout le bataclan, mais quelqu'un le connaissant aurait-il jamais sciemment pris le risque de déchaîner la fureur qui couvait en Win ?

Le portable sonna. C'était Tad Crispin.

— J'ai besoin de votre aide, annonça d'emblée le golfeur.

— Que se passe-t-il ?

— Les médias me harcèlent pour que je commente la mort de Coldren. Et je ne sais pas ce qu'il convient de dire.

— Rien, répondit Myron. Ne dites rien.

— Bon, entendu, mais vous savez, ce n'est pas aussi simple. Learner Shelton, le commissaire de la Fédération américaine de golf, vous connaissez ? Il m'a appelé deux fois déjà. Il tient à organiser une grande cérémonie pour la remise du trophée, demain. Et me déclarer officiellement champion des Etats-Unis. Je ne sais pas trop quoi faire.

Ce jeune type ne manquait pas de finesse. Il savait que si ça se passait mal, il n'en ressortirait pas grandi.

— Tad ?

— Oui ?

— Dois-je comprendre que vous acceptez mes services ?

Les affaires demeuraient les affaires. Etre agent sportif n'a rien à voir avec la charité.

— Oui, Myron, vous êtes embauché.

— Bon, alors écoutez-moi très attentivement. Nous aurons certains détails à mettre au point avant tout. Les pourcentages, ce genre de choses. Le protocole standard.

Kidnapping, amputation d'un doigt, assassinat, aucun de ces petits tracas de l'existence ne pouvait détourner le professionnel qu'il était de son but premier : assurer le coup et faire du fric.

— En attendant, ne dites rien à personne. J'enverrai une voiture vous prendre d'ici deux heures. Le chauffeur appellera votre chambre un peu avant d'arriver. Montez directement dans la voiture, et pas un mot. Quoi que ces hyènes des médias vous crient, vous restez muet. Pas de sourire, pas de petit signe aux caméras. Prenez un air lugubre. Un homme vient d'être tué. Le chauffeur vous amènera à la propriété de Win. Nous discuterons de la stratégie à adopter là-bas.

— Merci, Myron.

— Non, Tad, c'est moi qui vous remercie.

Profiter d'un meurtre pour signer un gros client… De toute sa carrière, Myron ne s'était jamais senti autant agent sportif. Et aussi mal.

Les médias campaient devant le domaine Lockwood.

— J'ai engagé des gardes supplémentaires pour la nuit, dit Win, un verre à dégustation vide à la main. Si quelqu'un approche de l'entrée, ils ont pour consigne de tirer pour tuer.

— Très prévenant de ta part.

Win hocha sèchement la tête. Il se servit un peu de Grand Marnier. Myron prit un Yoo-Hoo dans le frigo. Ils s'assirent.

— Jessica a téléphoné, annonça Win.

— Ici ?

— Oui.

— Pourquoi ne m'a-t-elle pas appelé sur mon portable ?

— C'est à moi qu'elle désirait parler.

— Oh.

Myron agita son Yoo-Hoo, comme il était recommandé sur le corps de la cannette. SECOUEZ-MOI ! C'EST SUPER ! La vie n'est qu'un long poème.

— A quel sujet ?

— Elle s'inquiétait pour toi, dit Win.

— Pourquoi ?

— D'abord parce que, d'après elle, tu lui as laissé un message bizarre sur son répondeur.

— Elle t'a dit ce que c'était ?

— Non. Seulement que tu avais la voix tendue.

— Je lui ai dit que je l'aimais. Et que je l'aimerais toujours.

— Ah bon, fit Win comme si cela expliquait tout, avant de goûter le Grand Marnier.

— Quoi ?

— Rien, affirma Win.

— Non, vide ton sac. Quoi ?

Win posa son verre sur la table basse et joignit la pointe de ses doigts.

— Qui essayais-tu de convaincre ? demanda-t-il. Elle, ou toi ?

— Qu'est-ce que ça veut dire, ça ?

A présent, Win tapotait ses doigts les uns contre les autres.

— Rien.

— Tu sais très bien combien j'aime Jessica.

— En effet, dit Win.

— Et tu sais comment je me suis démené pour la récupérer.

— En effet.

— Alors je ne pige toujours pas, dit Myron. C'est uniquement pour ça que Jess t'a appelé ? Parce qu'elle a trouvé que j'avais la voix tendue ?

— Pas uniquement, non. Elle a entendu parler de l'assassinat de Jack Coldren. Tout naturellement, elle s'est fait du mauvais sang. Et elle m'a demandé de surveiller tes arrières.

— Et qu'est-ce que tu lui as répondu ?

— Non.

Win leva son verre devant lui, fit tourner le liquide et le huma religieusement.

— Alors, de quoi voulais-tu discuter avec moi ?

— J'ai rencontré ta mère, aujourd'hui.

Win but lentement une gorgée. Il laissa le liquide rouler sur sa langue, tandis qu'il scrutait le fond du verre. Après avoir avalé, il dit :

— Faisons comme si j'avais poussé un petit cri de surprise.

— Elle souhaitait te faire passer un message.

Un fin sourire étira les lèvres de Win.

— Je subodore que ma chère mère t'a raconté une certaine anecdote.

— Oui.

Le sourire s'épanouit sur son visage.

— Eh bien, maintenant tu sais tout, hein, Myron ?

— Non.

— Oh, allons, allons, ne rends pas tout trop facile, s'il te plaît. Fais-moi profiter d'un peu de cette psychologie de bazar que tu trouves tellement lumineuse. Un gamin de huit ans découvre sa mère qui grogne à quatre pattes, en compagnie d'un autre homme. Ce spectacle n'a pu que me marquer émotionnellement au fer rouge. Ne pouvons-nous tout expliquer en remontant jusqu'à cet instant fatidique ? Cet épisode ne constitue-t-il pas la raison profonde pour laquelle je traite les femmes comme je le fais, pourquoi j'ai bâti une armure autour de moi, et pourquoi je préfère me servir de mes poings quand d'autres privilégient le dialogue ? Allez, Myron. Tu as dû décortiquer tout ça. Alors révèle-moi la quintessence de tes cogitations. Je suis sûr que ton analyse sera des plus éclairantes.

Myron attendit quelques secondes avant de répondre.

— Je ne suis pas venu pour t'analyser, Win.

— Non ?

— Non.

Le regard de Win se fit plus dur.

— Alors enlève-moi cette expression de pitié de ton visage.

— Ce n'est pas de la pitié. C'est de l'inquiétude.

— Oh, je t'en prie…

— C'est arrivé il y a vingt-cinq ans, d'accord, mais ça t'a forcément fait mal. Peut-être que ça n'a pas façonné l'homme que tu es devenu. Peut-être que tu aurais fini par être exactement la même personne que celle que j'ai devant moi aujourd'hui. Mais ça ne signifie pas que ça ne t'a pas fait souffrir.

La mâchoire de Win se décrispa. Il reprit son verre, déjà vide, et se servit une bonne dose de Grand Marnier.

— Je ne souhaite pas poursuivre cette conversation, déclara-t-il. Tu sais maintenant pourquoi je ne veux rien avoir à faire avec Jack Coldren ou ma mère. Passons à autre chose.

— Il reste le message de ta mère.

— Ah oui, le fameux message, dit Win dans un demi-soupir. Tu es au courant, n'est-ce pas, que ma chère mère m'envoie toujours des cadeaux pour mon anniversaire ?

— Oui, je sais.

Ils n'en avaient jamais parlé. Mais Myron savait.

— Je les renvoie sans les ouvrir, dit Win entre deux gorgées d'alcool. Je pense que je vais procéder de même avec son message.

— Elle est en train de mourir, Win. Le cancer. Il ne lui reste peut-être qu'une ou deux semaines.

— Je sais.

Myron se laissa retomber dans son siège. Il avait la gorge sèche, soudain.

— C'est là l'intégralité de son message ?

— Elle voulait aussi que tu saches que c'est ta dernière chance de parler avec elle, dit Myron.

— Eh bien, oui, c'est vrai. Il nous sera très difficile de bavarder ensemble après sa mort.

Myron n'y tenait plus.

— Elle n'espère pas une sorte de grande réconciliation. Mais s'il y a des questions que tu veux résoudre…

Il s'interrompit. Il se répétait, et Win détestait cela.

— C'est tout ? C'est ça, ton grand message ?

Myron acquiesça.

— Bien. Je vais commander des plats chinois. J'espère que ça te convient ?

Win se leva et marcha sans hâte vers la cuisine.

— Tu affirmes que ça ne t'a pas changé, lui lança Myron, mais avant ce jour-là, est-ce que tu l'aimais ?

Win se retourna vers lui. Son visage était de marbre.

— Qui dit que je ne l'aime pas maintenant ?

34

Le chauffeur déposa Tad Crispin devant l'entrée se trouvant à l'arrière de la propriété.

Win et Myron regardaient la télé. Une pub pour Scope déroulait son scénar bêtifiant sur l'écran. Le mari et la femme s'éveillaient au lit, se regardaient puis détournaient la tête, franchement dégoûtés. Haleine du matin, disait la voix off. Vous avez besoin de Scope, parce que Scope évite les petits désagréments du réveil au sein des couples.

— Comme se brosser les dents avant d'ouvrir les yeux ? déduisit Myron.

— On dirait, oui, approuva Win.

Myron alla ouvrir et introduisit Tad dans le salon. Le nouveau venu s'assit sur un canapé face à Win et Myron. Il regarda autour de lui, et ses yeux cherchèrent un point rassurant sur lequel se fixer. Sans succès. Il eut un sourire pour le moins hésitant.

— Un petit quelque chose à boire ? proposa Win. Croissant ? Un peu de tarte ?

L'hôte attentionné dans toute sa splendeur.

— Non, merci.

Autre sourire incertain.

Myron décida de passer à l'attaque.

— Tad, si vous nous parliez du coup de fil de Learner Shelton, hein ?

L'autre plongea tête la première.

— Il a dit qu'il tenait à me féliciter pour ma victoire. Que l'U.S.G.A. m'avait officiellement reconnu champion de l'U.S. Open.

Un moment, il se tut. Son regard s'égara ailleurs, tandis que ce qu'il disait pénétrait son subconscient. Tad Crispin, vainqueur de l'U.S. Open. Une part de rêve.

— Qu'a-t-il dit d'autre ?

Le regard de Crsipin s'éclaircit peu à peu.

— Il va organiser une conférence de presse demain après-midi. Au Merion. Ils doivent me remettre le trophée et un chèque de trois cent soixante mille dollars.

Myron ne tourna pas autour du pot.

— Tout d'abord, nous allons annoncer aux médias que vous refusez de vous considérer comme le vainqueur de cet U.S. Open. S'ils veulent vous attribuer ce titre, à eux de voir. Si l'U.S.G.A. veut vous le décerner, c'est leur problème. Mais vous, en votre âme et conscience, vous estimez que cette épreuve a été écourtée par les événements, alors que vous étiez à égalité avec votre adversaire. Son décès ne doit pas priver Jack d'une possible victoire. Avant qu'il rende son dernier souffle, vous étiez à égalité. Pour vous, c'est le dernier score valable. De votre point de vue, il y a deux vainqueurs pour cet U.S. Open. Nous sommes bien d'accord ?

Tad hésita une seconde.

— Je crois que oui.

— Bien. Maintenant, en ce qui concerne la prime au vainqueur..., enchaîna Myron en pianotant du bout des doigts sur la table devant lui. S'ils insistent pour vous verser l'intégralité de la somme, vous déclarerez que vous faites don de la moitié – la part de Jack – à un organisme de charité.

— Par exemple une association militant pour le droit des victimes de meurtres sauvages, ajouta Win.

Myron approuva.

— Ce serait bien, oui. Un truc quelconque qui lutte contre la violence…

— Attendez un peu, intervint Tad en frottant la paume de ses mains sur ses cuisses. Vous voulez que je renonce à cent quatre-vingt mille dollars ?

— Exemptés d'impôts, évidemment, dit Win. Ce qui réduit vos retenues légales de moitié.

— Ce qui représentera un manque à gagner ridicule en comparaison de la pub que vous feront les médias pour ce geste admirable, appuya Myron.

— Mais j'étais sur le point de l'emporter, s'entêta Tad. J'avais refait mon écart. J'aurais gagné.

Myron se surprit à la jouer très agent sportif.

— Vous êtes dans le circuit pro, Tad. Vous êtes au top, sûr de vous, vous savez que vous surclassez *tous* vos adversaires. Et c'est bien. C'est exactement ce qu'il faut. Mais pas dans la situation actuelle. Cette histoire de meurtre va avoir des répercussions énormes. Ça dépasse le seul milieu du sport et de ses enjeux. Pour la majeure partie du public, ce sera leur première approche de Tad Crispin. Et nous voulons qu'ils vous voient comme quelqu'un d'humain, de sensible, quelqu'un qu'ils auront envie d'aimer. Un champion, oui, mais surtout un homme modeste, sensible, aussi digne de leur admiration que de leur respect. Bref, quelqu'un qu'ils auront envie d'aimer. Si aujourd'hui nous nous réjouissons de votre victoire, en ne parlant que de votre talent, sans évoquer la tragédie qui a frappé votre adversaire, le public pensera que vous êtes insensible, uniquement préoccupé de votre carrière sportive. Ce qui serait très dommageable pour votre image. Vous me comprenez ?

— Je crois que oui, dit encore Tad.

— Nous nous devons de vous présenter sous un certain

éclairage. Et contrôler ce qu'on dit sur vous autant qu'il nous est possible.

— Et pour les interviews ? demanda Tad.

— En nombre limité.

— Mais si nous voulons de la publicité…

— La publicité, nous voulons la maîtriser. C'est notre job, assena Myron. Cette affaire est trop énorme, et la dernière chose souhaitable, c'est que nous donnions l'impression que nous l'exploitons. Je veux que vous soyez le plus discret possible, Tad. Pas d'interview, rien. Vous êtes choqué par tout ça, vous êtes un type bien, vous ne voulez surtout pas vous faire de la pub sur le malheur d'autrui. Et votre meilleur pub, c'est de garder profil bas. Vous en deviendrez admirable. Faire le contraire serait une grossière erreur.

— Une erreur désastreuse, surenchérit Win.

— Exactement. Ce que nous voulons, c'est maîtriser la façon dont les médias vont parler de vous et de votre attitude. Vous leur accordez des miettes. Rien de plus.

— Une interview, à la rigueur, dit Win. Où vous vous montrerez sous votre meilleur jour. Compatissant envers la famille de votre ex-concurrent. Concerné, mais humble.

— Et nous n'annoncerons surtout pas votre renoncement à la part de votre adversaire.

— C'est l'évidence même. Vous êtes trop correct pour qu'on puisse penser que vous profitez de la situation pour vous faire mousser.

Tad n'avait pas l'air de comprendre.

— Et comment nous aurons des articles positifs si nous n'en parlons pas ?

— C'est très simple, répondit Myron. Nous laissons filtrer l'information, tranquillement. Avec l'aide involontaire d'un journaliste un peu trop curieux, peut-être. Ce genre de truc. L'essentiel pour le grand public, c'est que Tad Crispin conserve l'image d'un sportif bien trop affecté par la mort de son respecté adversaire pour oser se faire de la pub sur son dos avec ses élans de générosité. Vous saisissez ?

Tad acquiesça, d'une façon plus enthousiaste cette fois. Il se chauffait sur le sujet. Myron se sentait l'âme d'un beau salaud, à jouer au conseiller occulte – encore une autre casquette que les représentants de sportifs devaient coiffer. Il fallait se salir les mains, parfois. Myron n'aimait pas spécialement ça, mais quand il fallait le faire, il allait au charbon. Les médias présenteraient les événements à leur façon, lui à la sienne. Ce qui ne l'empêchait pas d'être aussi content de lui que s'il était un stratège politique souriant après le débat où son poulain a aligné les mensonges avec un aplomb formidable. Et on peut difficilement descendre plus bas.

Ils discutèrent des détails pendant encore quelques minutes. Puis Tad recommença à avoir l'air ailleurs. Il se frottait les paumes sur son pantalon. Quand Win s'absenta de la pièce un instant, il murmura :

— J'ai vu aux infos que vous êtes l'avocat de Linda Coldren.

— Un de ses avocats.

— Et son agent ?

— C'est envisageable, dit Myron, prudent. Pourquoi ?

— Alors vous êtes avocat aussi ? Vous avez fait votre droit, et tout ça ?

Myron n'était pas certain d'apprécier la tournure que prenait cet échange.

— Oui.

— Bon. Donc je peux vous engager pour être mon avocat aussi, n'est-ce pas ? Et pas seulement mon agent ?

Myron aimait de moins en moins ça.

— Pourquoi auriez-vous besoin d'un avocat, Tad ?

— Je ne dis pas que j'ai besoin d'un avocat. Mais si c'était le cas…

— Quoi que vous me disiez, ça reste confidentiel.

Tad Crispin se leva. Il étendit les bras et saisit un club imaginaire. Il effectua un swing. Golf fantôme. Win faisait ça tout le temps. Tous les golfeurs le font. Les basketteurs, en revanche, ne se livrent jamais à ce genre de pratique. Comme si Myron s'arrêtait devant chaque vitrine pour vérifier le reflet de son panier dans la vitre.

Ces golfeurs…

— Je suis étonné que vous ne soyez pas déjà au courant, dit Tad.

Mais la sensation curieuse au creux de son estomac susurrait à Myron que peut-être il s'en doutait fortement.

— Je ne suis pas au courant de quoi, Tad ?

Crispin s'offrit un second swing. Il figea son mouvement en bout de course, examina sa pose. Soudain son expression se fit paniquée, et il laissa tomber le club imaginaire.

— Ce n'est arrivé que deux ou trois fois, dit-il très vite. Rien de sérieux, vraiment. Nous nous sommes rencontrés pendant le tournage de ces pubs pour Zoom… (Il posa sur Myron un regard implorant.) Vous l'avez vue, Myron. Enfin, je veux dire, je sais bien qu'elle a une vingtaine d'années de plus que moi, mais elle est tellement attirante, et puis elle a dit que son mariage était au point mort…

Myron n'entendit pas la suite. Il avait l'impression qu'un océan déchaîné venait écraser ses vagues furieuses contre ses tympans. Tad Crispin et Linda Coldren. Il n'arrivait pas à le croire, et pourtant, c'était parfaitement logique. Un jeune espoir du golf visiblement sous le charme d'une championne doublée d'une très belle femme plus âgée que lui. La beauté de la maturité piégée dans un mariage sans amour, qui s'évade dans les bras d'un jeune homme séduisant. Rien de nouveau sous le soleil.

Pourtant Myron sentait ses joues virer au rouge sombre. Quelque chose en lui s'était mis à bouillir.

Tad bavassait toujours en solo. Myron l'interrompit.

— Jack l'a découvert ?

Tad en eut la chique coupée.

— Je ne sais pas. Mais je pense que c'est possible.

— Et pourquoi le pensez-vous ?

— Sa façon de se comporter. Nous avons joué deux tours ensemble. Je sais bien, nous étions rivaux et il essayait de m'intimider. Mais j'ai eu l'impression qu'il savait.

Myron se prit la tête dans les mains. Tout ça le rendait malade.

— Vous croyez que ça va se savoir ? lui demanda Tad.

Myron réprima un ricanement. Ce serait un des scandales les plus retentissants de l'année. Les médias se jetteraient dessus comme des acheteurs compulsifs sur les soldes à l'ouverture.

— Je l'ignore, Tad.

— Qu'est-ce qu'on fait, alors ?

— Nous espérons que ça ne s'ébruitera pas.

Tad était effrayé. Visiblement effrayé.

— Et si ça s'ébruite ?

Myron le regarda droit dans les yeux. Tad Crispin avait l'air si foutrement jeune… La plupart des garçons de son âge s'éclatent lors des soirées d'étudiants. Et quand vous y réfléchissiez une minute, qu'avait-il fait de si répréhensible ? Il avait seulement couché avec une femme plus âgée qui, pour des raisons inconnues, s'accrochait à un mariage vidé de son sens. Compréhensible. Myron tenta de se revoir au même âge. Si une femme plus âgée aussi belle que Linda Coldren lui avait fait des avances, est-ce qu'il aurait eu une chance ?

Euh… il n'avait probablement pas sa chance aujourd'hui.

Et Linda Coldren ? Pourquoi maintenait-elle son mariage ? Par respect de la religion ? Il en doutait fort. Pour préserver leur fils ? Chad était adolescent. Il aurait certainement accusé le coup, mais il y aurait aussi survécu.

— Que se passera-t-il si les médias apprennent tout ? dit Tad.

Mais Myron ne pensait plus du tout à la probabilité d'un scandale. Il pensait à la police. Il pensait à Victoria Wilson et à la tactique du doute raisonnable. Linda Coldren avait très probablement parlé à son avocate de sa liaison avec Tad Crispin. Victoria l'avait peut-être deviné seule, d'ailleurs.

Qui serait déclaré vainqueur de l'U.S. Open maintenant que Jack Coldren était mort ?

Qui n'avait plus à se soucier de battre le revenant du golf devant un public énorme ?

Qui avait les mêmes mobiles pour tuer Jack Coldren que ceux prêtés il y avait peu à Esme Fong par Myron ?

Qui n'avait plus à craindre que son image parfaite soit souillée par le divorce des Coldren, surtout si Jack utilisait l'argument de l'adultère et nommait l'amant ?

Qui avait une liaison avec la femme du mort ?

La réponse à toutes ces questions était là, en chair et en os, assise devant lui.

35

Tad Crispin prit congé peu après.

Myron et Win s'installèrent sur le canapé. Ils mirent une vidéo. *Broadway Danny Rose*, de Woody Allen. Une de ses réussites les plus sous-estimées. Superbe. Louez-le donc, un de ces quatre.

Pendant la scène où Mia traîne Woody chez la diseuse de bonne aventure, Esperanza arriva.

Elle toussota poliment dans son poing fermé.

— Je, hem, ne voudrais pas paraître me vanter en quelque manière que ce soit, mais il se pourrait que j'aie des informations importantes.

Elle imitait très bien Woody. Le phrasé, les tics gestuels, jusqu'à l'accent new-yorkais, tout y était. C'était de loin sa meilleure imitation.

Myron leva les yeux vers elle. Win continuait de regarder l'écran.

— J'ai localisé l'homme à qui Lloyd Rennart a racheté le bar, il y a vingt ans, dit Esperanza et reprenant sa voix naturelle. Rennart l'a réglé en espèces. Sept mille dollars. Je me suis également renseignée, pour la maison de Spring Lake Heights. Acquise à la même époque, pour vingt et un mille dollars. Versés en une seule fois.

— Grosses dépenses, dit Myron, surtout pour un caddie sans emploi.

— *Si, señor.* Et pour corser le tout, je n'ai découvert aucune indication qu'il ait travaillé ou payé des impôts depuis qu'il a été viré par Jack Coldren jusqu'au moment où il est devenu propriétaire du Rusty Nail.

— Il pourrait s'agir d'un héritage.

— C'est plus que douteux, répondit-elle. Je suis remontée jusqu'en 1971, et je n'ai relevé aucune trace prouvant qu'il aurait payé les taxes applicables à un héritage.

Myron se tourna vers Win.

— Tu en penses quoi ?

— Je n'écoute pas, répondit Win, toujours rivé à l'écran.

— C'est vrai, j'oubliais, reconnut Myron. Puis, à Esperanza : Autre chose ?

— L'alibi d'Esme Fong tient. J'ai parlé à Miguel. Elle n'a pas quitté l'hôtel de la nuit.

— Il est fiable ?

— Oui, je le pense.

— Bon. Rien d'autre ?

— Pas encore. Mais j'ai l'adresse des bureaux du journal local à Narberth. Ils ont archivé tous leurs anciens numéros. J'irai fouiner là-bas demain, pour voir si je peux déterrer quelque chose sur l'accident de voiture.

Elle prit un emballage cartonné contenant un plat chinois, une paire de baguettes dans la cuisine et vint s'écrouler sur le canapé. Un tueur de la Mafia traitait Woody de tête de nœud. En commentaire, Woody affirmait ne pas comprendre le sens de l'expression, mais être à peu près certain que ce n'était pas un compliment. Ah, ce Woody…

Dix minutes après le début de *Guerre et Amour*, alors que Woody venait de s'étonner que le vieux Nahampkin puisse être plus jeune que le jeune Nahampkin, la fatigue eut raison de Myron. Il s'endormit sur le canapé. Un sommeil profond, sans rêve. Rien qu'une longue chute dans un puits sombre.

Il rouvrit les yeux à huit heures et demie. Le téléviseur était éteint. Une horloge tinta quelque part. On avait couvert Myron d'une couette pendant qu'il dormait. Win, certainement. Il alla jeter un coup d'œil dans les chambres. Win et Esperanza étaient tous deux partis.

Il prit une douche, s'habilla et se prépara du café. Le téléphone sonna. C'était Victoria Wilson. L'avocate semblait toujours juger la vie prodigieusement ennuyeuse.

— On vient d'arrêter Linda.

Myron retrouva Victoria Wilson dans la zone réservée aux avocats en attente.

— Comment prend-elle la chose ?

— Ça va, répondit Victoria. J'ai ramené Chad à la maison hier. Elle en a été très heureuse.

— Où est-elle ?

— Dans le local de garde à vue, en attendant qu'on lui lise l'acte d'accusation. Nous la verrons dans quelques minutes.

— Qu'est-ce qu'ils ont contre elle ?

— Pas mal de choses, dit Victoria, l'air presque impressionnée. Tout d'abord, le gardien qui l'a vue pénétrer puis ressortir du parcours de golf désert à l'heure du meurtre. A l'exception de Jack, personne d'autre n'a été repéré entrant ou repartant du Merion de toute la nuit.

— Ce qui ne signifie pas que personne ne l'ait fait. L'endroit est très étendu.

— C'est très juste. Mais de leur point de vue, ça donne à Linda l'occasion physique. Ensuite, sur le corps de Jack et autour ils ont trouvé des cheveux et des fibres qui d'après les tests préliminaires appartiennent à Linda. Naturellement, nous ne devrions avoir aucune difficulté à démolir la valeur de ces indices. Jack est son mari, il est tout à fait normal que des cheveux de sa femme se trouvent sur lui. Et il peut très bien les avoir perdus sur la scène du crime.

— De plus, elle nous a dit qu'elle s'était rendue sur le parcours à sa recherche, ajouta Jack.

— Mais nous ne mentionnerons pas ce point.

— Pourquoi ?

— Parce que, pour l'instant au moins, nous ne révélons et n'admettons rien.

Myron haussa les épaules. C'était secondaire, après tout.

— Quoi d'autre ?

— Jack possédait une arme de poing, calibre 32. La police l'a retrouvée dans une parcelle boisée située entre la résidence des Coldren et le Merion, la nuit dernière.

— Abandonnée à la vue de tous ?

— Non. Elle était ensevelie dans de la terre fraîchement retournée. Ils l'ont découverte grâce à un détecteur de métaux.

— Ils sont certains que c'est l'arme de Jack ?

— Oui. Le numéro de série correspond. La police a immédiatement effectué des tests balistiques. C'est bien l'arme du crime.

Un froid subit s'insinua en Myron.

— Des empreintes digitales ? s'enquit-il.

— Non. On a soigneusement essuyé l'arme.

— Ils ont cherché des résidus de poudre sur elle ?

La police examinait en particulier les mains, à la recherche de toute brûlure due à la combustion de la poudre au moment du tir.

— Ça prendra quelques jours, répondit Victoria. Et les résultats seront probablement négatifs.

— Vous lui avez fait se récurer les mains ?

— Oui, et aussi traiter.

— Donc vous la pensez coupable.

L'avocate conserva son ton blasé :

— Ne dites pas ça, je vous prie.

Elle avait raison. Mais tout ça commençait à dégager une forte odeur de roussi.

— Il y a autre chose ? demanda-t-il.

— La police a trouvé votre magnétophone branché sur le téléphone. Ils étaient manifestement très curieux de savoir pourquoi les Coldren jugeaient nécessaire d'enregistrer tous les appels qu'ils reçoivent.

— Ils ont mis la main sur les bandes où figurent les coups de fil du kidnappeur ?

— Seulement celle où le kidnappeur fait référence à cette Fong en la traitant de « petite pétasse bridée » et exige cent mille dollars. Et pour répondre aux deux autres questions qui vous brûlent les lèvres, non, nous n'avons pas donné de détails concernant le kidnapping, et oui, ils sont furieux.

Myron s'accorda une poignée de secondes pour réfléchir à ces nouveaux éléments. Quelque chose clochait.

— C'est la seule cassette qu'ils ont trouvée ?

— Oui.

Il grimaça.

Mais si le magnétophone était toujours raccordé au poste de téléphone, il aurait dû enregistrer le dernier appel du ravisseur à Jack. Celui qui l'a fait sortir en trombe de chez lui pour aller au Merion.

Victoria Wilson posa sur lui un regard bovin.

— La police n'a pas trouvé d'autre cassette. Ni dans la maison, ni sur le corps de Jack. Nulle part.

A nouveau, ce froid diffus qui lui caressait la nuque. L'explication la plus logique à l'absence de cassette était qu'il n'y avait pas eu d'autre appel. Linda Coldren avait tout inventé. Et le manque de cette cassette aurait été interprété comme une contradiction si elle avait dit quoi que ce soit aux flics. Heureusement pour Linda, Victoria Wilson ne l'avait pas laissée raconter sa petite histoire.

Cette femme était décidément très forte, et pas seulement avec un club.

— Vous pourriez m'obtenir une copie de la cassette trouvée par la police ? demanda-t-il.

— Pas de problème… Il y a encore autre chose, ajouta-t-elle.

Myron craignait presque d'entendre ce qu'elle allait dire.

— Revenons un instant au doigt sectionné, fit-elle. Vous l'avez trouvé dans le véhicule de Linda, à l'intérieur d'une enveloppe en papier kraft, n'est-ce pas ?

— C'est exact.

— L'enveloppe est d'un modèle qu'on ne trouve que chez Staples. Leur propre collection, référencée taille numéro 10. Le message a été rédigé à l'aide d'un feutre rouge Flair, pointe moyenne. Or il y a trois semaines, Linda Coldren s'est rendue chez Staples. Selon le reçu de caisse retrouvé à son domicile hier, ce jour-là elle a acheté divers articles de bureau, dont un paquet d'enveloppes kraft taille numéro 10 fabriquées par le magasin et un feutre rouge Flair à pointe moyenne.

Myron n'en croyait pas ses oreilles.

— Côté positif : leur expert graphologue n'a pas pu affirmer que l'écriture sur l'enveloppe était celle de Linda.

Mais autre chose venait maintenant à l'esprit de Myron. Linda l'avait attendu au Merion, et c'est ensemble qu'ils étaient allés jusqu'à sa voiture. Ensemble aussi qu'ils avaient découvert le doigt. Le procureur aurait sauté sur cette histoire. Pourquoi avait-elle attendu Myron ? La réponse, dirait l'accusation, tombait sous le sens : elle avait besoin d'un témoin. Elle avait déposé l'enveloppe dans sa propre voiture – ce qui évidemment ne représentait aucune difficulté pour elle – et elle avait besoin d'un pauvre dupe à ses côtés quand elle la « découvrirait ».

Entrée en scène de Myron Bolitar, sacré couillonné du jour.

Mais bien sûr, Victoria Wilson avait fait en sorte que le procureur n'entende jamais cette histoire. Myron était l'avocat de Linda. Il ne pouvait pas en parler. Personne n'en saurait jamais rien.

Oui, Linda Coldren était douée. Sauf pour une chose.

— Le doigt coupé, dit Myron. Ce doit être le hic, Victoria. Qui croira une mère capable d'amputer son propre fils d'un doigt ?

Victoria consulta sa montre.

— Allons parler à Linda.

— Non, attendez. C'est la deuxième fois que vous faites tout foirer. Pourquoi ne me dites-vous rien ?

Elle passa l'anse de son sac à main à son épaule.

— Allons-y.

— Eh, je commence à en avoir un peu marre d'être trimballé dans tous les sens.

Victoria Wilson hocha la tête, mais elle ne répondit rien et ne ralentit pas. Myron la suivit dans la salle de garde à vue. Linda Coldren s'y trouvait déjà. Elle portait une combinaison orange de prisonnière, et on ne lui avait pas ôté les menottes. Elle releva la tête et posa un regard vide sur lui. Il n'y eut pas de salutations, d'embrassades ou de plaisanteries.

Sans préambule, Victoria déclara :

— Myron veut savoir pourquoi je pense que le doigt coupé ne nous aidera pas.

Un sourire triste passa sur le visage de Linda.

— Je crois que c'est compréhensible.

— Et si vous me disiez de quoi il retourne vraiment ? s'impatienta Myron. Je sais que vous n'avez pas sectionné le doigt de votre fils.

Le sourire triste revint.

— C'est vrai, dit Linda. Votre formulation est exacte.

— Comment ça, ma formulation ?

— Vous venez de dire que je n'ai pas sectionné le doigt de mon fils, continua-t-elle. C'est vrai. Parce que Chad n'est pas mon fils.

Un nouveau déclic se fit chez Myron.

— Je suis stérile, expliqua Linda.

Elle l'avait dit sans gêne aucune, mais la douleur dans ses yeux était si crue et intense que Myron faillit tressaillir.

— En clair, mes ovaires ne peuvent pas produire d'ovules. Mais Jack a toujours voulu un enfant biologique.

— Vous avez sollicité les services d'une mère porteuse ? dit Myron à mi-voix.

Linda regarda Victoria.

— Oui, dit-elle. Bien que tout ne se soit pas passé aussi clairement.

— Tout a été fait dans le respect des lois, intervint l'avocate.

— Vous avez tout arrangé pour eux ? interrogea Myron.

— Je me suis occupée de la paperasse, oui. L'adoption a été parfaitement légale.

— Nous voulions que tout cela reste secret, dit Linda. C'est pourquoi je me suis retirée du circuit aussitôt. Je me suis retirée du monde. La mère biologique n'était pas censée savoir qui nous étions.

Un autre déclic.

— Mais elle l'a appris.

— Oui.

Troisième déclic.

— C'est Diane Hoffman, n'est-ce pas ?

Linda était trop lasse pour paraître étonnée.

— Comment le savez-vous ?

— Simple supposition.

Pourquoi sinon Jack aurait-il embauché Diane Hoffman comme caddie ? Pourquoi aurait-elle été aussi furieuse de leur façon de gérer le kidnapping ?

— Comment l'a-t-elle découvert ?

C'est Victoria qui répondit :

— Comme je l'ai dit, tout a été fait dans les règles. Et avec toutes les nouvelles lois sur la communication des renseignements relatifs à la naissance, ça n'a pas été très difficile.

— Et c'est la raison pour laquelle vous ne pouviez pas divorcer d'avec Jack. C'était lui le père biologique. Un atout maître en cas de bagarre pour la garde de l'enfant.

Les épaules de Linda s'affaissèrent un peu, et elle acquiesça.

— Chad est-il au courant de tout ça ?

— Non, dit Linda.

— Du moins, pas à votre connaissance, corrigea Myron.

— Quoi ?

— Vous n'en avez pas la certitude absolue. Peut-être que lui aussi a tout découvert. Jack a pu le lui dire. Ou Diane. Et c'est peut-être comme ça que tout a commencé.

Victoria croisa les bras et prit un air revêche.

— Je ne vois pas trop, Myron. Supposons donc que Chad ait tout découvert. Comment cela aurait-il mené à son propre kidnapping et à l'assassinat de son père ?

Myron dut reconnaître que c'était là une question judicieuse.

— Je ne le sais pas encore. J'ai besoin de temps pour y voir plus clair. La police est au courant ?

— Pour l'adoption ? Oui.

Une certaine logique émergeait lentement.

— Ce qui donne au procureur un mobile en or. Il

affirmera que Linda redoutait une procédure de divorce intentée par Jack. Et qu'elle l'a supprimé pour garder son fils.

Victoria ne put qu'opiner du chef.

— Et le fait que Linda n'est pas la mère biologique pourrait jouer dans les deux sens : soit elle aimait tant son fils qu'elle a tué Jack pour le garder, soit elle pouvait être poussée à couper un doigt à Chad, puisqu'il n'était pas d'elle.

— D'un côté comme de l'autre, la découverte du doigt ne nous aide pas.

Victoria ne répondit pas « Je vous l'avais bien dit », mais elle aurait aussi bien pu le faire.

— Je peux dire quelque chose ?

C'était Linda. Ils se tournèrent tous vers elle.

— Je n'aimais plus Jack. Je vous l'ai avoué tout de suite, Myron. Je ne vois pas pourquoi je l'aurais fait, si j'avais eu pour projet de l'assassiner.

Myron ne put que se ranger à son avis. C'était logique.

— Mais j'aime mon fils – *mon* fils – plus que la vie elle-même. Le fait qu'il soit plus crédible que je l'aie estropié parce que je suis une mère adoptive et non une mère biologique est une théorie de malade. C'est complètement grotesque. J'aime Chad autant que n'importe quelle mère peut aimer son enfant.

Elle se tut, le souffle court.

— Je tenais à ce que vous le sachiez, tous les deux.

Quand ils furent tous assis, Victoria reprit la direction de la conversation.

— Je sais que c'est encore tôt, mais je veux que vous commenciez à penser au doute raisonnable. Le dossier de l'accusation sera incomplet, et je ne manquerai pas d'exploiter ses failles. Toutefois je suis prête à entendre d'autres théories sur ce qui s'est passé.

— En d'autres termes, dit Myron, vous aimeriez qu'on vous désigne d'autres suspects.

— C'est exactement ce que je veux dire, oui.

— Eh bien, vous en avez déjà un auquel vous pensez, non ?

L'avocate acquiesça froidement.

— En effet.

— Tad Crispin, c'est bien ça ?

Cette fois, Linda parut sincèrement surprise. De son côté, Victoria demeurait d'un stoïcisme marmoréen.

— Oui, c'est un suspect.

— Il m'a engagé hier, lui dit Myron. Parler de lui générerait un conflit d'intérêts.

— En ce cas nous ne parlerons pas de lui.

— Je ne suis pas sûr que ça suffise.

— Alors vous devrez refuser de l'avoir comme client, dit Victoria. Linda a été la première à vous engager. Elle a donc la priorité dans vos obligations. Si vous estimez qu'il y a conflit d'intérêts potentiel, vous devez appeler M. Crispin et lui annoncer que vous ne pouvez pas le représenter.

Il était piégé. Et elle le savait.

— Parlons des autres suspects, dit-il.

Victoria approuva. Elle avait remporté cette manche.

— Allez-y.

— Tout d'abord, Esme Fong.

Myron leur exposa toutes les raisons qui d'après lui en faisaient une suspecte sérieuse. Victoria digéra placidement ces informations. Linda, en revanche, paraissait prête au meurtre.

— Elle a séduit mon fils ? siffla-t-elle. Cette petite salope est venue chez moi et elle a séduit mon fils ?

— Apparemment.

— Je n'arrive pas à le croire ! Et c'est pour ça que Chad se trouvait dans ce motel minable ?

— Euh, oui.

— Bon, interrompit Victoria. Ça me plaît. Cette Esme Fong a un bon mobile. Elle a les moyens. Elle est une des rares personnes qui savait où était Chad.

— Elle a également un alibi pour l'heure du meurtre, fit remarquer Myron.

— Mais pas en béton. Il doit exister d'autres façons d'entrer dans cet hôtel ou d'en sortir. Elle a pu se déguiser, ou se glisser dehors quand Miguel est allé aux toilettes. Elle me plaît bien, comme suspecte. Qui d'autre ?

— Lloyd Rennart ?

— Qui ?

— L'ancien caddie de Jack, expliqua Myron. Celui qui l'a fait échouer à l'Open.

Victoria fronça les sourcils.

— Et pourquoi lui ?

— Considérez le timing. Jack revient sur les lieux de son échec le plus retentissant, et soudain tous ces événements se produisent. Simple coïncidence ? La vie de Rennart a plongé en chute libre après son renvoi par Jack. Il s'est mis à boire. Il a tué sa propre femme dans un accident de voiture.

— Quoi ? dit Linda.

— Peu après l'Open, Lloyd a bousillé sa bagnole alors qu'il conduisait en état d'ébriété. Sa femme n'a pas survécu.

— Vous la connaissiez ? demanda Victoria.

— Non, fit Linda. Nous n'avons jamais rencontré sa famille. En fait, je ne crois pas avoir vu Lloyd hors de chez nous ou du parcours.

— Je ne saisis toujours pas ce qui fait de lui un suspect valable, remarqua Victoria.

— Rennart voulait sa vengeance. Il a attendu vingt-trois ans pour l'avoir.

Victoria se renfrogna un peu plus.

— J'admets que c'est un peu tiré par les cheveux, dit Myron.

— Un peu ? C'est ridicule, oui. Savez-vous où se trouve Lloyd Rennart, aujourd'hui ?

— C'est un peu compliqué.

— Oh ?

— Il se serait suicidé.

Victoria regarda Linda, puis Myron.

— Vous pourriez préciser un peu ?

— On n'a jamais retrouvé le corps. Mais tout le monde pense qu'il s'est jeté du haut d'un à-pic, au Pérou.

Linda laissa échapper un petit grognement.

— Oh non…

— Qu'y a-t-il ? dit Victoria.

— Nous avons reçu une carte postale du Pérou.

— Qui ?

— Elle était adressée à Jack, mais non signée. Elle est arrivée l'automne ou l'hiver dernier.

Myron sentit son pouls s'accélérer. L'automne ou l'hiver dernier. A peu près à l'époque où Lloyd aurait mis fin à ses jours.

— Que disait-elle ?

— Il n'y avait que deux mots, dit Linda. « Pardonnez-moi. »

Un silence, que Victoria brisa :

— Ce qui ne sonne pas comme la déclaration d'un homme qui veut se venger.

— C'est vrai, reconnut Myron.

Il se remémorait ce qu'Esperanza avait appris, à propos de l'argent dépensé par Rennart pour acheter sa maison et le bar. Cette carte postale confirmait ce qu'il soupçonnait déjà : on avait torpillé les chances de Jack à l'U.S. Open.

— Mais ça signifie également que ce qui s'est produit il y a vingt-trois ans n'était pas un accident.

— Et nous en déduisons ? demanda Victoria.

— Que quelqu'un a graissé la patte de Rennart pour

saboter l'U.S. Open de Jack. Et la personne qui a fait ça aurait un sacré bon mobile.

— Tuer Rennart, peut-être, admit Victoria. Mais pas Jack.

Très juste. Encore que… Vingt-trois ans plus tôt, quelqu'un avait assez détesté Jack pour lui ôter toute chance de remporter le tournoi. Cette haine ne s'était peut-être pas éteinte avec le temps. A moins que Jack n'ait découvert la vérité, et que son persécuteur ait décidé de le faire taire. Dans un cas comme dans l'autre, la piste méritait d'être explorée.

— Je n'ai aucune envie de fouiller dans le passé, déclara Victoria. Ça risquerait de beaucoup compliquer les choses.

— Je pensais que vous aimiez les complications. Les complications offrent un terrain favorable au doute raisonnable.

— Le doute raisonnable, ça me plaît, oui, dit-elle. Mais l'inconnu, pas du tout. Creusez en direction d'Esme Fong. De la famille Squires. Creusez où vous voudrez, Myron. Mais laissez le passé tranquille. On ne sait jamais ce qu'on peut déterrer.

36

Sur le téléphone de voiture :

— Madame Rennart ? Ici Myron Bolitar.

— Oui, monsieur Bolitar ?

— J'avais promis de vous appeler régulièrement. Pour vous tenir informée.

— Vous avez du nouveau ?

Comment tourner la chose ?

— Pas sur votre mari. Jusqu'ici, aucun élément ne laisse à penser que le décès de Lloyd soit autre chose qu'un suicide.

— Je vois.

Un court silence, puis :

— Alors pourquoi m'appelez-vous, monsieur Bolitar ?

— Vous avez appris, pour le meurtre de Jack Coldren ?

— Bien sûr, répondit Francine Rennart. Toutes les chaînes ne parlent que de ça… Vous ne soupçonnez quand même pas Lloyd…

— Non, s'empressa de dire Myron. Mais d'après l'épouse de Jack, Lloyd lui a envoyé une carte postale du Pérou. Juste avant sa mort.

— Je vois, répéta-t-elle. Que disait cette carte ?

— Il n'y avait que deux mots dessus : « Pardonnez-moi. » Il n'a pas signé.

Après quelques secondes, elle dit :

— Lloyd est mort, monsieur Bolitar. Jack Coldren aussi. Laissez-les reposer en paix, s'ils le peuvent.

— Je ne cherche nullement à salir la mémoire de votre défunt mari. Mais il devient de plus en plus clair que quelqu'un a obligé ou soudoyé Lloyd pour qu'il sabote les chances de gagner de Jack.

— Et vous voulez que je vous aide à le prouver ?

— Quelle qu'elle soit, cette même personne a peut-être assassiné Jack et amputé son fils d'un doigt. Votre mari a envoyé une carte postale à Jack pour demander son pardon. Avec tout le respect que je vous dois, madame Rennart, ne pensez-vous pas que Lloyd souhaiterait que vous m'aidiez ?

Un silence un peu plus long s'ensuivit.

— Qu'attendez-vous de moi, monsieur Bolitar ? Je ne sais rien sur ce qui est arrivé.

— J'en suis bien conscient. Mais vous avez peut-être conservé les papiers de Lloyd ? Tenait-il un journal, par exemple ? Un document quelconque qui pourrait nous donner un indice ?

— Il ne tenait pas de journal, non.

— Il y a peut-être autre chose d'exploitable, insista Myron avec douceur, car il marchait sur des œufs. Si Lloyd a bien touché une compensation – joli mot pour « pot-de-vin », bravo, Myron… –, il subsiste peut-être des reçus de la banque, ou une trace écrite.

— Il y a des cartons à la cave, dit-elle. De vieilles photos, des papiers. Mais je ne pense pas qu'il y ait des relevés bancaires ou ce genre de choses…

Francine se tut quelques secondes. Myron gardait le combiné plaqué contre son oreille.

— Lloyd avait toujours beaucoup d'espèces, dit-elle

d'un ton songeur. Mais je ne lui ai jamais demandé d'où venait tout cet argent.

Myron s'humecta les lèvres sans bruit.

— Madame Rennart, pourrais-je voir ces cartons ?

— Ce soir, dit-elle. Vous pouvez passer ce soir.

Esperanza n'était pas encore revenue au cottage. Mais Myron était à peine assis que l'Interphone sonna.

— Oui ?

Le garde au portail parla avec une diction parfaite.

— Un monsieur et une jeune demoiselle sont ici pour vous voir. Ils affirment qu'ils ne sont pas des médias.

— Ils ont donné un nom ?

— Le monsieur a dit s'appeler Carl.

— Laissez-les entrer.

Myron sortit sur le seuil du cottage et observa l'Audi jaune canari qui remontait l'allée. Carl arrêta la voiture et en sortit. Ses cheveux plaqués semblaient avoir été pressés tout récemment chez son barbier préféré. Une jeune fille noire qui ne pouvait avoir plus de vingt ans descendit du côté passager. Elle regarda autour d'elle avec des yeux de la taille d'antennes paraboliques.

Carl se tourna vers les écuries et mit son énorme battoir de main en visière au-dessus de ses yeux. Une cavalière en tenue complète d'équitation menait sa monture dans le parcours d'obstacles.

— C'est ça qu'ils appellent le steeple-chase ? s'enquit Carl.

— Aucune idée.

Carl continuait d'observer la scène. La femme descendit de cheval, lui flatta l'encolure de la main et défit la jugulaire de sa bombe.

— On ne voit pas beaucoup de cousins habillés comme ça, commenta-t-il.

— On les imagine plus facilement en tenue orange.

Carl eut un petit rire.

— Pas mal, dit-il. Pas super, mais pas mal.

Difficile de contester cette opinion.

— Vous venez prendre des leçons d'équitation ?

— Pas vraiment mon truc, dit Carl. Voici Kiana. Je pense qu'elle pourrait nous être d'une certaine aide.

— « Nous » ?

— Vous et moi ensemble, cousin, dit Carl avec un sourire. Je prends le rôle du partenaire noir de service.

Myron secoua la tête.

— Oh non.

— Pardon ?

— Le partenaire noir de service finit toujours mort. En général, il se fait descendre assez vite, d'ailleurs.

La remarque parut tracasser Carl.

— Bon sang, j'avais oublié ça…

Myron eut une petite moue compréhensive.

— Bon, et qui est-elle ?

— Kiana est employée à Court Manor Inn.

Myron jeta un œil à la jeune fille. Elle restait à l'écart, et ne pouvait les entendre.

— Quel âge a-t-elle ?

— Pourquoi ?

— La curiosité. Elle semble jeune.

— Seize ans. Et vous savez quoi, Myron ? Elle n'est pas mère célibataire, elle n'est pas au chômage et elle ne se drogue pas.

— Je n'ai jamais dit le contraire.

— Hum… Je suppose que rien de toutes ces conneries racistes ne pénètre dans votre cervelle de grand Blanc tolérant ?

— Eh, Carl, faites-moi une fleur, d'accord ? Gardez-moi le discours sur la sensibilité raciale pour un jour moins chargé. Que sait-elle, au juste ?

D'un signe de tête, Carl fit signe à la jeune fille de les rejoindre. Kiana approcha, jambes interminables et yeux immenses.

— Je lui ai montré cette photo, expliqua Carl en présentant un cliché de Jack Coldren, et elle m'a dit se souvenir de l'avoir vu à Court Manor.

Myron n'accorda qu'un regard à la photo avant de s'adresser à Kiana :

— Vous avez vu cet homme au motel ?

— Oui.

Elle avait une voix ferme qui démentait son jeune âge. Seize ans. Comme Chad. Difficile à croire.

— Vous vous souvenez quand ?

— La semaine dernière. Je l'ai vu deux fois.

— Deux fois ?

— Oui.

— Est-ce que c'était jeudi et vendredi ?

— Non, répondit Kiana sans perdre son calme ni paraître embarrassée. C'était lundi ou mardi. Mercredi au plus tard.

Myron s'efforça de décortiquer cette nouvelle donnée. Jack Coldren s'était rendu à Court Manor Inn par deux fois, et *avant* son fils. Pourquoi ? La raison était assez prévisible : si son mariage ne signifiait plus rien pour Linda, ce devait être la même chose pour Jack. Et lui aussi avait peut-être des liaisons extra-conjugales. C'est ce dont Matthew Squires avait été témoin. Jack avait très bien pu venir là pour ses propres petites affaires, et apercevoir la voiture de son fils. L'ensemble se tenait…

Mais c'était aussi une sacrée coïncidence. Le père et le fils se retrouvent dans le même motel de passe au même moment ? Bien sûr, il arrive des trucs encore plus étranges tous les jours, mais quelles étaient les probabilités d'un simple hasard ?

Myron désigna la photo de Jack.

— Il était seul ?

Kiana eut un sourire désarmant.

— Court Manor Inn loue très peu de chambres individuelles.

— Vous avez vu qui l'accompagnait ?

— Juste quelques secondes. C'est le type sur la photo qui est venu à la réception pour louer la chambre. L'autre est resté dans la voiture.

— Mais vous avez vu sa partenaire ? Même brièvement ?

Kiana interrogea Carl du regard avant de répondre.

— Ce n'était pas *une* partenaire.

— Je vous demande pardon ?

— Ce type sur la photo, dit-elle, il n'est pas venu avec une femme.

Une météorite fondit du ciel et s'écrasa sur le crâne de Myron. A son tour, il regarda Carl. Celui-ci acquiesça avec une moue pleine de philosophie. Un autre déclic. Un gros déclic. Le mariage sans amour. Il avait compris pourquoi Linda Coldren n'avait pas souhaité le divorce : elle redoutait de ne pas obtenir la garde de son fils. Mais Jack ? Pourquoi n'avait-il pas intenté de procédure ? Soudain la réponse était transparente : être marié avec une très belle femme constamment en voyage constituait la couverture parfaite. Il se souvint de la réaction de Diane Hoffman quand il lui avait demandé si elle avait couché avec Jack, sa façon de rire et son : « Avec ce vieux Jack, ça risquait pas. »

Parce que ce vieux Jack était gay.

Myron reporta son attention sur Kiana.

— Vous pourriez décrire l'homme qui l'accompagnait ?

— Plus âgé que lui. Un Blanc de cinquante, peut-être soixante ans. Avec de longs cheveux noirs et une barbe en broussaille. C'est à peu près tout ce que je peux vous dire.

Mais Myron n'avait pas besoin de plus.

Tout commençait à se mettre en place. Ce n'était pas encore ça, mais il venait de faire un bond de géant.

37

Alors que l'Audi de Carl sortait du domaine Lockwood, la voiture d'Esperanza y entra.

— Vous avez trouvé quelque chose ? lui demanda Myron.

Elle lui tendit la photocopie d'un vieil article de journal.

— Lisez ça.

Le titre disait : ACCIDENT FATAL.

Un journaliste économe de mots. Il lut l'article :

> M. Lloyd Rennart, domicilié 27, Darby Place, a embouti avec sa voiture un véhicule à l'arrêt sur South Dean Street, près du carrefour avec Coddington Terrace. M. Rennart a été placé en garde à vue pour soupçons de conduite en état d'ivresse. Les blessés ont été emmenés au centre médical St. Elizabeth, où Lucille Rennart, l'épouse de M. Lloyd Rennart, a été déclarée morte. La date de la cérémonie funèbre n'est pas encore arrêtée.

Myron relut le paragraphe à deux reprises.

— « Les blessés ont été emmenés… », cita-t-il. Donc plus d'une seule personne.

— On le dirait, oui, approuva Esperanza.

— Alors qui d'autre a été blessé ?

— Je l'ignore. Aucun autre article sur l'accident par la suite.

— Rien sur l'arrestation, l'acte d'accusation ou les poursuites légales ?

— Rien. En tout cas, rien que j'aie pu retrouver. On n'a plus jamais mentionné le nom de Rennart. J'ai aussi tenté du côté de St. Elizabeth, mais ils ont refusé de m'aider. La confidentialité obligatoire envers leurs patients, ont-ils dit. De toute façon, je doute que leurs archives informatiques remontent jusqu'aux années 1970.

— C'est vraiment bizarre, marmonna Myron.

— J'ai croisé Carl en arrivant, dit Esperanza. Que voulait-il ?

— Il est venu avec une employée de Court Manor Inn. Devinez avec qui Jack se payait du bon temps pendant l'après-midi ?

— La patineuse Tonya Harding ?

— Pas loin. Norm Zuckerman.

Esperanza releva la tête puis l'abaissa, comme si elle voulait englober du regard une œuvre abstraite dans un musée.

— Ça ne me surprend pas. De Norm, en tout cas. Quand on y réfléchit… Jamais marié. Pas de famille. En public, il s'entoure toujours de jeunes et belles femmes.

— Une mise en scène, dit Myron.

— Exactement. Ces potiches sont aussi des postiches. Un camouflage. Norm est la figure emblématique d'une société d'articles de sports très connue. S'il laissait transparaître ses affinités électives, il ruinerait son business.

— Donc, poursuivit Myron, si le bruit risquait de courir qu'il est gay…

— Il aurait tout à perdre, conclut Esperanza.

— Mobile suffisant pour un meurtre ?

— Largement suffisant, affirma-t-elle. On parle de millions de dollars et de la réputation d'un homme en balance. Les gens tuent souvent pour bien moins.

— Mmh… Mais comment ça s'est produit ? Disons que Chad et Jack se rencontrent à Court Manor Inn par le plus grand des hasards. Supposons que Chad devine ce que Papa et Norm viennent faire là. Peut-être qu'il en glisse un mot à Esme, laquelle travaille pour Norm. Et si elle et Norm…

— Ils font quoi ? termina Esperanza. Ils kidnappent le gosse, lui coupent un doigt et ensuite le laissent tranquillement repartir ?

— Mouais, ça ne colle pas trop, dut convenir Myron. Pas pour l'instant, au moins. Mais nous nous rapprochons.

— Oh oui, nous avons beaucoup progressé, railla-t-elle. Voyons. Ce pourrait être Esme Fong. Ou Norm Zuckerman. Ou encore Tad Crispin. Et n'oublions pas un Lloyd Rennart toujours en vie. Ce pourrait être sa femme, ou son fils. Ce pourrait aussi être Matthew Squires, ou son maboul de père, ou les deux. Et il pourrait aussi s'agir d'un plan combiné par plusieurs de ces suspects potentiels : la famille Rennart, pourquoi pas, ou Norm et Esme. Et puis ce pourrait être Linda Coldren. Comment explique-t-elle que l'arme chez elle est celle du meurtre ? Et ces enveloppes et le feutre qu'elle a elle-même achetés ?

— Je ne sais pas, avoua Myron. Mais vous avez mis le doigt sur quelque chose d'important.

— Quoi donc ?

— L'accès. La personne qui a tué Jack et sectionné le doigt de Chad avait accès au domicile des Coldren. Si l'on excepte une effraction passée inaperçue, qui aurait pu prendre le flingue et les articles de papeterie ?

Esperanza hésita à peine.

— Linda Coldren, Jack Coldren, le fils Squires, peut-être, puisqu'il aime bien se faufiler par les fenêtres… Je crois que la liste s'arrête là.

— Bon, très bien. Avançons encore un peu. Qui était au courant de la présence de Chad Coldren à Court Manor Inn ? Je veux dire, la personne qui l'a kidnappé devait obligatoirement savoir où le trouver, non ?

— Exact. Eh bien… Jack, une fois encore, Esme Fong, Norm Zuckerman, Matthew Squires. Pas de doute, Myron, ça nous aide beaucoup…

— Et quels sont les noms qui apparaissent dans les deux cas ?

— Jack, et Matthew Squires. Et je pense qu'on peut écarter la candidature de Jack, puisque c'est lui la victime.

Mais Myron hésitait. Il repensait à sa conversation avec Win. Sur le désir dévorant de gagner. Jusqu'où serait allé Jack pour s'assurer la victoire ? Win avait dit qu'il ne reculerait devant rien. Avait-il vu juste ?

Esperanza fit claquer ses doigts devant le visage de son patron.

— Allô, la Terre ?

— Hein ?

— Je viens de dire qu'on pouvait éliminer Jack Coldren. Enfin, le rayer de la liste, plutôt. Les cadavres se relèvent rarement pour aller enterrer l'arme qui les a tués dans les bois proches.

La remarque n'était pas dénuée d'un certain bon sens, il fallait bien le reconnaître.

— Ce qui ne laisse plus que Matthew Squires, dit Myron. Et je ne crois pas que ce soit lui.

— Moi non plus, ajouta Esperanza. Mais nous oublions quelqu'un, quelqu'un qui savait où se trouvait Chad Coldren et qui avait librement accès à l'arme du crime et aux articles de papeterie.

— Qui ?

— Chad Coldren lui-même.

— Vous pensez qu'il se serait automutilé ?

— Bah, et que faites-vous de votre vieille théorie ? Celle selon laquelle le kidnapping n'était qu'une mise en scène qui a dérapé ? Si vous reprenez les choses sous cet angle, peut-être que Tito et lui se sont fâchés. Et peut-être que c'est Chad l'assassin de Tito.

Myron étudia un instant cette possibilité. Il pensa à Jack. A Esme. A Lloyd Rennart. Puis il secoua la tête.

— Tout ça ne nous mène nulle part. Sherlock Holmes a dit qu'il ne fallait jamais bâtir une théorie sans disposer des faits, parce qu'alors on a tendance à tordre les faits pour qu'ils s'adaptent à la théorie, et non l'inverse.

— Ce qui ne nous a jamais beaucoup gênés, objecta Esperanza.

— C'est très vrai, ça, dit Myron en consultant sa montre. Mais nul n'est parfait, à ce qu'on raconte. Bon, il faut que j'aille voir Francine Rennart.

— La veuve du caddie ?

— Mouais.

Esperanza se mit à renifler bruyamment.

— Qu'y a-t-il ? s'enquit Myron.

— Je sens une complète perte de temps, dit-elle.

Mais elle avait le nez bouché.

38

Victoria Wilson appela de son téléphone de voiture. Comment faisaient les gens avant l'invention du téléphone de voiture, du portable et du beeper ? se demanda Myron.

C'était certainement beaucoup plus drôle.

— La police a retrouvé le cadavre de votre copain néo-nazi, dit-elle. Un dénommé Marshall.

— Tito Marshall ? s'étonna Myron. Dites-moi que vous plaisantez.

— Je ne plaisante pas, Myron.

De fait, il n'en doutait pas.

— La police a-t-elle la moindre idée d'un possible rapport avec l'affaire qui nous concerne ? demanda-t-il.

— Aucune.

— Et je parierais qu'il est mort par balle.

— Ce sont les premières constatations, oui. M. Marshall a reçu deux balles de .38 en pleine tête, à très courte distance.

— Un .38 ? Mais Jack a été assassiné avec une arme de calibre .32.

— Je suis au courant, Myron.

— Donc des armes différentes ont été utilisées pour tuer Jack Coldren et Tito Marshall.

Victoria retomba dans son personnage blasé.

— Après ça, difficile de croire que vous n'êtes pas un expert en balistique.

Chacun a le droit de se payer la tête de son voisin. Mais ce nouveau détail évinçait tout un tas de scénarios du décor. Si deux armes différentes avaient tué Jack Coldren et Tito Marshall, cela signifiait-il la présence de deux meurtriers distincts ? Ou un tueur assez malin pour tenter de brouiller les pistes ? A moins que l'assassin se soit débarrassé du 38 après avoir refroidi Tito, et qu'il ait été forcé de se servir du 32 pour régler son compte à Jack ? Et quel genre d'esprit tordu peut appeler un gosse Tito Marshall ? C'était déjà assez dur de passer sa vie à subir un prénom comme celui de Myron, mais Tito Marshall ? Rien d'étonnant à ce que le gosse ait fini complètement détraqué, tendance Troisième Reich. Il avait dû commencer par un anticommunisme virulent.

Victoria interrompit le cours de ses pensées.

— Il y a une autre raison à mon appel, Myron.

— Ah ?

— Vous avez fait passer le message à Win ?

— C'est vous qui avez tout manigancé, hein ? Vous lui avez dit que je serais là.

— Répondez à ma question, s'il vous plaît.

— Oui, j'ai fait passer le message.

— Et qu'a dit Win ?

— J'ai fait passer le message, ce qui ne veut pas dire que je vais vous raconter comment mon ami a réagi.

— Elle va de plus en plus mal, Myron.

— J'en suis désolé, croyez-le bien.

— Où êtes-vous en ce moment même ? demanda-t-elle après un court silence.

— Je viens de passer le péage pour le New Jersey. Je me dirige vers le domicile de Lloyd Rennart.

— Il me semblait vous avoir dit de laisser tomber cette piste.

— C'est vrai, vous me l'avez dit.

Un autre silence, puis :

— Au revoir, Myron.

Elle coupa. Myron s'autorisa un soupir. Soudain, il regrettait l'époque qui avait précédé l'invention du téléphone de voiture, du portable et des beepers. Cette habitude de contacter les gens à tout bout de champ commençait à sérieusement l'agacer.

Une heure plus tard, il se garait devant le modeste logis des Rennart. Il frappa à la porte. Mme Rennart lui ouvrit presque aussitôt. Elle scruta son visage durant de longues secondes. Ils n'échangèrent pas un mot. Pas même une formule de politesse.

— Vous avez l'air fatigué, dit-elle enfin.

— Je le suis.

— Lloyd a-t-il vraiment envoyé cette carte postale ?

— Oui.

Sa réponse avait été instantanée, mais à présent il se posait la question : Lloyd Rennart avait-il réellement envoyé une carte postale ? Les affirmations de Linda étaient pour le moins sujettes à caution. L'enregistrement manquant de l'appel téléphonique, par exemple. Si le kidnappeur avait bien contacté Jack avant sa mort, où était passée la cassette de ce coup de fil ? Peut-être que cet appel n'avait jamais existé, et que Linda mentait à ce sujet. Elle pouvait tout aussi bien mentir pour la carte postale, et même sur tout le reste. Et si Myron se laissait seulement mener par le bout des hormones, comme dans un de ces sous-produits imitant *La Fièvre au corps*, avec des actrices prénommées Shannon ou Tawny ?

Eventualité quelque peu vexante.

Sans un commentaire, Francine Rennart le précéda dans un sous-sol ténébreux. En bas de l'escalier, elle leva la main et alluma une de ces ampoules pendant au bout de son fil, comme dans *Psychose*. La pièce était entièrement cimentée. Il y avait là un chauffe-eau, une machine à laver, un sèche-linge, et des meubles de rangement de divers modèles et tailles. Quatre cartons étaient posés sur le sol devant lui.

— Ce sont ses vieilles affaires, dit Francine Rennart sans baisser les yeux.

— Merci.

Elle tenta sans y parvenir de regarder les cartons.

— Je serai là-haut, dit-elle.

Elle gravit l'escalier, jusqu'à ce que ses pieds disparaissent dans les hauteurs. Myron se retourna alors vers les cartons devant lesquels il s'accroupit. Ils étaient scellés avec du ruban adhésif. Il sortit son canif et les ouvrit.

Le premier contenait des souvenirs rattachés au golf. Des certificats, des trophées et de vieux tees. Une balle était montée sur un socle en bois. La plaque rouillée qui y était rivée disait :

TROU EN UN COUP – 15e A HICKORY PARK
17 JANVIER 1972

Myron se demanda ce qu'avait été pour Lloyd cet après-midi sans doute clair et froid, combien de fois il avait rejoué ce coup en pensée. Se souvenait-il de la sensation de ses mains serrées sur le club, la tension dans ses épaules alors qu'il armait son swing, la frappe nette et puissante de la balle, la trajectoire parfaite ensuite...

Dans le deuxième carton, Myron trouva le diplôme de fin d'études de Lloyd, et aussi un album de l'année de Penn State. Y figurait une photo de groupe de l'équipe de golf. Lloyd Rennart en était alors le capitaine. Myron lut une lettre de recommandation de son entraîneur de golf de l'époque. Les mots *avenir prometteur* lui sautèrent aux yeux. Cet entraîneur savait peut-être motiver ses troupes, mais il faisait un bien piètre devin.

Du troisième carton, il sortit d'abord une photographie de Lloyd en Corée. Cliché de groupe classique, une douzaine de soldats en treillis, débraillés, bras passés mollement autour du cou du voisin. Beaucoup de sourires, apparemment joyeux. Lloyd y apparaissait plus mince, mais son regard n'avait rien de voilé ou de prémonitoire.

Myron reposa la photo. Ces cartons représentaient toute une vie. Une vie qui en dépit de ces expériences, rêves, désirs et espoirs avait choisi de s'abréger.

Le dernier carton contenait un album de mariage. Le lettrage à la feuille d'or expliquait : *Lloyd & Lucille, 17 novembre 1968. Aujourd'hui et pour la vie.* Autre dose d'ironie de la part du destin. La reliure en faux cuir était incrustée de ce qui semblait être des gouttes de liquide séché. Le premier mariage de Lloyd, proprement enveloppé et rangé au fond d'un carton.

Myron allait mettre l'album de côté quand sa curiosité prit le dessus. Il s'assit, jambes écartées comme un gamin qui découvre ses cadeaux à Noël, plaça l'album sur le ciment devant lui et l'ouvrit. La reliure craqua un peu.

La première photographie faillit arracher un cri à Myron.

39

Le pied de Myron resta continuellement pressé sur la pédale de l'accélérateur.

Au niveau de la Quatrième, Chestnut Street est une zone interdite au stationnement, mais Myron n'hésita pas une seconde. Il avait bondi de la voiture avant même l'arrêt total de celle-ci, et s'élança sans se soucier du concert de Klaxon dans son dos. Il fonça dans le hall d'entrée de l'Omni et se précipita dans le premier ascenseur disponible. Quand il sortit de la cabine, au dernier étage, il tomba presque aussitôt sur le bon numéro de chambre et frappa vigoureusement à la porte.

Norm Zuckerman ouvrit.

— Ma loute, fit-il avec un grand sourire. Quelle bonne surprise !

— Je peux entrer ?

— Toi ? Bien sûr. Tu es toujours le bienvenu.

Mais Myron l'avait déjà contourné. La première pièce de la suite était – pour reprendre le boniment de l'hôtel – spacieuse et élégamment aménagée. Esme Fong était assise sur un canapé. Elle leva vers lui un regard de lièvre pris au piège. Affichettes, projets de pub et autres documents jonchaient le sol et recouvraient la table basse devant elle. Myron repéra des agrandissements de

Tad Crispin et Linda Coldren. Le logo Zoom était omniprésent, aussi inévitable qu'un fantôme vengeur ou un programme de télé-achat.

— Nous étions en train de peaufiner un peu la stratégie, expliqua Norm. Mais nous pouvons faire une petite pause, pas vrai, Esme ?

Elle acquiesça docilement.

Norm passa derrière un minibar pas si mini que ça.

— Tu veux boire quelque chose, Myron ? Je ne pense pas qu'ils aient pensé à mettre des Yoo-Hoo là-dedans, mais je suis sûr que…

— Non, rien, le coupa Myron.

Des deux mains, Norm fit le geste de se rendre.

— Eh, cool, Myron. Relax. Tu as des oursins dans le slip, ou quoi ?

— Je voulais te prévenir, Norm.

— Me prévenir de quoi ?

— Je n'ai pas envie de ça. En ce qui me concerne, ta vie amoureuse devrait rester un domaine exclusivement personnel. Mais ce n'est pas aussi simple. Plus maintenant. Ça va être le grand déballage, Norm. Désolé.

L'intéressé s'était figé. Il ouvrit la bouche comme pour protester, avant de se reprendre et de dire d'un ton très calme :

— Comment as-tu appris ?

— Tu étais avec Jack. A Court Manor Inn. Une employée du motel t'a vu.

Zuckerman regarda Esme, qui gardait la tête haute, avant de revenir à Myron.

— Tu sais ce qui se passera si le bruit court que je suis un *faygeleh* ?

— Je n'y peux rien, Norm.

— Je représente la société, Myron. Zoom ne tient que par l'image. C'est la mode et le sport, et le milieu sportif est le plus ouvertement homophobe de toute la planète. Dans ce business, la perception qu'on a des choses fait toute la différence. S'ils découvrent que je suis une vieille tante, tu sais ce qui va se passer ? Zoom va dévisser et finir au fond des chiottes.

— Je ne suis pas sûr d'être d'accord avec ton analyse, dit Myron, mais de toute façon, on ne peut pas l'empêcher.

— La police est au courant ?

— Non, pas encore.

Norm leva les mains au ciel.

— Alors pourquoi faut-il que ça sorte ? Ce n'était qu'une aventure, merde ! D'accord, je reconnais, j'ai rencontré Jack dans ce motel. Bon, nous étions attirés l'un par l'autre, et nous avions tout à perdre si la chose s'ébruitait. Mais ça n'a rien à voir avec son assassinat.

Myron lança un regard dur à Esme. Elle le fixait avec dans les yeux une supplique muette pour qu'il la ferme.

— Malheureusement, continua Myron, je pense que si.

— Tu « penses » ? Tu vas foutre ma vie et ma carrière en l'air parce que tu « penses » ?

— Désolé.

— Je ne peux pas te convaincre de ne rien dire ?

— J'ai bien peur que non.

Norm s'écarta du bar et alla s'effondrer dans un fauteuil. Il se prit la tête dans les mains, ses doigts glissèrent sur les côtés de son crâne et se rejoignirent à l'arrière, où ils se croisèrent.

— J'ai passé mon existence entière dans le mensonge, commença-t-il. Pendant toute mon enfance en Pologne, j'ai prétendu que je n'étais pas juif. Tu imagines ça ? Moi, Norm Zuckerman, en train de clamer haut et fort que je suis un trou-du-cul de *goy*. Mais grâce à ça, j'ai survécu. J'ai débarqué ici. Et j'ai consacré ma vie d'adulte à faire croire que j'étais un mec, un vrai, un Casanova, toujours une belle femme au bras. On s'habitue au mensonge, Myron. Ça devient de plus en plus facile, tu vois ce que je veux dire ? Tes mensonges finissent par créer une seconde réalité.

— Je suis navré, dit Myron.

Norm inspira lentement et réussit à ébaucher un sourire tendu.

— Peut-être que c'est mieux comme ça, dit-il. Regarde Dustin Hoffman. Dans *Tootsie*, il se fringue en bonne femme, non ? Et ça n'a pas nui à sa carrière, hein ?

— Non, pas du tout.

Norm Zuckerman leva les yeux vers Myron.

— Eh, tu sais, une fois arrivé dans ce pays, je suis très vite devenu le juif le plus caricatural que tu aies jamais vu. Pas vrai ? Dis-moi, je ne suis pas le juif le plus caricatural que tu aies jamais rencontré, oui ou non ?

— Très caricatural, répondit Myron.

— Tu peux le dire ! Et quand j'ai commencé mon cirque, tout le monde m'a dit de la mettre en veilleuse. Arrête de jouer au juif, qu'ils disaient. Tu en fais trop. Jamais tu ne seras accepté… – L'espoir illuminait son visage, à présent – Eh, peut-être que je peux faire le même coup pour nous autres *faygelehs* ! En faire des tonnes à la face du monde entier, tu vois le topo ?

— Oui, je vois, dit Myron avec douceur, avant de demander : Qui d'autre savait, pour Jack et toi ?

— Qui savait ?

— Tu en as parlé à quelqu'un ?

— Non, bien sûr que non.

Myron pointa un doigt sur Esme.

— Pas même à une de ces ravissantes femmes pendues à ton bras ? Quelqu'un qui vivrait pratiquement avec toi ? Elle aurait beaucoup de mal à le découvrir ?

Norm eut une moue désinvolte.

— Je suppose que non. Quand on est aussi proche de quelqu'un, on lui fait confiance. On baisse la garde. Oui, peut-être qu'elle savait. Et alors ?

— Vous voulez lui dire ? demanda Myron à Esme.

La jeune femme répondit d'une voix aussi froide qu'un compartiment à glaçons :

— Je ne sais pas de quoi vous voulez parler.

— Me dire quoi ? lança Norm.

Myron ne la quitta pas des yeux.

— Je me suis demandé pourquoi vous auriez séduit un gamin de seize ans. Ne le prenez pas mal, j'ai été très impressionné par votre petit numéro, ce baratin sur la solitude de l'assistante dévouée, et sur Chad qui était si craquant et propre sur lui. Vous mériteriez un oscar. Mais ce n'est pas moi qui vous le décernerais. Tout ça sonnait quand même creux.

— Mais qu'est-ce que tu racontes ? fit Norm, exaspéré.

Myron l'ignora.

— Et puis il y a eu cette coïncidence curieuse : vous et Chad qui vous pointez au motel en même temps que Jack et Norm. Un peu excessive à mes yeux, la coïncidence. Je n'ai pas réussi à y croire. Mais bien sûr, nous savons tous les deux que ça n'avait rien d'une coïncidence. Vous avez simplement exécuté votre plan à la lettre, Esme.

— Un plan ? Quel plan ? tempêta Norm. Merde, Myron, tu vas me dire de quoi tu parles ?

— Norm, tu as mentionné le fait qu'Esme avait travaillé sur la campagne de Nike ciblant le basket-ball. Et qu'elle avait démissionné pour venir bosser avec toi.

— Et alors ?

— Elle y a perdu, niveau salaire ?

— Un peu, admit Norm. Mais pas beaucoup.

— Quand t'a-t-elle mis le grappin dessus, exactement ?

— Je ne sais plus…

— Il n'y a pas plus de huit mois, hein ?

Norm réfléchit un moment.

— Ouais. Bon, et alors ?

— Esme a séduit Chad Coldren. Elle a arrangé une partie de jambes en l'air avec lui à Court Manor Inn. Mais en réalité elle ne l'a pas amené là-bas pour le sexe ou parce qu'elle se sentait seule. La venue de Chad au motel faisait partie du piège.

— Quel piège ?

— Elle voulait que Chad voie de ses propres yeux son père avec un autre homme.

— Hein ?

— Elle voulait détruire Jack. Et ce n'était pas une coïncidence. Esme connaissait vos petites habitudes. Elle avait découvert ta liaison par Jack. Alors elle a tout manigancé pour que Chad découvre qui était réellement son père.

Esme resta muette.

— Dis-moi un truc, Norm. Jack et toi, vous deviez vous retrouver au motel ce jeudi soir ?

— Ouais, fit Norm.

— Que s'est-il passé ?

— Jack a renoncé. Quand il est arrivé devant le motel, il a pris peur. Il m'a dit qu'il avait vu une voiture qui lui était familière.

— Très familière, même. C'était celle de son fils. Et c'est là que le plan d'Esme a foiré. Jack a repéré la voiture de Chad, et il est reparti avant que son gamin puisse l'apercevoir.

Myron s'avança vers Esme. Elle ne bougea pas d'un pouce.

— J'avais presque tout compris dès le début, lui dit-il. Jack a pris la tête du classement à l'Open. Son fils était là, juste devant vous. Vous avez donc kidnappé Chad pour déstabiliser les performances de Jack. Exactement comme je l'avais imaginé. Sauf que je suis passé à côté du mobile réel. Pourquoi enlever Chad ? Pourquoi vouloir à tout prix vous venger de Jack Coldren ? Oh oui, l'argent faisait partie du mobile. Eh oui, vous vouliez que la nouvelle campagne de Zoom soit un succès. Or, si Tad Crispin remportait l'Open, vous seriez devenue un vrai petit génie du marketing. Tout ça a beaucoup compté, bien sûr. Mais sans expliquer pourquoi vous avez attiré Chad à Court Manor Inn. *Avant* que Jack ne soit en tête de l'Open.

Norm poussa un soupir à fendre l'âme.

— Bon, alors, tu accouches, Myron ? Quelle raison pouvait-elle avoir de démolir Jack à ce point ?

Myron plongea la main dans une poche et en ressortit une photo jaunie. Celle ornant la première page de l'album de mariage. Lloyd et Lucille Rennart, souriants. Heureux. Côte à côte, Lloyd en smoking, Lucille un bouquet de fleurs à la main, superbe dans sa longue robe blanche de mariée. Mais ce n'était pas ce qui avait ahuri Myron. Ce qui l'avait laissé sans voix n'avait aucun rapport avec la tenue de Lucille où le bouquet de fleurs.

Lucille Rennart était asiatique.

— Lloyd Rennart était votre père, dit Myron. Vous étiez dans la voiture le jour de l'accident. Votre mère est morte. Vous, vous avez été emmenée aux urgences.

Le dos d'Esme était aussi raide que si on l'avait collé à un tuteur en acier. Sa respiration était heurtée.

— Je ne suis pas certain de ce qui est arrivé ensuite, continua Myron. A mon avis, votre père n'a pas tardé à toucher le fond. Il était saoul au moment de l'accident. Il s'estimait coupable du décès de sa femme. Il se sentait inutile, dangereux même. Peut-être a-t-il pensé qu'il ne serait pas de taille à vous élever convenablement. Ou qu'il ne méritait pas de vous élever. A moins qu'un accord n'ait été trouvé avec la famille de sa défunte épouse. En échange de l'abandon de toutes poursuites de leur part, Lloyd leur confiait la garde de l'enfant. Je ne sais pas au juste ce qui s'est passé. Mais vous avez fini par être élevée par la famille de votre mère. Quand

Lloyd est sorti de sa période de dépression, il a probablement jugé que ce serait une erreur de vous arracher à eux. Ou bien il a craint que sa fille ne supporte plus ce père qui était responsable de la mort de sa mère. Quoi qu'il en soit, Lloyd ne s'est pas manifesté. Et il n'a jamais rien raconté de tout ça à sa seconde femme.

Les larmes coulaient librement sur les joues d'Esme Fong. Myron maîtrisa sa propre émotion. Il n'en avait pas fini.

— Vous étiez très proches, Esme ?

— Je ne sais même pas de quoi vous parlez.

— Nous trouverons des preuves, affirma Myron. Des certificats de naissance. Et sans doute des papiers pour l'adoption. La police ne mettra pas longtemps à tout rassembler.

Il brandit la photo.

— La ressemblance entre votre mère et vous est presque une preuve en elle-même, dit-il sans agressivité aucune.

Les larmes continuaient de couler sur ses joues, mais la jeune femme restait imperturbable. Pas de sanglot, de frémissement ou de crispation des muscles faciaux. Seulement les larmes.

— Lloyd Rennart était peut-être mon père, dit-elle, mais vous n'avez rien. Le reste n'est que pure conjecture.

— Non, Esme. Quand la police aura confirmé votre parenté, le reste sera très facile à établir. Chad leur dira que c'est vous qui lui avez suggéré un rendez-vous à Court Manor Inn. Ils reprendront le dossier de la mort de Tito pour l'éplucher. Ils trouveront bien quelque chose. Des fibres. Un cheveu. Tout commencera à se mettre en place. Mais j'ai encore une question à vous poser.

Elle demeura immobile.

— Pourquoi avoir coupé un doigt à Chad ?

Sans prévenir, Esme bondit de son siège. Pris par surprise, Myron mit une seconde pour sauter par-dessus le canapé et lui bloquer le chemin de la porte, mais il interpréta mal son geste. Elle ne cherchait pas à s'enfuir, mais à gagner sa chambre. Le temps qu'il arrive sur le seuil de la pièce, il était trop tard.

Esme Fong pointait une arme sur la poitrine de Myron. Il vit dans ses yeux qu'il n'y aurait pas de confession, d'explications ni même de discussion. Elle était prête à presser la détente.

— Pas la peine, fit-il.

— Quoi ?

Il sortit son portable de sa poche et le lui tendit.

— C'est pour vous.

Pendant deux secondes, elle ne réagit pas. Puis elle prit l'appareil de sa main libre. Elle le colla contre son oreille, mais Myron perçut ce que lui disait son interlocuteur.

— Ici l'inspecteur Alan Corbett, de la police de Philadelphie. Nous nous trouvons devant la porte de votre suite, et nous avons entendu chaque mot qui a été prononcé. Posez cette arme.

Esme regarda fixement Myron. Le canon du revolver était toujours braqué sur sa poitrine. Il sentit une goutte de sueur couler entre ses omoplates. Regarder dans l'œil rond et noir d'un flingue est comme contempler l'entrée de la caverne de la mort. Vos yeux voient le canon, et seulement le canon, comme s'il grossissait pour devenir d'une taille impossible, jusqu'à vous avaler d'un coup.

— Ce serait idiot, dit-il.

Elle hocha la tête et abaissa l'arme.

— Et inutile.

Elle laissa tomber le revolver sur la moquette à ses pieds. Derrière Myron, la porte d'entrée de la suite s'ouvrit violemment. La police investit les lieux.

Myron observa l'arme au sol.

— Un 38, dit-il à Esme. Vous vous en êtes servi pour tuer Tito ?

L'expression de la jeune femme ne lui donna aucun indice quant à la réponse. Mais la balistique confirmerait l'évidence. Esme Fong allait faire la joie du procureur.

— Tito était un malade, dit-elle. Il a tranché un des doigts du gosse. Il a voulu plus d'argent. Vous devez me croire.

Myron répondit d'une petite moue qui n'engageait à rien. Elle testait déjà sa défense, mais il avait l'impression qu'elle disait la vérité.

Corbett lui passa les menottes.

Elle se mit à parler très vite :

— Jack Coldren a détruit toute ma famille. Il a ruiné mon père et tué ma mère. Et pour quoi ? Mon père n'avait rien fait de mal.

— Si, dit Myron.

— Il a sorti le mauvais golf d'un sac, si vous en croyez Jack Coldren. Il a commis une erreur. C'était un accident. Pourquoi cela devait-il lui coûter aussi cher ?

Myron ne répondit pas. Ce n'était pas une erreur, ou un accident. Et Myron aurait été bien en peine de dire ce qu'il aurait dû en coûter au caddie.

40

La police emmena Esme Fong. Corbett avait tout un tas de questions, mais Myron n'était pas d'humeur. Il s'éclipsa dès que l'inspecteur eut le dos tourné. Il alla directement au poste de police d'où Linda Coldren allait être relâchée. Il gravit les marches en ciment trois par trois, comme Rocky à l'entraînement dans cette bonne vieille ville de Philadelphie, avant la richesse.

Victoria Wilson lui sourit presque. Presque.

— Linda sera libre d'ici quelques minutes, annonça-t-elle.

— Vous avez la cassette que je vous ai demandée ?

— Celle de l'appel entre Jack et le kidnappeur ?

— Oui.

— Je l'ai. Mais pourquoi…

— S'il vous plaît. Donnez-la-moi.

Elle perçut quelque chose dans son intonation. Sans discuter, elle la sortit de son sac. Myron la prit.

— Cela vous ennuie si je raccompagne Linda chez elle ? demanda-t-il.

Victoria Wilson le dévisagea.

— Je pense que ce pourrait être une bonne idée.

Un policier apparut.

— Elle est prête à partir, annonça-t-il.

Victoria allait se détourner, quand Myron dit :

— Je crois que vous aviez tort de refuser de fouiller le passé. Le passé a fini par sauver notre cliente.

Victoria soutint son regard.

— C'est ce que je disais, fit-elle. On ne sait jamais sur quoi on va tomber.

Ils attendirent tous deux que l'autre baisse les yeux. Aucun ne le fit, et une porte s'ouvrit derrière eux, qui déclara le match nul.

Linda était de nouveau en vêtements « civils ». Elle s'avança d'un pas hésitant, comme si elle était restée dans une pièce totalement obscure et n'était pas sûre de pouvoir supporter cette luminosité soudaine. Son visage afficha un grand sourire quand elle reconnut Victoria. Elles s'étreignirent. Linda pressa son visage dans le creux de l'épaule de l'avocate et la serra contre elle. Quand enfin elles se séparèrent, Linda se retourna et prit Myron dans ses bras. Il ferma les yeux et se sentit faiblir. L'odeur de ses cheveux et de la peau de sa joue contre son cou était presque enivrante. Ils restèrent ainsi un long moment, comme dans un slow filmé au ralenti, aucun des deux ne désirant rompre le contact, chacun peut-être un peu effrayé par ce qui allait suivre.

Victoria toussota poliment et prit congé. Grâce à la police qui leur ouvrait la voie, Linda et Myron atteignirent la voiture sans être importunés par les journalistes. Ils bouclèrent leur ceinture en silence.

— Merci, finit-elle par murmurer.

Myron mit le contact. Pendant un temps, ils ne prononcèrent pas un mot. Il alluma la clim.

— Il y a quelque chose, n'est-ce pas ?

— Je ne sais pas, répondit Myron. Vous vous inquiétiez pour votre fils. C'est peut-être ça.

L'expression de Linda disait clairement qu'elle n'acceptait pas cette explication.

— Et vous ? fit-elle. Vous avez éprouvé quelque chose ?

— Je le pense, dit-il. Mais c'était en partie de la peur, aussi.

— La peur de quoi ?

— De Jessica.

Elle eut une grimace lasse.

— Ne me dites pas que vous êtes de ces hommes qui craignent de s'engager.

— C'est exactement le contraire. L'amour que je lui porte en arrive à m'effrayer. J'ai peur de mon envie de m'engager.

— Alors où est le problème ?

— Jessica m'a déjà plaqué. Je ne veux pas risquer la même chose encore une fois.

— Je comprends, dit-elle. Vous croyez donc que c'était ça ? La peur d'être abandonné ?

— Je ne sais pas.

— Moi, j'ai ressenti quelque chose, dit-elle. Pour la première fois depuis très longtemps. Comme avec Tad. Mais sans que ce soit la même chose… C'était bien, ajouta-t-elle en le regardant au fond des yeux.

Myron ne savait pas quoi dire.

— Vous ne rendez pas les choses très faciles, remarqua-t-elle.

— Nous avons d'autres sujets dont nous devons discuter.

— Par exemple ?

— Victoria vous a raconté, pour Esme Fong ?

— Oui.

— Si vous vous souvenez bien, elle avait un alibi solide pour l'assassinat de Jack.

— Un réceptionniste d'un hôtel aussi énorme que l'Omni ? Je doute que ça tienne à l'analyse.

— N'en soyez pas si sûre, dit Myron.

— Pourquoi dites-vous ça ?

Au lieu de répondre à cette question, Myron choisit la contre-attaque :

— Vous savez ce qui m'a toujours gêné, Linda ?

— Non, quoi ?

— Les appels téléphoniques pour la rançon.

— Eh bien ? rétorqua-t-elle.

— Le premier a été passé le matin même du kidnapping. C'est vous qui avez répondu. Les kidnappeurs vous ont annoncé qu'ils détenaient votre fils. Pourtant ils n'ont formulé aucune exigence. J'ai toujours trouvé ça bizarre, pas vous ?

Elle mit un temps avant de répondre.

— Je suppose que si.

— Maintenant, je comprends pourquoi ils ont agi de la sorte. Mais sur le moment, nous ignorions le mobile réel du kidnapping.

— Je ne vois pas où vous voulez en venir.

— Esme Fong a enlevé Chad parce qu'elle voulait se venger de Jack. Elle voulait qu'il perde le tournoi. Comment ? Au début, j'ai cru qu'elle avait kidnappé Chad pour déstabiliser Jack. Pour qu'il perde tous ses moyens sur le green. Mais c'était un peu abstrait, comme explication. Elle voulait être certaine que Jack perde. C'était le coût de la rançon, dès la première minute. Mais le fait est que l'appel pour réclamer la rançon est arrivé un peu tard. Jack était déjà sur le parcours. Et c'est vous qui avez répondu.

— Je crois que je vois ce que vous voulez dire, fit Linda. Il fallait qu'elle joigne Jack en direct.

— Elle ou Tito, mais vous avez raison sur ce point. C'est pourquoi elle a appelé Jack au Merion. Vous vous souvenez du deuxième coup de fil, celui que Jack a reçu après avoir bouclé son parcours ?

— Bien sûr.

— C'est alors que la demande de rançon a été faite, dit Myron. C'est à ce moment que le kidnappeur a exposé le marché à Jack, quitte ou double : tu te mets à perdre ou ton fils y passe.

Linda réagit aussitôt :

— Une minute. Jack a affirmé qu'ils n'avaient énoncé aucune exigence. Ils lui ont dit de préparer une grosse somme d'argent, et qu'ils le rappelleraient.

— Jack a menti.

— Mais… pourquoi ?

— Il ne voulait pas que nous – ou plus spécifiquement que *vous* connaissiez la vérité.

Elle avait l'air déconcertée.

— Je ne comprends pas, avoua-t-elle.

Myron exhiba la cassette que Victoria lui avait confiée.

— Peut-être que cela aidera à clarifier les choses.

Il l'inséra dans le magnétophone. Après quelques secondes de silence, la voix de Jack se fit entendre, sépulcrale.

— *Allô ?*

— *Qui c'est, la petite pétasse bridée ?*

— *Je ne sais pas de quoi…*

— *Tu essaies de me baiser, connard ? Je vais commencer à te renvoyer ton putain de rejeton morceau par morceau.*

— *Je vous en prie…*

— Quel intérêt à tout ça ? dit Linda, qui semblait un peu irritée.

— Attendez juste un instant, le passage qui me pose problème arrive.

— *Elle s'appelle Esme Fong. Elle travaille pour une marque de vêtements de sport. Elle est seulement ici pour conclure un contrat avec ma femme, c'est tout.*

— *Conneries.*

— *C'est la vérité, je le jure.*

— *Je me demande, Jack, je me demande…*

— *Je ne vous mentirais pas !*

— *Ouais, Jack, on verra ça. Ça va te coûter un max.*

— *Que voulez-vous dire ?*

— *Cent mille billets. Disons que c'est une pénalité.*

— *Pour quoi ?*

Myron enfonça la touche STOP.

— Vous avez entendu ça ?

— Quoi ?

— « Disons que c'est une pénalité. » C'est clair comme de l'eau de roche.

— Comment ça ?

— Le kidnappeur ne fixait pas le prix de la rançon. Il ajoutait une *pénalité*.

— Nous parlons d'un kidnappeur, Myron. Il n'est probablement pas aussi attaché que vous à la sémantique.

— « Cent mille billets », rappela Myron. « Disons que c'est une pénalité. » Comme si le montant de la rançon avait déjà été fixé. Comme si ces cent mille dollars constituaient un plus qu'il avait décidé d'imposer. Et quelle est la réaction de Jack ? Le kidnappeur réclame cent mille dollars. On peut supposer que Jack acceptera sans barguigner. Au lieu de quoi, il dit : « Pour quoi ? » Une fois encore, ça prouve que la somme vient en addition du montant qu'il connaît déjà. Et maintenant, écoutez ce qui suit.

Myron remit le magnétophone en mode LECTURE.

— *T'occupe, connard. Tu veux récupérer ton môme vivant ? Maintenant, il va falloir allonger cent mille. C'est en…*

— *Attendez une seconde.*

Myron arrêta de nouveau l'enregistrement.

— « *Maintenant*, il va falloir allonger cent mille. » *Maintenant*. C'est le mot clef. *Maintenant*. Comme si c'était nouveau. Comme si, avant cet appel, un autre prix avait été fixé. Et puis Jack lui coupe la parole. Le kidnappeur commence à dire « C'est en… » et Jack l'interrompt. Pourquoi ? Parce que Jack ne veut pas qu'il finisse sa phrase. Il sait que nous écoutons. « C'est en *plus* », je parierai n'importe quoi que c'est le mot que le kidnappeur allait prononcer. « C'est en plus de notre accord de départ. » Ou « C'est en plus de ta défaite au tournoi ».

Linda le regarda comme s'il descendait d'un vaisseau spatial.

— Mais je ne comprends toujours pas. Pourquoi Jack ne nous aurait pas dit ce qu'ils exigeaient, tout bêtement ?

— Parce que Jack n'avait pas l'intention de se plier à leurs exigences.

Elle en resta bouche bée.

— Quoi ? finit-elle par hoqueter.

— Il était obsédé par la victoire. Pis, il était vital pour lui de remporter l'Open. Ça lui était devenu indispensable. Mais si vous aviez appris la vérité, vous qui avez gagné si souvent et si aisément, vous n'auriez jamais compris. C'était la seule occasion pour lui de se racheter à ses propres yeux, Linda. Une sorte de rédemption. Effacer vingt-trois ans et refaire de sa vie une réussite, au moins sur ce plan. A quel point désirait-il gagner ? A vous de me le dire. Qu'aurait-il accepté de sacrifier pour obtenir la victoire ?

— Pas son propre fils, s'insurgea Linda. Je sais que Jack rêvait de gagner, qu'il en avait besoin. Mais pas au point de mettre en jeu la vie de son propre fils.

— Mais Jack ne voyait plus les choses sous cet angle. Sa perception de la situation était déformée par son désir. Un homme voit ce qu'il veut voir, Linda. Ce qu'il doit voir. Quand je vous ai montré à tous deux l'enregistrement vidéo du distributeur, chacun de vous a vu quelque chose de différent. Vous ne vouliez pas croire que votre fils pouvait faire quelque chose qui vous soit aussi douloureux. Alors vous avez cherché des explications qui annulaient cette évidence. Jack a fait exactement le contraire. Il voulait croire que son fils était derrière tout ça. Que ce n'était qu'un énorme canular. De cette manière, il pouvait continuer à se concentrer pour gagner. Et si, par le plus grand des hasards, il se trompait – si Chad avait effectivement été kidnappé –, alors les ravisseurs bluffaient sûrement. Ils n'iraient pas jusqu'au bout. En d'autres termes, Jack a fait ce qu'il estimait devoir faire : il a rationalisé le danger pour le supprimer.

— Vous pensez vraiment que son désir de victoire l'a aveuglé à ce point ?

— De quel aveuglement avait-il besoin ? Nous avions tous des doutes après avoir visionné cette bande. Même vous. Alors était-il vraiment difficile pour lui de franchir l'étape suivante ?

Linda soupira.

— D'accord, dit-elle. Admettons. Mais je ne vois toujours pas le rapport avec tout le reste.

— Je vous demande encore un moment de patience. Revenons au moment où je vous ai montré l'enregistrement vidéo du distributeur. Nous sommes chez vous. Je passe la cassette. Jack sort en quatrième vitesse. Il est bouleversé, bien sûr, mais il joue encore assez bien pour mener à l'Open. Ce qui met Esme en rage. Il ignore sa menace. Elle se rend alors compte qu'elle doit augmenter la mise.

— En amputant un doigt à Chad.

— C'est sans doute Tito qui s'est chargé du sale boulot, mais c'est sans grande importance pour l'instant. Le doigt est donc coupé, et Esme veut s'en servir pour démontrer qu'elle ne plaisante pas.

— Donc elle le place dans ma voiture, où nous le trouvons, dit Linda.

— Non.

— Hein ?

— C'est Jack qui le trouve le premier.

— Dans ma voiture ?

— Non, fit Myron. Vous vous souvenez, le trousseau de Chad comportait les clefs du véhicule de Jack, ainsi que celles du vôtre. Esme veut prévenir Jack, pas vous. Il trouve donc le doigt. Il est bouleversé, bien sûr, mais il est déjà trop profondément enferré dans le mensonge et le déni de la réalité. Si la vérité éclate au grand jour, vous ne lui pardonnerez jamais. Chad ne lui pardonnera jamais. Et il pourra dire adieu au tournoi. Il doit se débarrasser du doigt. Il le glisse donc dans une enveloppe et écrit ce mot au verso. Vous vous souvenez ? « Je vous avais dit de ne pas chercher d'aide. » Vous saisissez ? C'est la fausse piste idéale. Non seulement ce stratagème détourne l'attention de sa personne, mais il lui permet aussi de se débarrasser de moi.

Linda se mordilla la lèvre inférieure.

— Ce qui expliquerait l'enveloppe et le feutre, dit-elle. C'est moi qui ai acheté toutes les fournitures de bureau. Jack devait en avoir dans sa mallette.

— Exactement. Mais c'est maintenant que les choses deviennent véritablement intéressantes.

Elle prit un air étonné.

— Parce qu'elles ne l'étaient pas, jusqu'à présent ?

— Attendez, vous allez voir. Nous sommes donc dimanche matin. Jack s'apprête à démarrer le dernier tour avec une avance quasiment impossible à rattraper. Plus confortable encore qu'il y a vingt-trois ans. S'il perd maintenant, ce sera le plus grand ratage que le golf ait jamais connu en compétition. Son nom sera à jamais synonyme d'échec, et c'est une perspective que Jack redoute plus que tout. D'un autre côté, ce n'est pas non plus un monstre total. Il aime son fils. Il sait maintenant que le kidnapping n'est pas une mise en scène. Il est probablement déchiré, et ne sait pas trop ce qu'il doit faire. Mais il finit par prendre une décision. Il va perdre le tournoi.

Linda ne fit aucun commentaire.

— Coup après coup, nous le voyons s'effondrer. Win comprend beaucoup mieux que moi l'aspect destructeur que comporte le désir de gagner à tout prix. Il avait également remarqué que Jack avait retrouvé le feu sacré, ce vieux besoin de gagner qui accomplit des miracles. Et malgré cela, Jack fait tout pour perdre. Il ne s'effondre pas complètement, parce que ça risquerait d'éveiller les soupçons. Mais il ajuste mal ses coups, quand il ne les rate pas. Et il envoie sciemment la balle dans la carrière, où il perd ce qui lui restait d'avance.

« Mais imaginez ce qui se passe dans sa tête. Il se bat contre tout ce qu'il a toujours été. On dit qu'un homme ne peut pas se noyer volontairement. Même pour sauver la vie de son propre enfant, un homme ne peut pas se maintenir sous la surface jusqu'à ce que ses poumons éclatent. Je ne suis pas sûr que ce soit très différent de ce que Jack a tenté de faire. Il s'est littéralement suicidé. Sa santé mentale est sans doute partie en lambeaux dans le processus, comme les mottes de gazon après le swing. Mais au dix-huit, il se reprend. L'instinct de survie, peut-être. Nous avons tous deux assisté à la transformation, Linda. Nous avons vu son visage changer alors qu'il se trouvait au dix-huitième trou. Il a réussi un putt parfait qui lui a permis d'égaliser.

Elle prit la parole, d'une voix à peine audible :

— Oui, je l'ai vu se métamorphoser… Et Esme Fong a dû paniquer dès cet instant.

— C'est très probable.

— Jack ne lui laissait plus le choix. Elle devait le tuer.

Myron secoua la tête.

— Non.

Elle parut désorientée à nouveau.

— Mais tout cadre. Esme était désespérée. Vous l'avez dit vous-même. Elle voulait venger son père, et de plus, elle redoutait ce qui se produirait si Tad Crispin perdait. Elle devait le tuer.

— Il y a un petit problème, glissa Myron.

— Lequel ?

— Elle a téléphoné à votre domicile, ce soir-là.

— En effet, répondit Linda. Pour convenir du rendez-vous sur le parcours. Elle a certainement spécifié à Jack de venir seul. Et de ne rien me dire.

— Non, rétorqua Myron avec calme. Ce n'est pas ce qui s'est passé.

— Pardon ?

— Si ça s'était produit de cette façon, nous aurions l'appel sur la cassette, expliqua Myron.

Linda paraissait de plus en plus perdue.

— Mais de quoi parlez-vous ?

— Esme a bien téléphoné à votre domicile, ce soir-là. A mon avis, simplement pour le menacer encore. Et lui faire comprendre qu'elle était sérieuse. Jack l'a sans doute implorée de lui pardonner sa réaction d'orgueil pendant la compétition. Je ne sais pas. Et je ne le saurai probablement jamais. Mais je parierais qu'il a terminé la conversation en lui promettant de perdre le lendemain.

— Alors ? fit Linda. Quel rapport avec l'enregistrement de l'appel ?

— Jack vivait un véritable enfer, poursuivit Myron, toujours sur le même ton posé. La pression devenait intolérable. Il était certainement tout près de craquer. Alors il est sorti de la maison en courant, exactement comme vous l'avez dit, et il ne s'est arrêté que lorsqu'il a eu atteint l'endroit qu'il a préféré en ce monde. Le Merion. Le parcours. Est-ce qu'il s'est rendu là-bas seulement pour réfléchir ? Je l'ignore. Est-ce qu'il avait emporté l'arme avec lui, et qu'il avait envisagé de se suicider ? Une fois encore, je n'ai aucune certitude sur ce point. En revanche, je sais que le magnétophone était toujours raccordé à votre téléphone. La police l'a confirmé. La question est donc : où est passé l'enregistrement de cette dernière conversation entre Esme et lui ?

Soudain le ton de Linda se fit plus sec :

— Je n'en sais rien.

— Oh si, Linda, vous savez.

Elle lui lança un regard dur.

— Il est possible que Jack ait oublié que cette conversation était enregistrée, continua Myron, mais vous, ce détail ne vous a pas échappé. Quand il s'est précipité dehors, vous êtes descendue au sous-sol. Vous avez écouté la cassette. Et vous avez tout entendu. Ce que je vous dis maintenant dans cette voiture n'a rien de nouveau pour vous. Vous saviez très bien pour quelle raison on avait enlevé votre fils. Et ce que Jack a fait. Vous saviez où il aimait se rendre quand il prétendait « partir se promener ». Et vous saviez que vous deviez l'arrêter.

Myron se tut et attendit. Il rata l'embranchement, prit le suivant et fit demi-tour sur la voie express. Il retrouva la bonne sortie et mit son clignotant.

— Jack a bien emporté le revolver, dit Linda d'un ton devenu froid. Je ne savais même pas où il le cachait.

Myron acquiesça mollement, pour l'encourager sans l'interrompre.

— Vous avez raison, continua-t-elle. Quand j'ai réécouté la cassette, j'ai compris qu'on ne pouvait pas lui faire confiance. Il en était conscient aussi. Même sous la menace de la mort de son propre fils, il avait réussi ce putt au dix-huit sans trembler. Je l'ai suivi sur le parcours. Nous nous sommes disputés. Il s'est mis à pleurer. Il a promis qu'il essayerait de perdre. Mais… (Elle hésita, pesa soigneusement ses mots)… cet exemple que vous avez donné de l'homme qui ne peut pas se noyer, c'était tout à fait Jack.

Myron voulut avaler sa salive, mais il n'en avait pas.

— Jack voulait se tuer. Et il savait qu'il devait le faire. J'avais écouté l'enregistrement. J'étais au courant des menaces. Et je n'avais aucun doute : si Jack remportait l'Open, Chad était mort. Je savais également autre chose.

Elle s'interrompit et regarda Myron.

— Quoi ? dit-il.

— Je savais que Jack gagnerait. Win avait raison, la flamme était revenue dans ses yeux. Mais à présent c'était un véritable brasier que lui-même était incapable de maîtriser.

— Alors vous l'avez abattu, fit Myron.

— J'ai tenté de lui prendre l'arme. J'avais l'intention de le blesser. De le blesser gravement. S'il restait la moindre possibilité qu'il continue à jouer, je redoutais que le kidnappeur ne fasse subir le pire à Chad. La voix au téléphone semblait désespérée à ce point. Mais Jack n'a pas voulu me donner le revolver, pas plus qu'il n'a vraiment fait ce qu'il fallait pour me l'arracher des mains. C'était très étrange. Il le tenait et me regardait fixement. Presque comme s'il attendait. Alors j'ai pressé le doigt sur la détente, et j'ai tiré.

C'est d'une voix désormais très claire qu'elle conclut :

— Le coup n'est pas parti accidentellement. J'avais espéré le blesser gravement, pas le tuer. Mais j'ai tiré. J'ai tiré pour sauver mon fils. Et Jack est mort.

Myron laissa passer quelques secondes avant de prendre la parole.

— Ensuite vous avez enterré l'arme et vous vous êtes dirigée vers votre maison. Vous m'avez aperçu dans les buissons. Dès que vous êtes rentrée, vous avez effacé la bande.

— Oui.

— Et c'est pourquoi vous avez fait cette déclaration à la presse aussi vite. La police voulait calmer le jeu, mais de votre côté vous aviez besoin que la nouvelle se répande. Vous vouliez que les kidnappeurs sachent que Jack était mort, afin qu'ils relâchent Chad.

— C'était mon fils ou mon mari, dit Linda et pivotant du torse pour lui faire face. Qu'auriez-vous fait, vous ?

— Je ne sais pas. Mais je ne pense pas que je l'aurais abattu.

— Vous ne « pensez pas » ? répéta-t-elle avec un rire amer. Vous dites que Jack était sous pression, mais... et moi ? Je ne dormais plus. J'étais stressée, éperdue, et terrorisée comme jamais encore de ma vie. Eh oui, j'étais furieuse que Jack ait sacrifié les chances de mon fils de pratiquer ce sport que nous aimions tous tant. Je ne pouvais pas me payer le luxe de ne pas savoir, Myron. La vie de mon fils était en jeu. Je n'ai eu que le temps de réagir.

Ils s'engagèrent dans Ardmore Avenue et passèrent en silence devant le Merion Golf Club. Tous deux contemplèrent les courbes douces et verdoyantes du parcours, avec, çà et là, la tache pâle du sable. Myron dut reconnaître que c'était magnifique.

— Vous allez tout dire ? demanda-t-elle.

Elle connaissait déjà sa réponse.

— Je suis votre avocat, lui rappela Myron. Je ne peux rien dire.

— Et si vous n'étiez pas mon avocat ?

— Ça ne changerait rien. Victoria aurait assez d'éléments pour mettre en avant le doute raisonnable et gagner l'affaire.

— Ce n'est pas ce que je veux dire.

— Je sais.

Il n'ajouta rien. Elle attendit, en vain.

— Je sais que cela vous importe peu, dit-elle, mais j'étais sincère dans ce que je vous ai dit. Mes sentiments pour vous étaient bien réels.

Ils n'échangèrent plus un mot. Myron engagea la

voiture dans l'allée. La police tenait les médias à l'écart. Devant la maison, Chad guettait l'arrivée de sa mère. Il souriait. Il se précipita vers la voiture. Linda ouvrit la portière et sortit. Peut-être s'étreignirent-ils, Myron ne le vit pas. Il rebroussait déjà chemin.

41

Victoria ouvrit la porte.

— Dans la chambre. Suivez-moi.

— Comment est-elle ?

— Elle a beaucoup dormi. Mais je ne pense pas que la douleur soit trop forte encore. Nous avons une infirmière et une perf de morphine si besoin est.

Le décor était beaucoup plus simple et moins luxueux que ce que Myron avait imaginé. Un lit en bois aux lignes épurées et des oreillers. Des murs blancs nus. Des étagères en pin avec des bibelots rapportés de vacances en Asie et en Afrique. Victoria lui avait confié que Cissy Lockwood adorait voyager.

Ils firent halte au seuil de la pièce. Myron jeta un œil à l'intérieur. La mère de Win gisait dans le lit. Tout en elle disait l'épuisement. Sa tête reposait sur les oreillers comme si elle était trop lourde. Une intraveineuse était plantée dans son bras. Elle regarda Myron et réussit un sourire doux. Myron lui répondit de la même manière. Du coin de l'œil, il vit que Victoria faisait un signe à l'infirmière. Celle-ci se leva et sortit de la pièce. Myron s'écarta pour la laisser passer. La porte se referma derrière lui.

Myron se rapprocha du lit. Elle respirait avec peine,

faiblement, comme si elle était peu à peu étranglée de l'intérieur. Il ne savait pas quoi dire. Il avait déjà vu des gens mourir, mais il s'était toujours agi de morts rapides, violentes, où la force vitale était soufflée d'un coup. Ici, c'était différent. Il contemplait un être humain à l'agonie, dont la vitalité s'écoulait au même rythme que le goutte-à-goutte de sa perfusion. L'éclat de ses yeux s'atténuait insensiblement, tandis que la mécanique des tissus et des organes s'érodait sous les assauts vicieux de la maladie.

Elle leva une main et la posa sur celle de Myron. Sa poigne possédait une force surprenante. Elle n'était pas décharnée, ni pâle. Son hâle estival s'était à peine affadi.

— Vous savez, dit-elle.

— Oui.

Elle sourit.

— Comment ?

— Tout un ensemble d'indices, répondit-il. Victoria qui ne voulait pas que je creuse dans le passé. Le passé trouble de Jack, justement. Votre commentaire un peu trop nonchalant sur le fait que Win devait aller jouer au golf avec Jack, ce jour-là. Mais c'est surtout Win qui m'a mis sur la piste. Quand je lui ai relaté notre conversation, il a dit que je savais maintenant pourquoi il ne voulait rien avoir à faire avec vous et Jack. Vous, je pouvais le comprendre. Mais pourquoi Jack ?

Elle ferma les yeux un instant, et sa poitrine se souleva légèrement.

— Jack a détruit mon existence, dit-elle. Je sais bien qu'à l'époque ce n'était qu'un adolescent qui avait une liaison avec une femme plus âgée. Il s'est confondu en excuses. Il a prétendu qu'il ne s'était pas rendu compte que mon mari était dans les parages. Il a dit qu'il avait la certitude que j'avais entendu Win arriver et se cacher. Ce n'était qu'une plaisanterie, a-t-il dit. Rien de plus.

Mais rien de tout cela ne le rendait moins responsable. J'ai perdu mon fils à jamais à cause de ce que Jack a fait. Il devait en subir les conséquences.

— Et c'est pourquoi vous avez payé Lloyd Rennart pour saboter son parcours à l'Open, enchaîna Myron.

— En effet. C'était un châtiment sans réel rapport avec ce qu'il avait infligé à ma famille, mais c'était tout ce que je pouvais faire.

La porte de la chambre s'ouvrit, et Win s'avança vers le lit. Myron sentit la main de la mourante le lâcher. Un sanglot monta dans la gorge de Cissy Lockwood. Sans hésiter ou dire au revoir, Myron tourna les talons et sortit.

Elle mourut trois jours plus tard. Win ne la quitta pas une minute. Quand elle eut poussé son dernier soupir et que son visage se figea dans le masque exsangue de la mort, Win sortit dans le couloir.

Myron se leva, dans l'expectative. Win le dévisagea. Son expression était celle de la sérénité.

— Je ne voulais pas qu'elle meure seule, dit-il.

Myron hocha la tête, en essayant de contrôler le tremblement de ses mains.

— Je vais aller faire un tour.

— Je peux quelque chose pour toi ? demanda Myron.

— Eh bien… oui.

— Dis ce que tu attends de moi.

Ils firent trente-six trous au Merion ce jour-là. Et trente-six le lendemain. Et à la fin du troisième jour, Myron commençait à s'y mettre.

Impression réalisée sur Presse Offset par

46548 – La Flèche (Sarthe), le 19-03-2008
Dépôt légal : septembre 2007
Suite du premier tirage : mars 2008

POCKET – 12, avenue d'Italie - 75627 Paris cedex 13

Imprimé en France